XUSUUSQOR

Dagaallada Sokeeye
(Dis.30/1990---Juun1994)

Goormaa qof lala colloobaa?
1. Goortii uu dagaal idin dhexmaro (waagii hore)
2. Goortii qabiilkiisa la ogaado (maanta)

Lifaaq:
Gobannimaddoonka (guudmar)
Tusaale: Shabeellaha Dhexe

Siciid Cismaan Keenadiid

Qoraha Siciid Cismaan Keenadiid.

1934—2011

Siciid waxaa dhalay abwaankii gabyaaga Soomaaaliyeed Cismaan Yuusuf Keenadiid oo 1922kii hindisay xuruufii uu ugu talagalay qorista af soomaaliga (Somali script), loona yiqiin Far Soomaaliga. Dhanka kale, Siciid walaalihiis waxaa ka mid ahaa Yaasiin oo ahaa ninkii qoray Qaamuuskii ugu horreeyey ee af soomaaliga iyo buug kale Giddigood Eebbe ha u naxariisto…Janadii Fardowsana Allaha ka wada waraabiyo…Aamiin. Wuxuu dhintay Saciid CK 23.08.2011. Wuxuu ku dhintay Nairobi Kenya. Siciid wuxuu dhashay 1934 xornimadii ka hor, isagoo15 jir ah, ayuu waxbarasho dalka Talyaaniga ugu baxay. Halkaas oo uu illaa heer jaamacadeed kaga qalin jebiyay dhanka Suugaanta-(Literature). Keddibna dalka Rumania ayuu takhasuskiisii (masters) ka sameeyay. Wuxuu ka shaqeynjiray Akadeemiyihii Hiddaha, Fanka iyo Suugaanta. Siciid AUN intuu ka shaqaynayey AHFS qorijiray qoraalo taxane ah oo ku soo bixijiray wargaysyada Soomaalida (Xidigta October ku waasoo ku salaynaa hanaanka loo yaqaan kaftan dhable. Wuxuu ka mid ahaa aqoon- yahanadii (isugu jirey soomaalida iyo Talyaaniga) ee diyaariyey Qaamuuskii labada af ka koobnaa ee"Dizionario somalo – Italiano".

Buugta waxaa ka mid ah: **Somali Maxaa dheeliyey?** (Kaftandhable), **Ayax Teg Eelna Reeb, Xusuusqor iyo kuwa kale.**

Yuusuf Nuur Cismaan

Hawlaha qoraha

Soomaaliya maxaa dheelliyey? (Kaftandhable) Waxaa la daabacay "Gabayadii Cismaan Keenadiid" Waxaa daabacaad ku jira "AYAX TEG EELNA REEB" : Waa 50 sano ka hor, sidii ay aqoonyahannada waagaasi u arkayeen hanashada Gobanimadii soo ogog lahayd. Waxaa xigi doona, eebbe idankiis, sheeko uu halqabsigeedu yahay qabashadii Gumeysiga ee saldanadii Hobyood 1925kii iyo boqortooyadii Baargaal 1927kii

EAIRC
Contact: Faduma Yassin Osman
Fadumayassin@hotmail.com
Yuusuf Nuur Cosman
Ajoob1@gmail.com

Tusmo

Hordhac

Ma aha riyo. Ma aha dheelallow. Waa dhab in ay Soomaalidu kol ahayd dad mid ah oo dalkooda jecel. Dad isu hiilliya, isu ficilooda. Waxay taageeri jireen cid kasta oo Gobannimadeeda u halgamaysa, ha ahaadeen Falastiiniyiin, Soomaali, Afrikan ama kuwo qaarado kale ku nool oo Afrika ku abtirsada oo midabkooda loogu dawgalo sida xasaradihii foosha xumaa ee midabtakoorka, xagga waxbarashada, ee kontomeeyadii ka dhacayey Little Rock, Arkansas (Ameerika) iyo meelo kale. Waa mabda' aan xudduud lahayn. Istaageeridda Soomaalidu waxay ahayd halgan dhinacyo badan. Tusaale: Ardayga ku taxan dugsiga Maamulka, sida qoraaga buuggan iyo jaalalkiisii, wixii ay gelinka hore soo barteen ayay gelinka danbe ka dhigayeen dugsiyada Xarunta S.Y.L. Ardaygu, kolkii uu buugga saddexaad dhammeeyo, galabtii wuxuu ahaa bare dhigaya buugga kowaad. Afafka qalaad ka sokow, waxaa la baran jirey Af-Soomaaliga oo lagu qorayo far Cismaaniye sida uu jideynayey Dastuurkii hore ee S.Y.L. qodobkiisa 5aad. Farriinta ballaaran ee uu Xusuusqorkani xambaarsan yahay waxay ku kooban tahay oraahda duluc hoosaadda u ah magaca buugga ee ah sida ay qabyaaladdu u tahay cudurka halista ah ee sumeeyey bulshadan iswalaalaysigii iyo kalsoonidii lumisay.

Ku-talaggalka qoraagu wuxuu ahaa in dhacdooyinka naxdinta leh sida gumaadka la daabaco goor dibuheshiisiin iyo xasillooni la gaarey oo la miyirsadey, waase ayaandarro ee, colaaddii iyo dagaalladii ayaa sii laba-jibbaarmey. Soomaalidu way uun ciribtirmi weyday mooyee, waxay u muuqataa Ummad xukuman. Waayadan, kolkii ay Soomaalidu qabiil-qabiil u qaybsantay, waxaa la waayey xooggii iyo xirribtii Qarannimada lagu sugi lahaa; waxaa la tebey waddaniyiintii ku hubaysnayd mabaadii'da Daljacaylka, waxaana sidaas u asaruurmay hankii Qarannimada lafteeda loo qabey. Qabyaaladda ayaa mirihii halganka baas u noqotay. Qabyaaladdu waa tubta kala-tagga iyo burburka: baabba'a matxafyada, maktabadaha, dhismooyinka filka weyn, raadraacyada taariikhda, sooyaalka ilbaxnimada… Awoodda qabiilku ma dhaafsiisna qabiil qabiil kale weerara. Waa dagaal uu dad badani ku dhinto oo badanaaba ka dhasha sababo ka maran mabaadi', waddaniyad iyo dhugmo benii-aadannimo sida kolka la isugu qalab qaato colaad ka aloosantay kaawinta (geeska) sac dar laga celinayo awgiis. Qaybta ku saabsan Gobannimaddoonka Shabeellaha Dhexe ee ku lifaaqan Xusuusqorkan, waxaa looga maarmi waayay si akhristaha aan xog'ogaalka ahayni uusan u moodin in hab-dhaqanka dagaal ee Soomaalidu uu weligiis ahaa "Soomaali Soomaali kale laynaysa." Qoraaga iyo facii sidiisa oo kale ku soo barbaaray xilliyadii Gobannimaddoonka iyo Soomaalinnimada, waxa uu garaadkoodu la qabsan la'yahay ayaandarrooyinka maanta joogtoobey ee ah 'Soomaali iyadu islaynaysa.'

Soomaalidu waagii gumeysiga, iyada oo Soomaalinnimo ku midaysan ayay naftooda iyo maalkooda u hureen sidii ay xorriyad iyo gobannimo ku hanan lahaayeen. Dagaal kastaa wuxuu u dhexayn jirey halgameyaasha iyo ciidammada gumeysiga, wuxuuna lahaa ujeeddo guud oo lagu ilaalinayo danaha dadka iyo Dalka.

17kii sano (1943-1960) dhiiggii loo huray xoraynta Dalka waxaa ka danbeeyey 17kan sano (1991-2008) oo uu hoorayo dhiig kii hore ka badan lase moodo in loogu talaggalay sidii xorriyad iyo gobannimo lagu waayi lahaa. Dawlado ku tashoonaa in ay Soomaaliya soo faraggeliyaan, iyaga oo adeegsanaya maal badan, dibloomaasiyad sare iyo, haddii loo baahdo xoog ayay Soomaalidu danahoodii u fududaysay oo u muujisay in ay iyagu Dalkooda, gacmahooda ku burburin karaan, si shisheeyihii dan ka lihina uu tamashle ugu soo galo. Dagaalladii sokeeye ayaa Xamar ka bilowday. Ciidammadii Qaranku way burbureen. Madaxweyne Maxamed Siyaad

Barre, Villa Soomalia ayuu ku hareeraysan yahay. Waanwaantii uu Guddiga Suluxu ku dhexdhexaadinayey Madaxweynaha iyo Jabhadda (USC) waxay ku soo afjarantay Madaxweynaha oo oggolaaday in uu iscasilo kolkii ay xabbaddu joogsato iyo, Jabhadda oo tiri " horta iscasil." Waxaa xigey Madaxweynaha oo Xamar ka baxay 26kii Jannaayo 1991kii iyo Jabhadda oo Raadiye Muqdisho kaga dhawaaqday 27kii Jannaayo 1991kii, in ay taladii Dalka la wareegtay.
Shirarkii soo taxnaa ee Jabhaduhu wax heshiis ah way gaari waayeen, marar badan Dalkii shidnaa ayay sii hurinayeen. Macangagnimada Guddoomiyeyaasha Jabhadaha qaarkood ayaa ku wacnayd wada-xaajood iyo awoodqaybsi la'aanta.Wuxuu dadweynuhu hungo kala hoydaba shirarka, waxay yididdiilo ka bidhaantay kulammadii Jabbuuti-I iyo Jabbuuti-II.Hoggaamiyeyaasha Jabhaduhu waa kala dan: kuwo waxay heshiis kasta ku xireen shuruud ah in jagada 'Madaxweyne' ayan muran gelin oo ay iyagu lahaadaan, waana mudnaanta ay xaqa u leeyihiin halyeeyadii-sida ay ku andacoodaan-Dalka ka xoreeyey Keli-taliskii askarta.
Jabhado kale waxay qabeen in aan waxba la xorayn ee la abuuray dagaallo qabiil oo ay adag tahay si ay ku demaan.
Jabbuuti waxaa ku kulmay siyaasiyiintii Soomaalida ugu caansanayd, wakiilladii

Dawladaha waaweyn, kuwii Hey'adaha Caalamiga ah iyo Guddoomiyeyaasha 6da Urur (SSDF, USC, SDM, SPM, SDA, USF). Odayaasha Shirka welwelkooda ugu wayni wuxuu ahaa maqnaanta Jabhadaha qaarkood iyo gooni u goosashada Waqooyi.
Waxaa si kedis ah ku soo galay qolweynihii shirarka Danjiraha Suudaan Jabbuuti u fadhiya oo cod dheer ku sheegay in SNM ay Dawladdiisa u sheegtay in ay goosashadii ka noqotay.
Hal mar ayaa farax lala istaagay oo la qaaday heestii " Soomaaliyeey Toosoo." Kol danbe oo C/raxmaan Tuur toos loola xiriiray wuxuu yiri: " goosasho ka noqosho bal warkeed daa ee arrintaba lagama hadlin."

Sidaas ayaa waxaa lagu ogaadey in-wax si ka noqdayba-uusan Danjire Cali Xamadi Ibraahim war sax ah sheegin. Intii aadka u qawaddey waxaa ka mid ahaa martigeliyaha Al-Xaaji Xasan Guuleed Abtidoon, Guddoomiyaha Guddiga Dhexdhexaadinta Aadan Cabdulle Cismaan iyo la-Guddoomiyeyaashiisii Maxamed Ibraahim Cigaal iyo C/risaaq Xaaji Xuseen iyo giddi kaqaybgaleyaasha shirka.

Mahadnaq 2008

Waxaan aad ugu mahadinayaa maamulayaasha Dayax Islamic Bank Abshir Maxamed Ciise iyo Axmed Cumar Axmed oo ii suuraggeliyey dib u habaynta qoraalladan.
Dib u habaynta? Dhacdoo yinka buuggan waxaa lagu ururshay Xamar oo goob dagaal ah oo har iyo habeen deris la ah yeerta madaafiicda, geerida, dhaawaca, qaxa, biyo iyo nal la'aanta… Intaas waxaa dheer berdedka qofka wax qoraya oo goor kasta filanaya wixii ku dhacay saaxiib-badiisii haree- raha ku noolaa.

Qoraallada xaaladdan lagu dejiyey, waxay u ekaayeen, dib u habaynta ka hor, kuwo haabhaabasho lagu helay. Waxaan isagana aad ugu mahadinayaa Maxamed Cali Cartan, qaybtiisii xagga farsamada kombiyuutarka.

Maxamed waa hawlkar bulshey ah, naynaasaha ay saaxiib-badiisa shaqadu u bixiyeenna waxaa ka mid ah 'maddaale' iyo 'Xalleef'.

Mahadnaq 1992

Xamartii cammirnayd ayay dagaalladu, durbadiiba, gabaadiir u rogeen: rugo la bililiqaystay, kuwo la gubay iyo kuwo laga qaxay oo ay tacshiiradi ka kordhacayso.

Waxaan ku mahadnaqayaa Cumar Maxamed Cabdi 'Cumar Shariif' oo naynaastiisa labaad tahay 'Daacad'. Cumar Shariif wuxuu awooday in Xamartan burburtay uu nooga helo bateri Raadiye, daftarro iyo xaashiyo cadcad, isaga oo weliba qoraallada qaarkood noogu garaaci jirey qalabka qorista (typewriter).

Daacad kalluumaysi ayuu u tegi jiray xeebta Jaziira, wixii uu helaana waxay ahaayeen wax la wadaago.

S. C. K.

Erayo la gaabiyey

Aun :	Allaha u naxariisto
BBC-F :	Fiid
BBC-GS:	Galab Soomaali
B.Gh :	Boutros-Ghali
CCF:	Cabdi Cismaan Faarax/Duuliye Sare
CCQ:	Cumar Carte Qaalib
CMM:	Cali Mahdi Maxamed
HUM:	Hey'adda Ummadaha Midoobey
J.J. :	James Johna
Kd. :	Ku wad (i.w.m)
MAM:	Maxamed Abshir Muuse
MFC:	Maxamed Faarax Caydiid
MIA'L :	Maxamed Ibraahim Axmed 'Liiqliiqato'
MSB:	Maxamed Siyaad Barre
QRF:	Quick Reaction Force
RM(K):	Raadiye Muqdisho - Koofur
RM(W):	Raadiye Muqdisho - Waqooyi
R-K-S:	Run ku sug
UMA:	Ururka Midnimada Afrika
WGXG:	Wakiilka Gaarka ah ee Xoghayaha Guud
W.M.A:	Walaayadaha Midoobey ee Ameerika (USA)
WWA:	Wakaaladaha Wararka ee Adduunka

Wejiga Qabiilka

Derisku wuu mahadsan yahay. Xubnaha derisku, sidii walaalo oo kale ayay isugu xirnaayeen, tan iyo waagii xaafadda (Labadhagax) la degey. Intii ay Dagaallada Sokeeye bilowdeen, waxay ku mideysnaayeen oo ku abtirsanayeen Jabhadda USC. Magacyada Jabhaduhu waa magacyo qabaa'il oo aan wax mabaadii'ahna cuskanayn, markii la isqoonsadana, si fudud ayay u kala daataan. Derisku waa: **1**. Xaaji Cali Jaran **2.** Khaliif Faarax Shuuriye 3. Axmed Xarbi **4**. Maxamed Sugaal 5. Maxamuud Maxamed Rooble 'Dhalaweyn' **6**. Cali Rooble **7**. Hadaafow Xasan Muuddey **8**. Shariif Warsame

Sida ay waabaayada qabyaaladdu u soo dhexgashay 8dan saaxiib: **17.11.1991kii** waxaa bilowday dagaalkii labada garab ee USC-da (CMM iyo MFC) siddeeddii saaxiibna mid baa ka qaxay Degmada Wardhiigley: waa tirsiga **7**aad. **12.1.1992kii** wuxuu dagaal dhexmaray laba qabiil: mid waa kan Wardhiigley u badan, kan kalena waa kan Dayniile u badan, toddobadii saaxiibna waxaa ka qaxay tirsiyada **1**aad iyo **3**aad. **10.9.1993kii** waxaa dagaallamay qabiilkii Wardhiigley u badnaa iyo qabiil reer Hiiraan ah, saaxiibbadii deriska ahaana waxaa ka qaxay tirsiga **4**aad. Qabyaaladdu Qaran la'aantii waxay noogu dartay saaxiibbo la'aan. Qabyaaladdu waa carsaanyow (kansar).

Xifaale

Nabad waxaa u danbaysey waagii ay qabaa'ilku isxifaalayn jireen

Xifaalaha aynnu ku xusaynnaa Gogoldhigga buuggu waa mid kooban oo fudud oo ku saabsan tilmaamaha Dagaallada Sokeeye: Qabyaaladda, dilka, bililiqada, hubka, dibuheshiisiinta iwm.

Dhinac kale, waxaa ku xusan senen (khuraafaad) sida qof aamminsan in uu masku awoowe u yahay.

Haddii uu masku awoowe noqday, absaxankuna waa halaq. Mid kale, wuxuu dacwo ka qabaa midkaan kore oo ku sheegay in uu dabo leeyahay, sida xoolaha.

Haddii ay sheekaxariirooyinkani dhab ahaan lahaayeen, waxaa dulmanaan lahaa kan halaqa noqday, maxaayeelay, kan kale benii'aadannimadiisii way u dhan tahay…waxaa jirkiisa ku soo kordhay oo keli ah 'cad xoolaad'.

Gogoldhig I

Senen (Khuraafaad)

Waxaa kolkol dhici jirtey in sharciyada cusub, inta aan si rasmi ah loo faafin, lagala tashan jirey, xagga Afka, Akadeemiyada Cilmiga, Fanka iyo Suugaanta. Kolkii la dejiyey Dastuurkii u danbeeyey ayaa annaga oo labo ah (waxaa i weheshey Axmed Cartan Xaange iyo Axmed Faarax Idaajaa midkood) Akadeemiyada nalooka yeeray. Hawlaha Dastuurka waxaa gacanta ku hayey-ALLAHA u naxariistee Sarreeye Gaas Xuseen Kulmiye Afrax. Kulmiye waxa uu aad u danayn jirey Hiddaha iyo Dhaqanka, aqoon aan caadi ahaynna wuxuu u lahaa degaammada Dalka iyo caadooyinka kala duwan ee dadka ku nool:xoola-dhaqatada, beeraleyda, kalluumaysatada iyo ugaarsatada. Kulmiye: "Waxaad ka shaqaysaan Hey'adda Dhaqanka. Soomaalidu isma ay taqaan. Maxaad qortaan? Maxaad faafisaan oo aad Gobollada gaarsiisaan?". Sheekadan ayuu tusaale ahaan u keenay... Soddomeeyadii, dhawr nin ayaa Xamar ka tagey oo waxay u shaqo doonteen Shirkaddii Cusbada ee Hurdiyo-Xaafuun. Iyaga oo galab ku nasanaya hoosgalbeedka dhismo ay Shirkaddu leedahay ayaa waxaa agmartay haweenay.
Way gudubtey, daqiiqado kaddib ayayse soo noqotay, iyada oo nimankii aad ugu dhowaatey oo ilkacaddaynaysa, kor iyo hoosna ka fiirinaysa. Nimankii midkood ayaa kolkaas yiri:

- Eeddo maxaa daran?
- Maandhow, sow ma ahidin nimankii Hawiye ee la sheegayey? - Haa
- Oo meeday dabadii la sheegi jirey?
Kulmiye wuxuu intaas raaciyey: "Islaantaas, lillaahi iyo daacad bay ka ahayd ee kama ahayn cid ku aflaggaaddood…waxay weydey cid u kala sheegta sheekaxariirada iyo sheekada dhabta ah." Intaas waxaa ku dhammaaday tusaalihii Xuseen Kulmiye. Iyada oo la og yahay in abuurista Eebbe ay qeexan tahay, ayanna wax ka jirin Aadane dabo leh ama ku abtirsada halaq, dugaag, jin, ama geedo ayaa sheekaxariirooyinka lagu kaftamay. Khuraafaadka lagu kaftamay waxaa ka mid ahaa faryarada bidix ee Hawiye. Siyaalo kala duwan ayaa loo sheegaa.
Gacanta Daarood ayaa gaartey oo taabatay faryarada bidix ee Hawiye, kolkaas ayuu fartii iska gooyey sidii cad faddaroobey.
Soomaalidu, qofkii ay xubin wax ka gaaraan uma gargaarto, haddiibase naanays bay u bixisaa: haddii ay lugi go'do waa lugey, sida gacamey, dhegey, iley, qoorey, carrabey, dhabaney, iwm. Haddii ay dhacdada farta Hawiye run ahaan lahayd waxaa maanta la maqli lahaa 'Hawiye farey'. Waxaan muran ku jirin Hawiye iyo Daarood in ay saaxiibbo ahaayeen. Haddii ay xinifi dhex oolli lahayd, Daarood oo ogaa in Hawiye uu meeshii laga

taabto goynayo, kama uu taabteen faryarada bidix ee wuxuu ka taaban lahaa…madaxa. Qarniyadii Dhexe, reer Yurub (Qaaradda) waxay aamminsanaayeen in uu Ingiriisku dabo leeyahay. Usqufkii Thomas a' Becket oo la diley inkaartiisii ayaa Ingiriiska ku dhacday. Faransiiska oo aad u rumaysnaa wuxuu qabey in, siiba, dhinaca dalka Ingiriiska ee soo xiga Faransa ee ah Kent ay giddi dabo ku dhashaan. Andrew Marvell (1621-1678) gabyaa, siyaasi:

FOR BECKET'S SAKE, KENT ALWAYS SHALL HAVE TAILS.

Dhammaadka Dagaalkii II, dacaayadihii iyo halkudhegyadii ay xoogagga midigta ee Talyaanigu kula dagaallamayeen siyaasadda Midowga Soofiyeetiga waxaa ka mid ahaa: "Ruushku dabo ayuu leeyahay."

Palmiro Togliatti oo ahaa Xoghayaha Guud ee Xisbiga Shuuciga ee Talyaaniga ayaa dacaayaddan 'dabada Ruushka' uga faallooday khudbad uu ka jeediyay Barlamaanka Talyaaniga bishii Oktoobar 1959kii.*

Waxaa dhici karta in islaantii reer-Xaafuun ay ka mid tahay qolo aan maska dilin oo kolkii uu aqalka soo galo xoogaa caano ah weel ugu shubta oo ku tiraahda: " Awoowe, awoowe, hoo caanaha…" caanihiisa ayuu isku qaboojiyaa oo surimmadiisa ka dusaa.

Kolka maska Xaafuun laga yimaado, xagga Ceelbuur waxaa la sheegay mas-cadde ku mataansanaa magac beeleedka ugu caansan. Awoowe kale oo caan ahi waa Timacadde, jinni hiillo badan oo kol haddii uu Marreexaanku, gooraha ay colaadi jirto ' Awoowe Timacaddow!' ku qayladhaansado aan waxba ka hagran… waxaa la xusuusan yahay jabkii uu u gaystey Oroomada iyo Booranta kolkii ay Marreexaanka kula dagaallameen Gobolka Gedo.

Codsi taageero jinniyo kale: Jinniga Halalow degow, heegan ii ahaw - Midka Haybooqan joogow, hurdada ka toos - Fardaha heensaysta, hawl bayna soo gashee - Hiil inaad leedihiin, maanta aan hubsado - Anna igu halleeya, hanti waxaw lahaan jirteen.

**Eeg buugga Onorevole, Stia Zitto, Giullio Andreotti, Ra'iisul Wasaarihii hore ee Talyaaniga boggiisa 287aad, Bur Supersaggi 1992, Milano.*

Nin madax ahaa ayaa geeriyoodey. Carruur kama uusan tegin. Kolkii la kafnay ayaa waxaa ku kor baroortay afadiisii, hooyadiis iyo xigtadii oo dhan iyaga oo ku leh: "
Cid ku dhaxasha noo reeb! Cidla ha nooga tegin!" Ilbiriqsiyo kaddib, waxaa la arkay kafantii oo dhaqdhaqaaqaysa, kolkaas ayuu duqii ciddu dadkii meesha joogay ku yiri:
" u firaaqeeya marxuumka iyo afadiisa" daqiiqado kaddib meydkii waa la aasay waxaana

uurgalay maalintaas, ninka uu ka soo farcamay qabiil ka mid ah qabaa'ilka Soomaalida.
Qabaa'ilka Qaaradda Afrika qaarkood kolkii la eego, sheekoxariirooyinkani waxay u ekaanayaan kuwo roon: waxaa laga hadlaa geed u dhaxa nin oo carruur dhalaya iyo aragti ah in dadku ka soo jeedo geed oo ilmageed yahay. Waxay is weyddiiyaan geedku ma naf buu leeyahay mise naf baa geedka deggan.
Qorismaris (Waraabe-dadow): sheekooyin aan yarayn oo qabaa'il (Woqooyi iyo Koofurba) ayaa ka buuxa. Waxaa jirta xungurufta oo qof jeexiis ah. Meeshii dhurwaaga, Yurub waxaa ku badan sheekooyinka qof ay qayladiisu u ekaato cida uubatada(yeyda) ama giddigiisba uubato isu roga. (Werewolf, Licantropo).
Sheekaxariirada qabow oo dabacsani waa midda badda dhexdeeda ka dhacda: Gabarey-maanyo(halkable).
Dadyowga dunidu waa ka hodan xagga sheekaxariirooyinka, senenka, iwm. Kuwo aad u fil weyn, kuwo dhexe iyo kuwo dhowba. Kumanyaal qoraal ayaa maktabadaha ku kaydsan. Dhibaatada keli ah ee ka jirtaa waa kolka sida Soomaalida oo kale, sheekaxariirada iyo sheekada dhabta ahi ayan xudduud qeexan kala lahayn.
Sheekaxariirooyinka wanaagsani waa kuwa murtida xambaarsan oo laga hadliyo dugaagga, duunyada iyo nafleyda oo dhan si uu

dhallaanku u xiiseeyo isla markaasna u barto dhaqanka suubban: ballanka, runta, garsoorka, naxariista, iwm.

Caasimad Shidan

Caasimaddu way ololaysaa. Qax xoog leh ayaa xaafadaha ka dhex socda, qax ka weynina caasimadda iyo Gobollada ayuu xiriirinayaa. Bidhaan Dawladeed waxaa ka haray hubka madaxtooyada ka soo dhacaya iyo Baaqyada Raadiye Muqdisho oo ku koobmay saddex cod oo keli ah: Madaxweyne Maxamed Siyaad Barre, Wasiirka Kowaad Maxamed Xawaadle Madar iyo Wasiirka Warfaafinta Cumar Maxamed C/raxmaan 'Cumar Dheere'.

Villa Soomaaliya, fariisinkii u danbeeyey ee Dawladda ayaa, daqiiqaddii gudubtaba, ciriiri sii gelaya. Madaxweynuhu wuxuu magacaabay (12.1.91), si wadatashi ballaaran loo yeesho, 75 waxgarad dadweyne ah iyo 25 wakiillo Dawladeed ah. Boqolkan ayaa Guriga Ummadda waxay kula shireen Golaha Wasiirrada iyo Golaha Shacbiga.

Toddoba (7) xubnood ayay iska qabteen oo la dhaariyey oo la faray in ay berri la yimaadaan talo Madaxweynaha loo gudbiyo. Waxay ku soo taliyeen oo uu Madaxweynuhuna ka oggolaaday in Ra'iisal Wasaare Maxamed Xawaadle Madar lagu beddelo Cumar Carte Qaalib oo uu Dawlad soo dhiso. Waxaa bilowday

dhexdhexaadintii Guddiga Suluxa oo u kala dabqaadaya Dawladda iyo Jabhadda (USC).
Waa wadahadallo aan yididdiilo lahayn, maxaayeelay, labada dhinac ayaan isu dheellitirnayn: Dawlad buurta (Villa Soomaaliya) ka dulullubanaysa iyo Jabhad soo koraysa.
Saaxiib deris ah ayaannu guriga deydkiisa ku sheekaysanaynney.
Derisku wuxuu noogu yimid in uu nala taliyo.
Waxaa derbi ku dhegsanaa masawirrada saddex Madaxweyne: Aadan Cabdulle Cismaan oo ay ku hoos qoran tahay taariikhdii uu xilka qabtay iyo tii uu ka degay; Cabdirashiid Cali Sharmaarke, taariikhdii uu xilka qabtay iyo tii uu geeriyoodey iyo Maxamed Siyaad Barre, taariikhdii uu xilka qabtay.
Talo: waa in haddiiba la fujiyo oo la qariyo ama la jeexjeexo… "Barbaarta hubaysan ayaan u dulqaadan karayn".
Colaadda aloosantay ka hadliddeeda midkayana ma uusan jeclayn. Waxaannu isku raacsanayn, bilowgii, in aannu dagaallada dhacaya u aragno kuwo u dhexeeya ciidammada Dawladda iyo kuwa Jabhadda (USC).
Waxaa aragtidan naga dhabqinayay wararkii ka imaanayey goobaha dagaalka, halkaas oo dadka ay Jabhaddu laysay u badnaayeen kuwa ay Dawladdu ku tirinaysay cadowgeeda 1aad: kacaandiidyo.

Sidii aannu u fadhiney, waxaannu aragnay, ku guriga fiintiisa ka dhakoola oo nagu leh: "Daliigihii(fiilooyinkii) Teleefoonka ayaan jarayaa, aniga ayaana idiin soo gelinaya kolkii aannu Afweyne Dalka ka xoraynno". Alle ma idmin, isagiina, maalmihii u horreeyey ee dagaalka ayay la tagtay. Qabyaalad ayaa la adeegsadey. Erayada kacaan, kacaandiid, meesha ayay ka baxeen oo hanuuniskii 20ka sano geesaha lahaa maanta wuu seenyoon yahay. Halkudhegyo loo haystey in midnimada Soomaalidu ay cuskan tahay, sida isku af, Diin, iyo dhaqan ayaa shaqayn waayey. Waxaa jirey qofqof miciin biday oo isyiri " armaad ku badbaaddaa" , kolkiise uu ku dhawaaqay ayaa la qosqoslay; waxaa la moodey in uu maadeynayo, " maadda qubuuraha". Waa shilal u jinni eg tu ku dhacday Soomaali qaxooti naflacaari ah oo inta uu Dalkummar(Passport) samaystay dayuurad u raacay dal ka mid ah dalalka Khaliijka. Kolkii loo sheegay in Dalkummarkiisu been abuur yahay, Dalkana aan lagu soo dhoweynayn ayuu cod dheer ku yiri: waxaan ahay 'Muslin!'. Dheg looma jalaqsiin. Soomaaligu waa mintid.
Hollintiisii labaad: waxaan ahay 'Carab!' wax saamays ah ma yeelan. Soomaaligu waa ma-quuste. Waa tan tijaabadiisii saddexaad: " Soomaaliya Jaamacadda Carabta ayay xubin ka tahay". Looma garaabin, isla markiibana waxaa

loo gudbiyey xabsiga miidaamis-sugayaasha (tarxiilka). Waa danbe, ayuu isaga oo Soomaaliya jooga ogaadey in, erayada Muslin, Carab, iwm. ayan meel ku lahayn xeerarka socdaalka. Jabka ugu weyni wuxuu ku dhacay kacaandiid aamminsanaa oraahda 'cadowga cadowgaygu waa saaxiibkay'. Kacaandiidkii ashqaraarka dhabannada la haystey wuxuu sii wareeray kolkii uu arkay saaxiibbadiisii ay kacaandiidnimada isku bahaysanayeen oo qaarna, iyaga oo hubaysan hoggaaminayaan kooxo la dagaallamaya Ciidammada Dawladda, qaarna sidiisa oo kale ay gabbasho ku jiraan. Waa hashii uu ninka gurrani (labamidigle?) dheelmay. Wuxuuu amakaag la aammusay kolkii uu maqlay labo kacaandiid oo caan ahaa oo kala hoggaaminaya labo Ciidan oo iska soo horjeeda. Kacaandiid sanooyin dagaal kula jirey kacaanka (XHKS) ayaa waxaa dagaal cusub ku furay kacdoonka (USC). Wuxuu xusuustay, dadyow sidii midab-takoor loogu hayey kolkii ay muslimeenna takoor-diimeed loogu daray. Waa cadaadis laba jibbaaran.
Ninkan waxa dhacaya isku wareerinayaa waa nin isaga oo soo jeeda riyoonaya. Bulshada uu xubinta ka yahay iyo tiirarka ay cuskan tahay ayuu illaawey. Waxa keli ah oo loo nugul yahay waa Qabiilka, abtiriskuna ma aha fiiro ama aragti ee waa summad; isbahaysiga jaadkaas ahi waa uu ka maarmaa isku fikrad ama isku

mabda' ahaansho. Waxaa ku filan isku isir ahaansho. Kuwo hubaysan ayaa guriga soo galay. Waxay isugu jireen kuwo magaalada ku noolaa iyo kuwo carcartii miyiga qabey. Dhawr miis iyo buugag ayaa meelo yiil. Horjoogihii ayaa aad u carooday oo yiri: " halku guri ma aha ee waa Xafiis, waxaana loogu shaqayn jirey Maxamed Cali Samatar." Annagoo isweyddiinaynna waxa, gaar ahaan, Samatar meesha keenay ayaannu kol danbe war helnay. Meel noo dhow ayaa waxaa lagu qabtay nin - la yiri - Samatar ayuu wade u ahaan jirey. Aad baa loogu buuqay: ' waa la diley' iyo 'lama dilin' ayaa isfeer socdey. Qaar waxay leeyihiin waa hore ayuu shaqada Samatar ka tagey. Sheekada Samatar waxa nagu soo lifaaqay halkaas ayaannu ka garannay oo qabashada wadaha ayaa maankii dadka xaafadda 'samataraysay'.

***

Reer Janan Maxamed Abshir Muuse ayaa Villa Baydhaba deggan. Dhawr boqol oo guryahoodii isku aammini waydey ayaa meesha wax ka deggan. Jaliilado iyo madaafiic ayaa dhan walba laga maqlayaa. Hadba qof baa dibadda ka yimaada wararkuse waa isku kuwii: "shan qof ayaa isgoys hebel taal". " Toban qof ayaa tiribuunka la soo dhigay..." Erayada la - haysteyaasha ka soo baxaa waa " toodii baa dhammaatay". Erayga 'la-hayste' waannu iska adeegsanaynnaa mooyee, kuwani la-haysteyaal

ma aha …kuwani waa baadi. Waa sidii maxaabbiis xabsi ka baxsatay oo ay cid kastaa ugaarsan karto, waana sida dhici doonta. Lahaysteyaasha waxaa ka mid ahaa wade aad looga yiqiin Xerada Gaadiidka iyo Wasaaradaha. Waxaa soo karay maqalka "qofkii la dilaaba waa ciddii"iyo "tiisii baa dhammaatay." Wadahan oo lagu magacaabo **Gonno**, wuxuu yiri: " waan aamminsanahay in qofka ay tiisu gasho uu dhimanayo, muslin iyo gaalaba, waxaanse la yaabbanahay, maanta, waxa Daarood " tiisii" isku abbaaray.
Marmarsiinyaha joogtada ah ee ay mooryaantu guryaha ku soo galaan waa: hub ayaannu baaraynnaa. Kolkan afar bay guriga ku soo galeen. Raadiye yar, jaadka GRUNDIG oo meel saarnaa ayuu mid iska laadlaadiyey, isaga oo leh: " waa qalabka isgaarsiinta oo Maxamed Siyaad Barre ayay kula xiriiraan."
Horjoogihii kooxdan ayaa kii Raadiyaha la boodey ka dhigay oo dibadda u saaray. Isla markaas ayaa waxaa soo gashay Raaxo Xasan Cali, afada Khaliif Faarax Shuuriye (deris): " kuwaani wax shaqo ah kuma leh Dawladda Kacaanka"oo iyada oo aniga farta igu fiiqaysa raacisay, "wuxuu ka mid ahaa qoladii Bayaanka ee Laanta-Buur lagu xirxiray." Kii maleeshiyada hoggaaminayey oo aan islahaa Bayaanka la sheegayaba ma uusan maqlin ayaa kolkaas yiri: "armuu ka mid ahaa kuwii baqay oo yiri

'magacayga ayaa la iska qortay ee arrintaba waan u war la'aa."
Waxaa naloo sheegay in ninkani yahay sarkaal Booliska ka tirsan oo ka mid ahaa koox Saraakiil ahayd oo bilowga dagaallada sokeeye hollisey in ay yaacidda USC-da qaab iyo barnaamij u yeelaan, wayse ku guuldarraysteen.

Bililiqo

Tiir kaalin weyn kaga jira dagaallada sokeeye waa bililiqada oo ah shidaalka hawlgalka. Afartameeyadii, Jaaliyadihii xoog dhaqaale iyo mid siyaasadeed lahaa waxay ahaayeen Talyaaniga, Carabta iyo Hindiga (Hindi+Baakistaaniyiin, madaxbannaanidooda ka hor)... Soomaaligu wuxuu ahaa muwaaddin hoose, dhimman. Carabta badankoodu waxay ka soo jeedeen Yementa Koofureed (Cadan) waxayna doonayeen in ay Soomaalidu maamul Ingiriis doorato si uu ganacsigoodu isugu furmo. Maalin ayay iyaga oo fardo fuushan oo calammo babbinaya, seefana sita, kuna dhawaaqaya 'Biritaaniyada Weyn!' magaalada soo dhex mareen. Soomaali badan ayaa ka carootay shisheeye bannaanbaxaya oo dadkii Dalka u dhashay u tilmaamaya arrimo siyaasadeed. Dagaal baa dhacay. Waa la kala eryay dukaammadoodiina waa la bililiqaystay. Waxay ahayd **1947kii.**

11kii Jannaayo 1948kii, Bililiqaysigii beesha Talyaaniga, 52-na waa laga diley.

Waxaa kolkaas Xamar ku sugnaa Ergooyinka 4tii Dawladood ee Waaweynaa (Walaayadaha Midoobay ee Ameerika, Boqortooyada Midowdey, Midowga Soofiyeeti iyo Faransa) oo doonayey in ay goobjoog marag toos ah ka noqdaan rabitaanka Soomaalida. Bannaanbax aad u ballaaran oo gobannimaddoonku isugu soo baxay, Barxadda Weliyow Cadde ayaa waxaa soo weeraray kuwo Talyaanigu soo abaabulay oo u ol'olaynaya soo noqoshada Talyaaniga. Talyaanigu waxa uu rabey in ay Soomalidu islayso, si ayan taasi ku dhicinna, waxaa bannaanbaxayaashii amar lagu siiyey in ayan Soomaalida 'Pro-Talyaaniga' ah farsaarin ee ay weeraraan Gumeysiga soo diraya.
1988kii, Hargeysa, bililiqaysigii hantida shisheeye kaddib waa kan bililiqaysigii sokeeye. Waa dagaal dhexmaray ciidammada Dowladda iyo dagaalyahannada SNM.
30.12.1990kii, Waxaa caasimadda ka bilowday dagaalladii sokeeye. Baaxadda bililiqada, burburinta iyo layntu waa horyaalnimo taariikheed.
1903dii, waa sannadkii uu Ingiriisku Hobyo ka soo degay. Ciidammada Ingiriiska waxaa watey Janan W. H. Manning. Waa kolka la xirxirayo oo Cadan loo musaafurinayo, Keenadiid, Cali Yuusuf, Xirsi Guushaa iyo madax kale. Kaddib murankii Dibloomaasi ee dhexmaray Dawladda Talyaani iyo tan Ingiriiska ayaa Cali Yuusuf iyo

maxaabbiis kale Hobyo lagu soo celiyey, Keenadiid iyo Xirsi Guushaana waxaa loo gudbiyey Ereteraya (Masawac) oo Talyaani xukumey. Hal sano ayay halkaa ku xirnaayeen. Sheekadan waxaan uga dan leeyahay oo keli ah muujinta siyaasadda Ingiriiska oo ahayd sida uu Muuse Igarre (Isaaq) ku dhawaaqayey: "Hawiyow Daarood dhaca oo laaya." Cidna lama layn, bililiqo aan badnayn ayaase dhacday. Ingiriisku, xilligaas Daarood kasta, Daraawiishta ha raacsanaado ama ha ka soo horjeedee waxaa uga dhex muuqanayey Sayid Maxamed.

Mussolini: gli ebrei potrebbero andare in Somalia.

Koox Soomaali ah oo meel ku shaahaysa ayaa waxay heshay Wargeyska CORRIERE DELLA SERA 20ka Nov.1990. Fikrado xog adag ahaa ayuu Benito Mussolini ku aammini jiray xusuusqorrada Wasiirkiisii Arrimaha Dibadda, gabadhiisana qabey Galeazzo Ciano iyo YVON De Begnac. Midkan danbe waa ninka uu hoggaamiyaha Fashiismada Talyaanigu ku qarsan jiray aragtidiisa siyaasadeed ee sirta ahayd. Waa waagii ay Dawladaha waaweyn qaarkood ka tashan jireen Dalkii Yuhuudda la dejin lahaa. Magacyo soo duulduuli jirey waxaa ka mid ahaa Madagaskar, Ugaandha. Yuhuudda iyaga hadalkoodu wuu caddaa: "Dalka keli ah ee aannu oggolnahay in aannu degno waa dalkii uu Eebbe naga ballanqaaday".

Xusuusqorrada dhowaanta la soo saaray waxyaalaha ku qoran waxaa ka mid ahaa in uu Mussolini yiri: " Yuhuudda waxaa la dejin karaa Soomaaliya". Soomaalidii akhrisanaysey mid ka mid ahaa ayaa kolkaas yiri: " Oo waynnu sigannaye!" Soomaali kale ayaa ka daba yiri : " maya, Yuhuudda ayaa sigatay!" Soomaaligaan danbe oo aad loogu buuqay wuxuu yiri: " Yuhuuddu waxay aad u jeceshahay hantida, abuuriddeedana waa ku xeeldheereyaal. Haddii Soomaaliya la keeni lahaa waxa ayan faro isla gafeen oo mooradduugi lahaa kuweenna ku xeeldheer bililiqada.

Al-Xaramayn Hotel

Saaka waxaan ku waabberiistey Al-Xaramayn Hoteel. Waa maalmihii hore ee dagaallada sokeeye. Sidee baan ku imid Hoteelka? Guri noo dhowaa oo laga qaxay ayay koox hubaysani qabsatay oo ku magacawday "maxkamad." Eedeysanayaal la soo ururiyay oo 'maxkamadda' la saarayo ayaan ka mid ahaa. Waxay ahayd beryihii hore oo weli baraha qaarkood, sida maxkamaddan oo kale ay qabaa'ilka USC isku dhafnaayeen. Isku gabood ayaa lagu wada eedaysan yahay: waa abtiris. Kolkii aannu deydka 'maxkamadda' soo galnay ayaannu waxaannu aragnay nin meyd ah oo baabuur la saarayo, kolkaas ayuu horjoogaha kuwii na wadey nagu yiri: " annagu dadka ma aannu dilno ee ninkani isaga ayaa 'maxkamadda' soo weeraray." Kolkii magacayga la soo gaarey, saacad danbe, ayaa ku 'garsooreyaasha' ka mid ahaa wuxuu yiri: " ninkaan dacwad gaar ah ayaannu u qabnaa oo bartayada cusub ayaan geynayaa." Labo Laankuruusar oo ay niman hubaysani ka buuxaan ayaa bannaanka nagu sugayey. Waxaan fariistay kursiga albaabka xiga, Taliyihii kooxda watey ayaa kolkaas yiri: " maya, dhexda fariisiya." Waa la dhaqaaqay. Xawlli waalli ah. La sinnaadka Hoteel Tawfiiq ayaa waxaa naga horyimid koox hubaysan oo takhantakhaynaysa labo nin oo indhasaaban. Waxaa iska muuqatay in ay labadaas nin xakuman yihiin oo loo taxaabayo hogag iyo duleedyo ay ka soo noqoshadoodu dhif tahay. Taliyihii baabuurtii buu ag joojiyey oo ku yiri: " war maxaad nimankaan ku haysataan? Mid si isu maqiiqayey ayaa yiri: 'mid waa Dhulbahante, midna waa Ciise Maxamuud." Taliyuhu kuwii nimanka silicdilyeynayey ayuu kala eryey, 'eedeysaneyaashiina' laba nin oo guryahooda geysa ayuu ku daray. Kolkol, la-haystayaasha waxay ku yiraahdaan 'waxaa la idiin geynayaa odayaal abtiriska yaqaan'. Waxay iska ilaalinayaan in qabaa'ilka isku degaanka ahi isku saangataan sida Dhulbahante Isaaq sheegasho ku baxsada ama Majeerteen Habargidir sheegta, iwm. Waa 'garsoor' kacdoon. Marar badan cidna looma geeyo ee meelo dhexe oo go'doon ah ayay 'toodu ku gashaa'.

Hoteel Al-Xaramayn, qol 62 ayaa la i dejiyey. Waa qolka uu Taliyuhu deggan yahay. Wuxuu igu yiri: " abaabul dagaal ayaan ku jiraa oo kolkol baan habeen-barkii imaadaa inta badanse, maba aan imaado: wax cabsi ah kama qabno ciidammadii Maxamed Siyaad Barre oo way burbureen. Hubkaas laga soo ridayo Madaxtooyada ayaa u haray, isagana waa nasiibkeen oo magaalada oo dhan ayaynnu ula siman nahay."
Wuxuu i baray sarkaal u qaabbilsan qolalka, cunnada iwm oo lagu magacaabo Cabdikariim Warsame caanse ku ah 'Sandheere'. Waxaan u sheegay in aanan weyddiinayn waxa Sandheere loogu naanaysay. Taliyihii ayaa kolkaas yiri: " magacaygu waa G/le Sare Xuseen Siyaad Faarax 'Qoorgaab'. Aniga iyo Sandheeraba naanaysahayagu fasiraad uma baahna."
Sandheere oo muddo ku noolaa Keenya wuxuu ii sheegay in uu halkaas ku bartay walaalkay Cabdullaahi oo sanooyin aan yarayn degganaa Nayroobi. Kolkol wuxuu iiga sheekayn jiray dhaqanka Kuukuuyada, si aannaan isugu shuqlin Booranaha Soomaaliya laga tumayo. Saddexda jeer ee wax la cuno, hamuuntir (quraac), harimo (qado), caweysimo(casho) hal mar ayaa baaldi lagu keenaa: hilib, fuud iyo rooti. Adigu saddexda aqoolood u tashiilo. Taliyuhu labo jaliidadood (bunbooyin) ayuu miiska ii saaray oo wuxuu yiri: " dhinac kasta

ayay colaaddu ka imaan kartaa. Haddii aad xabbado ka maqashid, jaranjarooyinka hoose, bunbo ka tuur dariishadda dibadda. Waa baaq oo gurmad baa ka imanaya daaraha inoo dhow oo ciidankayga ayaa deggan."

Dibuheshiisiin

Soomaalidii way heshiin weyday, dunidii heshiisiinteeda ku hawllanaydna quus bay joogtaa. Waxaa la xusuusan yahay, 1991kii, waanooyinkii iyo erayadii cuslaa, kolkolna u ekaa canaan gacalcun ah ee uu Madaxweynaha Jabbuuti **Xasan Guuleed Abtidoon** u jeediyey Guddiga Dhexdhexaadinta (Aadan Cabdulle Cismaan, Maxamed Ibraahim Cigaal, C/risaaq X.Xuseen, Cismaan Axmed Rooble, C/qaadir Maxamed Aadan 'Zoppo', Maxamuud Yuusuf 'Muuro', Cismaan Maxamed Jeelle, Cumar Xasan Qoorey iyo Janan Muuse Xasan). Wuxuu yiri: "Annagu gogosha fidinteeda ayaannu leennahay, nabadaynta iyo Soomaali midaynteedana idinka ayaa la idinka sugayaa. **'Meyd nin uu agyaal buu dhibaa'**".

Yuweri Muzeveni: "War heshiiya oo midooba, mise waxaad doonaysaan labaatan Madaxweyne iyo labaatan Jamhuuriyadood?"

Meles Zenawigii gogosha dhigay, Addis Ababa **11.12.93**, ayaa kaddib markii ay 15ka Urur muran dhexdooda ah ka bixi waayeen, dib u heshiisiintiina ay u muuqatay mid mar kale burburaysa, si caro leh uga baxay qolka shirarka, isaga oo leh: "markii aad noo baahataan diyaar baa la idiin yahay."

Janan Maxamed Nuur Galaal, Guddoomiyaha Nabadaynta Beesha Habargidir oo maqlay kuwo leh 'ha la soo cimraysto', 'goobaha barakaysan ha lagu soo ducaysto' wuxuu yiri: "Ururradu ma ay heshiin karaan xataa haddii lagu shiriyo Maka-al-Mukarrama." *Xog'ogaal 15.12.93, Xamar*

Maxamed Daahir Afrax (Aqoonyahan): "Dib ha loo baaro maansada iyo murtida sheekooyinka bal in wax laga garto dad iyagu isburburinaya, isgumaadaya...haddii ay shisheeye la dagaallami lahaayeen wax baa laga garan kari lahaa" *13.1.92.Tiraab-BBC*

The Washington Post, 29 Dis.1991 Editorial: **Save Somalia from itself**.

Ibraahim Cilmi Sokorow: "32kii sano ee madaxbannaanida kuwii soo hayey way ku fashilmeen...maanta ha la tijaabiyo dadka labada webi ku dhex nool." *Toronto, 27.6.93*

Axmed Maxamed Axmed oo 40 sano London deggenaa wuxuu yiri: " waxaan ka baxaa guriga gadaashiisa si aanan deriska ula kulmin oo ayan iigu oran 'ma aad aragtay barnaamijkii Tv-ga ee ku saabsanaa Soomaaliya?'"

Majeerteen

"Majeerteen, fulayo! Maxaad u qaxdeen? Yaa idinka idiin dan lahaa? Denbiileyaashu waa Marreexaan, Ogaadeen, Dhulbahante."

Erayadaan waxaa igala horyimid saaxiib aannaan is arag intii ay dagaallada sokeeye bilowdeen. Lafoole ayuu bare ka ahaan jirey. Labo sano kaddib, aniga oo degmada Kaaraan, waddada geeskeeda buugag (warato)fiirsanaya ayaan hortayda ku arkay nin buug gorgorinaya oo aan ii jeedin.
Waa saaxiibkaygii aan ka soo hadlay. Wuxuu igu yiri: "gurigaygii iyo maktabaddii waa la bililiqaystay oo la gubey. Ayaan wanaag ciddii way ii nabad- gashay." Waxaa kale oo uu ii sheegay inuu Kaaraan u soo qaxay oo uu qoysas badan kula jiro guri uu lahaa saaxiiibkiis Danjire Maxamed Siciid 'Gacaliye' oo hadda dalka ka maqan. Inta uu magacaabay beeshii ay beeshiisa dagaallameen ayuu wuxuu yiri: " Sidee baad ula noolaydeen nimankaan aan rag iyo Rabbi aqoon?"
Saaxiibkay oo sidatan u shidan kula dhici waayey in aan xusuusiyo hadalladiisii hore. Waa aan fogayn, saaxiibkay walaashiis ayaa waxaan ku arkay Imaaraadka Carabta oo waxay ii sheegtay in uu geeriyoodey. Xabbad habow ah ayaa haleeshay, ALLAHA u naxariistee.

Cilmidhegood-I

Nin bare (hanuuniye) ka ah xero dhaqan-celineed oo lagu uruuriyey dhallinyaro dil iyo dhac qaayibtey ayaa wuxuu yiri: "arrimo diimeed oo aan tijaabo ahaan ka waraystay, intooda badan bowsi bay ku maqleen. Qofkii qof

xaqdarro ku dila? 'Waa la cadaabayaa'. 'waa la qisaasayaa ama diyo ayuu bixinayaa.' Mid baa ku daray…weliba qofka aad dishey aakhiro rukuub buu kaa dhiganayaa oo marin xun (jidka siraad) baad ka gudbinaysaa. Yaa ku baray kolkii la weyddiiyey, jawaabtu waa "qofna ima barin ee tan iyo carruurnimadaydii ayaan maqlayay."
Shir kasta ee Soomaalidu ku kulanto saddexda 'D' (Dadka, Diinta, Dalku) waa lamataabtaan. Waxaa badan erayo had iyo goor lagu dhawaaqayo aanse la dareensanayn sida nabad, soomaalinnimo, walaalnimo, midnimo, garsoor, iwm. Mid ka mid ah dhallinyaradaas meesha ku xeraysan ayaa waxaa lagu yiri: - Haddii aad sidaas u og tahay waxa uu aakhiro la kulmayo qofkii qof dilaa maxaad isaga deyn weydey dilka iyo dhaca? - Xaggee baad ku aragtay dagaal aan cidna la dilayn, waxna la dhacayn?

Cilmidhegood-II

Waa sheeko miyi oo hadda soo labakaclaysay oo Caasimadda ka dhacday. Nin ayaa hantidiisii oo dhan la bililiqaystay.
Goortii uu calaacalkiisu batay ayay xigto iyo aqoonniba waxay kula taliyeen in uu tukado oo ILAAH baryo. Waxaa dhegehiisa ku batay 'war tuko oo ILAAH bari'. ILAAH bari, ILAAH bari…isagu waa nin aan weligiis arrimo diimeed isweyddiin. Wax uu ka warwareegaba, sidatan ayuu Eebbe u baryey: " Ilaahow waad i taqaan

oo nin baryo badan ma ahi “waa dhexdeer ahayd wadaad dad wacdiyayey waxaa “hadalkiisa ka mid ahaa in aad adigu qof walba risiqiisa haysid “ sida la ii sheegayna, wadaadkaasi ma aha nin been yaqaan “haddaba, haddii ay sidaas tahay, maanta maalin aan “uga baahi weynahay ma ay jirto ee qaybtayda i sii.

Xammaali

Qaxooti badan ayaa Kismaayo isku shubay. Wararka Xamar nagu soo gaarey waxay sheegayaan in ay halis ugu jiraan in ay gaajo u dhintaan iyada oo ay Dekedda dhigan yihiin maraakiib iyo doonyo sida shixnado cunno ah. Sidee? Waxay waayeen xammaaligii ka dejin lahaa. Haddii duurxulka xifaalaha laga yimaado, waxaa dhab ahaan jirtey in Dawladdii Talyaanigu ay Dekedda Xamar ka dhistay Urur Xammaali 1914kii.

Waxaa jideysmey habka shaqo qaybsiga iyo xeerarkeeda. Sidaas ayuu Xammaaligu Xamar uga noqday shaqo caadi ah oo shaqooyinka ka mid ah. Labo islaamood oo deris ah baa saaxiibna ahaa. Cayr buulal deggan bay ahaayeen. Labo wiil oo ay dhaleen ayaa israacay oo Sacuudiga u shaqo doontay. Muddo kaddib, labadii hooyo lacag bay heleen oo guryo fiican bay dhisteen. Waxay bilaabeen in ay martiqaadyo dhigaan iyaga oo xusaya waalidkood. Intaas kuma ayan ekaan ee mid

waliba abtiriskeedii ayay waxay ka dhex heshay awoowe shishe oo ay tiri waa "weli burhaan badan ee ha laga ducaysto."
Galab ayaa labada islaamood oo wada fadhiya waxaa soo booqday ku ay deris yihiin. Middood walba wuxuu weyddiiyey shaqada ducaqabaha ay dhashay uu hayo. Labada wiil waa isku shaqo. Hooyada reer Banaadir xammaalinnimadu waa u shaqo caadi ah oo waxay ku jawaabtay "ducaqabahaygu waa xammaali". " Midda kale oo reer Nugaal ah magaca shaqada ayaa la foolxun. Been in ay sheegtana ma ay rabto. Waxay jawaabta la rafataba, waxay tiri: " waxaa la lahaa Carabta ayuu wax la qaadqaadaa."

Yaanyo iyo Calan Cad

Xaggee buu Daaroodku ka keenay hantida uu leeyahay waa la iga bililiqaystay? Oday USC ah ayaa wuxuu yiri: "Waa canshuurtii ay ka qaadayeen habarta Hawiye ee suuqa yaanyada la fadhida". Daaroodku waa la-hayste oo guryuhuu yuururaa, codna ma leh. Habka xanta ayuu wax uga sheegaa waxa agaggaarkiisa ka dhacaya sida sheekadan: Waxaa jirey waayadii danbe, kooxo wadaaddo iyo aqoonyahanno isugu jira oo kolkii ay labo qabiil dagaallamayaan calammo cadcad soo qaata si ay u kala dhexgalaan. Waxaa jirtey mar xabbbad lagala horyimid oo nin caan ahaa la dhaawacay. La-haysteyaasha faalladoodu waxay ahayd:

"Dhexdhexaadintu 'aqbal' ma noqon karin, maxaayeelay, marada cad ee calanka laga dhigtay ayaa bililiqo ahayd".

Lo'da Masai-da

Kol haddii ay Soomaalidu heshiisay, dad badan ayaa oggol in ay wixi ay bililiqaysteen u celiyaan dadkii lahaa, waxaase jirta tiro yar oo diiddan: waa kuwa qaba – sida sheekada kore, in ay leeyihiin dhaxalka habarta yaanyada iibisa oo ay soo ceshadeen hantidoodii. Waxay isku aragti yihiin colkan: Dagaal xun kaddib, heshiis dhexmaray Kikuyo iyo Masai, gabdho ay Masai-du godobtir u soo xushay ayaa waxaa ka mid ahayd Jomo Kenyatta hooyadiis (mise ayeeyadiis?). Masai-du waxay qabaan in lo'da uu Eebbe iyaga oo keli ah siiyey. Lo'da ay Kikuyada ka dhacaan uma haystaan in ay gaboodfal tahay: waa xoolahoodii oo ay soo ceshadeen. Eeg buugga Jomo Kenyatta *Facing Mount Kenya*

***

Anshaxa Dagaalka

Waa nin baabuurka iyo dharkaba ku xarragooda. Waa baxaalli aan deriska salaamin, dhinacyadana dhugan. Waxaa loo qaatay in ay islaweyni ka tahay...kamana marnayn. Goor barqo ah ayaa si kedis ah waxaa gurigiisa lagu hor diley laba nin. Waxaa bilawday ugaarsigii reer Qansax. Waa loo digey: war ka carar! Ka baxso! Isaga oo macawis aan cusbayn, funaanad xun iyo dacas qaba, labadiisii gacmood oo caadiga la moodi jireyna mid 'farsamogacmeed' ahayd tii kale ku sita ayuu orod ku hormaray deriskii oo bannaanka dhooban oo ku jira sacab, mashxarad iyo qosol. Kol danbe oo laga waraystay dhacdadan wuxuu yiri: " waxaan ogaadey in Hawiye uusan aqoon xeerarka gobannimada ee dagaalka…haddii uu aqoon lahaa maalin cad, carruuraha iyo haweenka hortooda naguma eryeen ee habeen gudcur ah ayuu na eryi lahaa."

Hawiye isu ekeysiin

Erayga carro-armato(kaarro-armaato=taangi) waa naynaasta wade aad looga yiqiin Wasaaradaha iyo Xerada Gaadiidka. Nin gaaban, camalxun, qallafsan, xoog badan. USC-da yaacaysa ayuu dhexda kaga jiraa. Galabtii ayuu na soo mari jirey oo noo warrami jiray. Wuxuu oran jirey: "anigu sidiinna oo kale guriga ma aan yuururi karo." " Oo miyaadan ka baqayn in ay ku dilaan haddii ay ogaadaan in aadan Hawiye ahayn?" " weligood ogaan kari mayaan; sow uma jeeddaan sida aan u labbisanahay?" Maryihii sariiraha ayuu midna guntan yahay midna huwan yahay. Wuxuu yiri: " maryaha sariiraha waxaa dhar ka dhigta reer miyiga, qolo kasta ha ahaadeene, wayna iska caddahay in uusan jirin Daarood reer miyi ah oo maanta Xamar soo aadaya."

Yaa Xamar u taliya?

Woqooyiga waxaa u taliya CMM, Koofurtana

MFC, waxaase la sheegaa lakabyo sida Kaydka Shidaalka, Gegida Dayuuradaha iyo Dekedda oo ayan cidina 100% gacanta ku hayn.
Ergo ka socota UMA ayaa Xamar timid 20.2.92kii. Waxaa soo dhoweeyey Xawaadlaha Gegida Dayuuradaha haysta oo u kala geeyey madaxda Woqooyi iyo tan Koofureed. Hey'ado sida Austrian- Charity ayaa waxay talo ku soo jeediyeen in wufuud ka socota Xawaadlaha Gegida Dayuuradaha iyo Murusadaha Dekedda ku meersan lagu daro ergooyinka ka kala socda Madaxweynaha Kmg ah CMM iyo Guddoo - miyaha USC MFC. Waa ergooyin u anbabbaxaya Ummadaha Midoobay (New York) si ay u soo kala sixiixdaan heshiis Xabbadjoojineed waxaana kala hoggaaminaya Maxamed Qanyare Afrax iyo Cismaan Xasan Cali 'Cismaan Caato.'
Biyo la'aanta magaalada ka jirta ayaa sii adkaysay ciriirigii nolosha. Motoorrada ceelashu way shidaal la'yihiin. Kaydka Shidaalka? Gudaha-sida la yiri-waxaa ilaaliya oo deggan Ashaamud, dibaddana saddex qolo ayaa wada jooga 'kalana jooga': Duduble, Xawaadle, Saleebaan. Bishii Jannaayo dhexdeeda 1992kii, MFC ayaa magacaabay Guddi u xilsaaran qaybinta shidaalka. Sida uu faafiyey Raadiyaha USC-SNA, bil kaddib, kuwii ilaalinta loo xilsaaray ayaa xaashiyo qorta, saxiixda oo intii ay doonaan oo shidaal ah ku qaata.

19.02.92: RM(K) Raadiyihii faafiyey magacyada Guddigii loo xilsaaray qaybinta shidaalka ayaa maanta isweydiinaya: 'xaggee buu Guddigii ka baxay?'.
19.02.92: (isla maanta) RM(W) Raadiyaha Woqooyi wuxuu sheegay in shidaalka si caadi ah loo qaato ee waxaa dhacda burcad oo ku dagaalgasha.
30.2.92: kuwo aan xilkas ahayn ayaa shidaalkii biyaha diidey-RM(K).
21.02.92 RM(K): shirkii jaraa'id ee ka danbeeyey kulan uu MFC la yeeshay ergadii UMA, wuxuu yiri: " Biyo la'aanta waxaa ku wacan kaydka shidaalka oo ay burcad haysato.
Maanta ka hor, inkasta oo ay biyo la'aani iska jirtey rajo ayaa uun la iska qabey: 28.3.92 RM (K):
- Shidaalkii ayaa la boobay
- Haamihii ayaa la daldalooliyey
- Haamihii ayaa la gubey
- Matoorradii ceelasha ayaa la bililiqaystay
(Maxay ku nuugtaa ama ka nuugtaa)
(Si aad ku garatid waxa dhacay culayskooda, dib u dhuux gabaygii uu ka tiriyey Abwaan Abshir Bacadle.)

Xifaale dagaal

Xag xigto iyo saaxiiibbaba, waxaa nagu soo noqnoqotay weyddiinta ah 'Maxaad uga qaxi weydeen Xamar oo la isku qalanayo?'Dhawriyotoban ayaannu ku degganayn gurigan. Degmadu waa Wardhiiglay,

Koofurta Xamar. Si aan Xamar joogistayda qiil ugu helo, waxaan kolkol saaxiibbada dibadda ku oran jirey: " Shisheeye – siiba weriyeyaal – ayaa meel walba ka yimaada si ay goobjoog uga noqdaan waxa Soomaaliya ka dhacaya. Innaga Soomaalida ah ayaa uga sii habboon."
Hadalkaygani waxba ma uusan kordhin oo mid ayaa iila soo hadlay si u dhow sidatan: " Haddii – tusaale ahaan – weriye Awstaraaliya ka yimid Xamar lagu dilo dadkiisu dhab u yaabi mayo oo hortii ayay giddi dadyawga madow waxay ka qabeen fikradaha aynnu ognahay, iyaga oo weliba, qaarad dhan dadkeedii madoobaa baabba'shey. Waxa aan la garan karin waa isgumaadka dhexdeenna ah."
Aqoonni dibadda ka soo yiri " waxaan Xamar loogu adkaysan karin ma aha dagaallada oo keli ah, ee waa xabbadaha 24ka saac – dagaal iyo dagaal la'aanba - iska dhacaya." Waxaa lagu yiri: " Waa kooxo uu tababbare xumi casharro ku siiyey in haddii aan la joogteyn xabbado rididda uu hubku mirirayo oo tuuris noqonayo."
Deriska waxaa ka mid ahaa nin aad u jidbeysan oo wax kasta oo ay USC-du ku kacdo u arkayey "guul la taaban karo." Si la mid ah, saaxiibkani, intii ay Dawladdu jirtey, wuxuu caan ku ahaa faafinta halkudhegyada Kacaanka iyo, isaga oo go'aan kasta ee Dawladda ka soo baxa ku tilmaami jirey " Dhaxalgal."
Dagaallada sokeeye waxba kama ayan beddelin

xiriirkii noo dhexeeyey annaga iyo deriska siiba xagga sheekaysiga iyo kaftanka. Dagaallada dalka ka aloosani waa murugo iyo ciribdanbeed xumo (tragedy), kolkolse waa murugo, maaweelo iyo maad isku dhafan (tragicomedy). Waa tan la yiraahdo " belo waa tii kaa qoslisa", ama "belo aan kaa qoslini belo ma aha." Waagii la isxifaalayn jirey ayaa nabad u danbaysey.

HORYAALNIMO

Been Daarood:

a) Nin Daarood ah oo aan qolka lagu ilaalinayo ka bixin, Raadiye, Telefoon iyo qalab isgaarsiineed oo kalena aan haysan, haddana, si tifaftiran kuugu sheegaya waxa maalin walba ka dhacaya Dalka afartiisa gees.

b) Daarood kasta oo sabool ahi wuxuu yiraahdaa 'maalqabeen ayaan ahaan jirey ka hor intii uusan Hawiye hantidayda bililiqaysan.'

Bililiqo Hawiye:

a) Sidii uu burburku u dhacay, lama sheegin qof Hawiye ah oo gurigiisa qof ku martiqaaday. Dhaqankii ismartigelinta ee soo-jireenka ahaa ayaa ciribtirmay. Maxaa ku wacan? Waxaa laga baqayaa in martidu ay guriga ku dhex aragto alaabo laga soo bililiqaystay.

b) Qofka lebbiska tolan gadanayaa wuxuu qaataa cabbirkiisa; kan loo tolayana waa la cabbiraa. Sidee bay ku dhacday in waddooyinka

Xamar lagu arko dad aan yarayn oo xiran lebbis ama kayar ama ka weyn?

Afarta Beelood iyo 'Barka'

Gobollada Soomaaliya waa wada waabjiifyo (bukaanjiifyo). Way wada jirran yihiin wayse isdhaamaan. Bugtada ugu xumi waxay ku dhacday caasimadda. Madaxda Gobol kasta, kolka ay nabad ka hadlayaan, Xamar ayay maanka ku hayaan oo ay isku dhererinayaan. Kolka ay yiraahdaan "nabad ayaannu haysannaa" waxay ula jeedaan " Xamar ayaannu dhaannaa", taas oo Gobollo badan illowsiisey waxkaqabashada dhibaatooyinka faraha badan ee gudahooda ka jira. Cudurka Xamar waa mid la isqaadsiiyo, sidaas awgeedna, ma uu jiro maanta Gobol ayan xabbad iyo afduubyo ka dhacayn.

Digil-Mirifle: Dooxato wax kasta bililiqaysanaysa, kaydkii bakaaraha, xoolihii noolaa, iwm. oo ay hoggaaminayaan dagaal'oogayaal ka maran naxariis iyo waddaniyad ayuu degaankoodu wuxuu u noqday goob dagaal, marin iyo jiscin.

Daarood: Sanooyin aan yarayn, dagaallada sokeeye ka hor, ayuu siyaasad ahaan wuxuu u qaybsanaa 'falliirro' aan dab kala qaadan. Xagga aragtida USC-SNA 'falliirradu' waa mid waxayna bartilmaameed u noqdeen kacdoonka. Shir Jaraa'id, weriye Siciid Bakar Mukhtaar, Guddoomiyaha SSNM Cabdi Warsame Isaaq, wuxuu yiri: "Waa in meesha laga saaraa iska hor imaadka siyaasadeed oo loo yeelayo qaab Daarood-Samaale…iyo Maxamed Siyaad Barre oo Daarood oo dhan loo nisbaynayo; waxaa jirta, bal cid kale daa ee in Marreexaan badani ka soo horjeedo." BBC

Hawiye:

17.11.1991kii waxay ahayd bilowga dagaalkii ugu xumaa ee USC-da dhexdeeda. Waa afartii bilood ee dad iyo dalba ay ku baabba'een. **Yaa dagaallamaya CMM**: Ciidammada Dawladda ayaa dagaal kula jira fallaagada nabaddiidka ah. **MFC**: Xoogagga xaq-u-dirirka ah ayaa la dagaallamaya nimanka iyagu ismagacaabay ee Sulux-Manifesto. **SUUQA**: Abgaal-Habargidir iyo qabaa'il kala raacsan.

Isaaq: Isku daygii abuurista isbahaysi USC-SNM ma uusan hirgelin. U ol'olaynta isbahaysigan waxaa Xamar u yimid, bishii Maajo 1991kii Inj. Cismaan Jaamac Cali, xubin Golaha Dhexe ee SNM, Guddoomiye kuxigeen Guddiga Midaynta Mucaaradka iyo Nabadaynta Beelaha. Halkudhegyadii uu Inj. Cismaan USC-da u soo bandhigay waxaa ka mid ahaa:

SNM waa **USC** & **USC** waa **SNM**
CMM waa **MFC** & **MFC** waa **CMM**

'**Barka**' : Xubnaha beeshatani waxay ka fayow yihiin dhalasho iyo abtiris isku bahaysi. Waxay ka badbaadayaan wixii afarta beelood ee waaweyn curyaamiyey, kuwaas oo 17kii sano ee

burburka wax heshiis ah gaari kari waayey. Ummad tabaalaysan ayaa xal ka sugaysey, iyaguna, halkii ay fikrado iyo barnaamijyo isku bahaysan lahaayeen ficilo qabiil ayay qalab ka dhigteen. Arrimo Qaran hadalhayntoodba la isuma keenin: " Haddii aanan madaxnimada helin waa in ayan cidina helin."
Waayahan burburka, labada eray ee ugu soo noqnoqoshada badani waa SHILAL(dagaallo) iyo SHIRAR(dibuheshiisiin) waana 'isirwadaag' oo isku gacmo ayaa labadaba, daaha gadaashiisa ka maamulaya. Abaabulayaasha dagaalladu – dano kasta oo gaar ah ha ka lahaadeene – waxay qabaa'ilkooda ku kiciyaan fikrado ay u nugul yihiin oo kan haddeer miyi ka yimid uusan wacyigelin u baahnayn: qabiil hebel weerara ama qabiil hebel iska dhacsha! ***Waa taxane oo laba shil dhexdoodba shir ayaa lagu sii nastaa.*** Sidaas ayaa, toddobiyotoban sano, waxaa lagu jirey saxariir iyo hadba shirar dibuheshiisiineed oo galoof ah cuquulayntood.
Heshiis dhab ah oo la gaarey lama sheegin, waabase laga maarmay oo xabbad-joojinta ayaa heshiis loola baxay. Maanka iyo muruqaba qabyaalad ayaa hoggaaminaysa. Dareen guud ee Soomaalinnimo, dhinacna, kuma uusan soo dhowaan. Shirkii Sodere (Itoobiya) ee 1997kii waxa ku kulmay 26 jabhadood. Jabhaduhu waa qabaa'il ee magac qabiil oo mutuxan ayaan lahayn 'weji'lala hortegi karo shir caalami ah.

Dhab ahaan, waa shir qabaa'il oo jilaya shirarka siyaasadeed ee dunida ka dhacaya. Fiintii qabiilka ee uu fadhiyi jirey Isim (duub) samakataliye ah waxaa
hadda fadhiya dagaal'ooge. Maxaa ka soo bixi karaya shir qabiil oo ay ka maqan yihiin ama looga awood weyn yahay madaxdhaqameedyadii hiddaha iyo kasmada gaarka ah u lahaa habka loo heshiisiiyo qabaa'ilka?
Shirkii u danbeeyey ee dibuheshiisiinta ee Nayroobi waxaa lagu go'aamiyay in lagu hawlgalo oo wax lagu qaybsado Afarta Beelood ee Waaweyn : Digil-Mirifle, Daarood, Hawiye, Isaaq iyo Barka. Maxaa magacyo degaan loo siin waayey? Sidii ay dagaallada sokeeye u bilowdeen, qabaa'ilkan Afarta ahi, mar dhexdooda ayay ka dirirayeen, marna mid waliba gudihiisa ayuu jilib-jilib isu laynayey, sidaas awgeedna, ma aha magacyo dad kala irdhoobay isu soo jiidi kara oo kalsooni iyo midnimo dareensiin kara.
Dawladihii ku guulaystey Dagaalkii II ee Dunida, waxay xeeriyeen in erayada Fascim, Nazisim, astaamohooda iyo halkudhegyadooda oo la adeegsadaa ay denbi tahay, maxaayeelay, waa kuwa burburkii dalal badan soo gaarey loo aanaynayo.

Siciid Cismaan Keenadiid

Qormada Kowaad

Gunaanadkii Codka Dawladda

Waa 28kii (30-31 Dis.1990----26 Jan.1991) maalmood ee ugu danbeeyey ee uu Raadiye Muqdisho gacanta Dawladda ku jirey. Wararka Raadiyuhu waa inta "kolmaha" ku qoqoban, weerta ama weeraha dabayaallina waa fiiro dhegeyste.

Qoraalkani ma uu dhaafsiisna Codka Dawladda oo astaynaya gaadaha Dawlad ay waayuhu kadeedeen iyo Jabhad (USC) caarran.

"Waxaa jirtey koox burcad ah oo isku dayday in ay qalalaase abuurto, Ciidammada Nabad-gelyada ayaase ka hortegey oo kala eryey." (30-31.12.90) (Wararka labadaan maalmood, weeraynta mooyee waa isku mid).

Waxaa la yiraahdaa cida fiintu (galow)
waa saadaal: kol waa roob iyo naallo,
kolna waa abaar iyo colaad. ***

"... Ilaalinta xasilloonidu waa xil madani ah oo muwaaddin kasta la gudboon." 0(1.01.91

Xasillooni? Waa la baadigoobi karaa, waxaase jirta kol aan ri keli ah oo baxsatay waxba laga qaban karin.Waa goorta ay isgoys ku lunto: baadigoobuhu, sida uu 4ta waddo hadba mid ugu boodayo, ayuu dhacsaal meel kula finiinaa.

***

"War ka soo baxay Xafiiska Madaxweynaha J. D. S. Jaalle Maxamed Siyaad Barre waxa uu amar kubixinayaa:

1. In laga bilaabo 8da fiidnimo oo ah goorta aan idinla hadlayo, si buuxda xabbadda loo joojiyo, nabaddana la soo celiyo, jidadkana la furo;
2. In Ciidammada Dawladda Soomaaliyeed ay ku ekaadaan goobahooda difaac, kaddibna xeryahooda ku noqdaan;
3. In Ciidammada Booliska Soomaaliyeed laga bilaabo goortaan oo ah 8da fiidnimo ee caawa, ay la wareegaan amniga caasimadda, dadweynahana waxaa laga codsanayaa in ay guryahooda ku sugnaadaan, kuwii ka tegeyna ay ku soo noqdaan, wadajirna gacan uga geystaan xasilloonida iyo nabadda". 02.01.91

Baaqa xabbad-joojinta, waayadan, waxaa ku rayreeya oo oggolaada, dadka intiisa aan hubaysnayn. ***

"Odayaal iyo waxgarad ayaa waxay ku baaqayaan xabbad-joojin iyo talo heshiis." *0(3.01.91*

Odayaashu waxay maanka ku hayeen Dawlad kacaan ah iyo kacaandiid la dagaallamaya, waxayse ashqaraareen kolkii ay arkeen, siyaasiyiin iyo saraakiil ay sanooyin badan kacaamiin u yiqiinneen oo kala hoggaaminaaya kooxo iska soo horjeeda; wakiillo Xisbi oo is-eryoonaya iyo, wasiirro uu midna qaxayo, midna dabbaaldegayo…'dibusocodyo' iyo 'qarandumisyo' isbililiqaysanaya!

Haddii isbahaysiyadii siyaasadeed ay sidatan u burbureen, kuwa cusubi ma cirib dhaami doonaan? ***

"Baaq: *In aan loo kala hari karin ka-hortagga kuwa dadweynaha dhibaatooyinka u geysanaya"* *04.01.91*
-Yaan loo kala harin…
-Goormaa u danbeysey bulsho isku duuban oo dareen-wadaag ah? ***
Raadiye Muqdisho waa shib 05-06.1.91
Raadiyihii ilbiriqsiyo dibudhac ah ka cudurdaaran jirey maalmo ayuu aammusan yahay raalligelintii dhageystahana wuu iska daayey. Waa xogwarran.

***

"Waxay Dawladdu ku baaqaysaa xabbad-joojin. Isla markaas, waxaa lagu baaqayaa Shirweyne arrimaha Dalka wax looga qabto.Waxaa la dammaanad qaadayaa nabadgelyada ka-qaybgaleyaasha. Madaxweynaha J. D. S. waxa uu si gaar ah uga codsanayaa Dawladaha Talyaaniga iyo Masar in ay dammaanadqaadaan badbaadada wakiillada Jabhadaha". *07.01.91*
Dawladaha Talyaaniga iyo Masar, armay ka mid yihiin kuwa uu Wasiirka Warfaafintu ka hadlayo bishatan 14keeda? ***
Raadiye Muqdisho waa Shib 08.01.91 ***
"Xiisadda Gacanka ka aloosan oo sii kordhaysa. Halis ayaa dunida soo foodsaartay…" *09.01.91*
Tan iyo intii ay Ciraaq qabsatay Kuweyt, 2dii Agoosto 1990kii, wakaaladaha wararku waxay ku sii jeedeen colaadda Gacanka, taas oo sii shidmeysay inta loo sii dhowaanaayey kama-danbaystii, 16ka Jannaayo 1991kii, 0500 GMT oo Ciraaq loo qabtay in ay Kuweyt kaga baxdo.

Raadiye Muqdisho oo hortiiba ka gaabsanayey ka hadlidda dagaalllada sokeeye, haddii laga reebo Baaqyo, Ogeysiisyo iyo Digniino, wuxuu u weecday wararka Bariga Dhexe, Soomaalida islaynaysana waxaa dhegahooda hafiyey Magacyada Saddaam Xuseen, George Bush, James Baker, Taariq Casiis... ***

"Baaq: *xabbad-joojineed oo ka dhashay kulammo saddex geesood ah oo ay yeesheen Dawladda, Guddiga Suluxa iyo Jabhadda (USC)." 10.1.91*

Baaqyadii xabbad-joojinta ee ay Dawladdu soo saari jirtey, waxaa ku biiray-sida uu Raadiyuhu soo tebiyey-Jabhadda iyo Guddiga Suluxa, wax isbeddel ah oo suuqa laga dareemayse ma uu jiro. ***

BAAQ

"Walaalayaal, xabbadda joojiya!. Ayaandarro weyni waa walaalkaa dil, ama isagu ha ku dilo. Waxaad tihiin kuwii ama dhasha kuwii naftooda u soo huray xorriyadda, hanashada Gobannimada iyo midnimada Soomaaliyeed. Waxaynnu nahay dad Muslim ah, isku af, Diin iyo dhaqan ah. Taariikhdeenna sharafta lihi waa tii walaalnimada, midnimada, Soomaalinnimada. Waa tii aynnu Gumeysigii cadawga ahaa ku jebinney. Dadka wax gaarayaan waa dadkaagii, hantida burburaysaa waa hantidaadii. Soomaaliya Ha-Noolaato! " Halgame Maxamed Saalax Ladane

„ Cali Shiddo Cabdi

" Sh. Max'uud Maalinguur 11.01.91

***

Halgamayaalow waxaa badanaa laga hadlaa " nabaadguur", waxaase ka sii daran oo aan laga hadlin 'dareenguur'. Erayada aad ku dhawaaqaysaan oo ah kuwii kicin jirey Daljecaylka, ficilada iyo hiillada Soomaalinnimo, waayadan, way saamays beeleen. Haddii ay dhibaato xumi ka dhacdo dhinac dalka ka mid ah, amaba uu shisheeye qabsado, waxay u badan tahay in la maqlo qof leh: "Reer hebel ayaandarrro ayaa ku dhacday". Reer hebel waa qabiilka deegaanka laga hadlayo ku nool. Dalkii la wada lahaa iyo dareen-wadaagtii la ahaa waa taariikh aasan. Qoraha

I. "Berri waxaa Guriga Ummadda ku shiraya:
a) Waxgarad Dadweyne 75 Xubnood (Sulux)
b) Wakiillo Dawladeed 25 Xubnood
c) Golaha Wasiirrada d) Golaha Shacbiga
II. Shirar taxane ahaa oo lagu qabtay Ex-Villa Baydhaba (Kulliyadda Istrateejiga) waxaa ka soo baxay baaq xabbad-joojineed.
III. Wafdi Jabbaan ah oo tegey Caasimadda Kuuriyada Woqooyi ee Pyongyang. Xiriir Dibloomaasi ayaa labada dhinac dhexmaray" 12.1.9

Malaha, magaca Pyongyang ayaa madaxda Raadiyaha ugu muuqday midka keli ah ee uusan qabiilna u qaadanayn in qabiil kale looga exday.

***

- "Dhibaatooyinka dhacaya waxaa ka danbeeya Gumeysigii oo doonaya inuu dib u soo noqdo.

- Waxaa shiray Golaha Wasiirrada oo uu Guddoomiye ka ahaa Madaxweyne Maxamed Siyaad Barre. Maxamed Xawaadle Madar ayaa warbixin loo bogey ka soo gudbiyey waanwaanta socota.
- Cafis Madaxweyne ayaa waxaa lagu soo daayey Janan Aadan C/llaahi Nuur Gabyow iyo Maxamed C/lle Bacadle.
- Qalalaase halis ah ayaa ka oogan Jamhuuriyadda Baaltigga ee Lituania Caasimaddeeda Vilnius.
- Labo afgenbi oo aan dhiig ku daadan ayaa Haiti ka dhacay, labo habeen oo isku xiga." 13.01.91

Qofkii nabar xoog leh madaxa looga dhiftaa wuu dammaadaa, wareeraa, kolkiise mid labaad loo celiyo ayuu miyirsadaa. Nabarkan 'daawada ah', waxaa la yiraahdaa 'nabar-xamaamo'. Nabarradii xabsiga waxaa looga biskoon doonaa kuwa suuqa!. Xilli waliba daawadiisa ayuu leeyahay.

***

- Waxaa Madaxtooyada ku kulmay Madaxweynaha iyo 100kii waxgarad. Waxaa la magacaabay oo la dhaariyey guddi soo diyaariya talooyin Madaxweynaha loo gudbiyo:
a) Axmed Max'ed Darmaan b) Xuseen Xaaji Bood
c) Mahad Dirir Guuleed d) Ibraahim Cabdulle Xasan
e) Cumar Carte Qaalib f) C/casiis Nuur Xirsi
g) Mawliid Macaane Max'ud

***

- Wasiirka Kowaad Maxamed Xawaadle Madar oo Wasiirrada Gobollada ku maqan faray in ay Caasimadda degdeg u soo galaan.

-Wasiirka Warfaafinta Cumar Max'ed C/raxmaan 'Cumar Dheere': 'Kaalmo iyo gargaar degdeg ah ayaannu adduunka weyddiisaynaynnaa, waxaase adag wejigii lala hortegi lahaa Dawlado, safaaradahooda, sida aynnu ognahay loo galay. " 14.1.91

Dawladuhu waxay dhibsan lahaayeen, haddii ay waxyeelladu safaaradahooda ku koobnaan lahayd, kolse hadday arkaan in ay Soomaaliduna burburka la wadaagto, waxay u qaadanayaan shilal dhulgariir oo loo siman yahay. ***

Raadiye Muqdisho waa mar uu aammusan yahay iyo mar uu warar tebinayo, saacad aan ahayn saacadihii looga bartay. 15.1.91

- "Baaq xabbad-joojineed oo ay soo wada jeediyeen Dawladda, Guddiga Suluxa iyo Jabhadda.

- Magaalada badankeedu wuu xasilloon yahay, dadkii carareyna waxay raaceen dacaayad been ah.

- Waxaa dhinacyada dagaallamaya laga codsanayaa in ay xabbadda joojiyaan si ay xubnaha Guddiga Suluxa ugu suurtowdo in ay ka soo qaybgalaan shirarka nabad-raadinta, meydkana loo aasto.

- Labadii Yemen ayaa midoobey, labadii Jarmalna si la mid ah, labadii Koreyana tubtaas ayay hayaan." 16.1.91

Waa 'ninba gar u badi', Soomaalida iyo dadyowga midoobaya!' Dal, Gobollo iyo Degmooyin warkood lama hayo ee, waxaa sii kala xiriirfuranaya xaafadaha!! ***

"Dawladda, Guddiga Suluxa iyo Jabhadda:

1. In xabbadda saqda-dhexe la joojiyo.

2. In si naxariisdarro ah looga hortago kooxaha isku bahaystay bililiqada.
3. In dadweynaha Caasimadda ku nool iyo inta hubka haysata looga digo, in laga bilaabo caawa saqdadhexe aan loo oggolaan doonin cid xabbad ka ridda guri ama goob kasta, ciddii lagu helana lala tiigsanayo sharciga u degsan J. D. S." 17.1.91

Kama-danbaystii Ciraaq loo qabtay way dhacday, waxaana lagu qaaday weerar kii ugu xumaa. Waa dagaalka la sheegay in bil ka dib ay jaliiladaha (qunbulado, bunbooyin) la ridey ka badnaaayeen kuwii dagaalkii II ee dunida oo dhan (Source: Gulf War Almanac, Harry G. Summers Jr.). Soomaalidu aad bay uga xun tahay dadka aan waxba galabsan oo khaliijka ku dhimanaaya, Soomaalida dagaalka sokeeye ku dhimanaysase, waxay ka xumaadaan kolka ay haybtooda 'gartaan'.

"Waxaa Ex-Villa Baydhabo (Kulliyadda Istiraatiijiga) lagu qabtay shirkii 4aad oo lagu xoojinayo qodobbada shirkii 3aad." 18.01.91

"Guddigii u xilsaarnaa diyaarinta iyo habaynta talooyinkii Madaxweynaha loo gudbin lahaa, hawshoodii way soo ebyeen, Madaxweynahana waa la gaarsiiyey. 19.1.91 ***

" Madaxweynaha oo oggolaaday taladii Guddiga Suluxa iyo Nabad-raadinta ee ahayd in xukuumadda Maxamed Xawaadle Madar ay iscasisho, CumarCarte Qaalibna loo magacaabo Ra'iisul Wasaare oo uu soo dhiso mid cusub." 20.1.91 ***

"Dawladda, Guddiga Suluxa iyo Jabhadda ayaa ku dhawaaqay xabbad-joojin dhaqangashay xalay, saqdadhexe." 21.1.91 ***

"Xabbad-Joojin ayaa waxaa wadajir ugu dhawaaqay Dawladda, Guddiga Suluxa iyo Jabhadda." 22.1.91 ***

"Baaq Madaxweyne: *Xabbadda Joojiya oodhismahadalka u soo jeesta. Hantida Qaranku waahantiddiinnii ee burburinta ka daaya. Kaalmo shisheeye dhibaato kaama saarto ee waxsoosaarka kordhiya: Beeraha, Xoolaha, Kalluunka iyo Farsamada."* 23.1.91 ***

"Madaxweynaha J.D.S. Maxamed Siyaad Barre iyo Wasiirka Koowaad Cumar Carte Qaalib oo xabbad-joojin ku baaqay." 24.1.91 ***

Dhammaadkii waanwaanta

Madaxweyne: Kolka xabbad-joojin la helo ayaan iscasilayaa.

Jabhadda: Horta iscasil!

26.1.91: Madaxweyne Max'ed Siyaad Barre oo Caasimadda ka baxay

27.1.91: Jabhadda oo Raadiye Muqdisho ka sheegtay in ay taladii Dalka la wareegtey.

Meeye Ciidammadii awooddooda cir iyo dhulba, lala dhakafaari jirey?

Islaan USC ah ayaa sidatan u fasirtay:

"Wadaad caan ah oo Gobollada dhexe ku nool ayaa sannad ka hor hal bakayle guriga ku xirtay oo maalin walba 'wax'uu isagu yaqaan ku akhriyayay'.

Maalintii ay bisha Dis.30ka ahayd 1990kii ayuu xargihii ka furay oo dhengad laba jeer hoos ka siiyey. Waa bakayle cabbaysan. Waddada Kismaayo aadda ayuu afka saaray. Ciddii Daarood ahayd bakaylihii ayay daba yaacday, wixii ay hub haysteenna waa laga madoobeeyey."

Magacyada Guddiga Suluxa (Hagaajin u baahan)

1. Cabdi Xasan Muumin.
2. C/qaadir Max'ed Aadan Zoppo
3. Xuseen Xaaji Bood. 4 Salaad Cabdi Xaaji M'ed
5. Sh. Axmed Deer. 6. Abuukar Cumar Sheegow
7. Boqor C/llaahi Boqor Muuse 8. Sh. Ibrahim Suuley
9. Suldaan Avv. Sh Cismaan
10. Ugaas Yaasiin C/raxmaan
11.Cali Mahdi 12. Dr. Iimaan Warsame
13. Suldaan Ibraahim Jasiirad
14. Max'ed Abshir Muuse 15. Sh. Muuddey Gacal
16. Xaaji Daahir Xaaji Max'ed Soomaali
17. Dr. Max'ud Cali Guure
18. Suldaan C/laahi Sh Cismaan
19. Sh. C/laahi Sh. Max'ed 20. C/laahi Gacal Sabriye
21. Inj, Cali Sh. Max'ed 22. C/laahi Yuusuf Cigaal
23. C/laahi Cabdi Garruun
24. Malaakh C/lahi Max'ed Maax
25. Cali Shiddo Cabi 26. Jaamac Max'ed Qaalib
27. Dr. Cabdi Aadan 28. Malaaq Isaaq Malaaq
29. Max'ed Axmed C/lle 30. Axmed Raage Cabdi
31. Cumar Carte Qaalib 32. Dr. Cismaan Xaaji Cumar Raajo
33. Malaaq Max'ed xaaji Max'ed

34. Ciise Soofe Durraan
35. Max'ud Seeddi Fuje
36. Ismaaciil Ducaale Warsame
37. Max'ed Siciid Ciyow Gentleman
38. Cabdi Duullane Rafle
39. Max'ed Sh. Xasan **40.** Sh. Abbe
41. Dr Cabdi Muuse **42.** Axmed Nuur Sh. Xasan (Axmed Dheere) **43**. Muumin Cumar
44. Max'ed C/raxmaan Xaaji Jaamac
45. Abuukar Ugaas **46.** Dr. C/raxmaan Sh. Xasan
47. Inj. Max'ud Sulaymaan **48**. Nuur Sugulle
49. Prof. Saalim Caliyow Ibrow
50. Dr. Xasan Xaashi Fiqi
51. Xaaji Cumar Xuseen Qooreey
52. Xaaji Ibraahim Cismaan Food
53. Max'ed Faarax Siyaad **54.** Dr. C/casiis Nuur Xirsi
55. Shariif Mukhtaar Ibraahim **56.** Mawliid Macaane
57. Garsoore Sh. Xuseen
58. Shariif Seyn Abbow Iimaankiye
59. Siid Abuukar Xaaji **60**. Siciid Booma
61. Mire Colaad Cawaale **62**. Xaaji C/laahi Faarax
63. Allaale
64. Bashiir Dool Xirsi
65. Axmed Idriis
66. Cumar Caabbi Muuse
67. Cumar Ugaas
68. Sh. Ismaaciil Alfoos
69. Xuseen Siciid Cawn
70. C/raxmaan Cumar C/lla
71. Sh. Abuukar **72**. Max'ed Sh. Muuse 'Gurey'
73.Cabdi Mire Bootaan **74.** Ismaaciil Cali Abuukar
75. Sh. Cali Cabdi Qaxar.

Qormada Labaad

Daar laga qaxay oo degiddeeda lagu dirirayo. Muranka waxa keenay waxay raadiyaan magaca qoladii guriga lahaan jirtey oo ka qaxday. Bililiqaystayaasha guryaha qabiil waliba wuxuu u leeyahay tilmaan: kuwo waxay qabaan in ay degdeg u soo noqonayaan, kuwana waa sidii ay u tageen, kuwana lama garan karo dhinac lagu tiriyo.

Habka ay ku kala qiimeeyaan waa mid qofka caadiga ahi uusan dhab u garan karin. Tusaale ahaan waxay yiraahdaan:

- Dhulbahantuhu soo noqon mayo oo guryahooda ayaa loogu jecel yahay;
- Majeerteenku haddeer ayuu soo noqonayaa;
- Marreexaanku labadaas ayuu u dhexeeyaa;
- Isaaqu guryo bannayn mayo oo ma uu qaxayo oo waa tol. Aragtiyadaas oo dhan oo ay tan Isaaqa ku saabsani ugu horrayso, waxba kama naaso-caddaan.

***

SNM oo aan ku qancin habka Madaxweynaha loo magacaabay. Heshiis SNM-SPM-USC oo ahaa 20kii Okt.1990kii oo dhexmaray Tuur-Jees-Caydiid.

***

Dawladdii Cumar Carte Qaalib ayaa la dhaariyey. Udub-dhexaadka siyaasadeed waa sidii mucaaradka wax loola qaybsan lahaa. CCQ: “Cali Mahdi waxaa magacaabay odayaasha, odayaasha USC/SSA.”

***

Farmashiye ayaa sheegay inuu daawooyin 'cusub' keenay, waxaase shaki abuuray farmashiye kale oo meesha ka dhowaa oo la bililiqaystay, la mariyey. ***

04.02.91

Duqa magaaladu waa C/llaahi Gacal Sabriye. Dawladdii Cumar Carte Qaalib oo fadhigeedii ugu horreeyey ku qabatay Villa Soomaaliya. Waxaa shaqaalaha loogu baaqay inay shaqadoodii caadiga ahayd berriba ku soo noqdaan. Kuwa Gobollada ka imanaya waxaa la farayaa in ayan ka danbayn maalinta Sabtida. ***

Colaad sokeeye waa tan ugu xun, lamana dhawro anshaxa iyo xeerarka caalamiga ah ee dagaalka. ***

Cabsi baa diiddey in wax la hubsado, hubsiino la'aanna, colkaaga iyo ciidankaagaba waad layn. Guri xabbad iyo qarax uga qax. Ku soo noqo dagaalkii oo sidiisii u socda. Waxa keli ah ee soo kordhay waa diifta iyo darxumada ka muuqata soo-noqdaha. ***

Khamiistii (3.1.91) buu Raadiyuhu ku dhawaaqay xabbad-joojin. Talaada (8.1.91) xabbaddii way sii korortay. Raadiyihii xabbad joojinta laga maqlay ayay jaliiladi ku dhacday oo shib yiri. ***

Takhaatiir shisheeye oo naftooda u hurayey in ay dhaawaca inoo daaweeyaan ayaa la weeraray, la dhacay, qalabkii shaqadana laga bililiqaystay.

***

Qof dhaawicii guriga yiil aan qaadan karin, carruurtii iyo waayeelkiina wax la dhadhansho aan u hayn oo qaxaya, xabbado ka kor dhacayaan, gurigiina laga bililiqaystay…intaas oo dhib ah haddii uu u dulqaadan lahaa waxay umal iyo yaqyaqsi isku dhafan qabanayaan kolka uu maqlo dad leh: "Dawlad baa jirta."

***

Ma uu jiro qof ama qolo burcad iska ahi.Waa qofka ku kaca falal qowleysatannimo. Inta haween iyo carruur la laayo, ma la oran karaa burcad baa la laayey? Tani maanta, waa dooxato.

***

Cabsidii beryihii hore waxay isu rogtay maahsanaan, qahraannimo iyo dammaadsanaan. Tilmaamahaas oo dhan oo uu hadba argaggax lama filaan ahi soo dhexgelayo ayaa waxay abuureen qof sida uu maankiisu yahay Eebbihiis oo keli ahi garan karo!

***

Waxaa jira nin aan weligiis dhigin astaanta Xisbiga Hantiwadaagga Kacaanka Soomaaliyeed (XHKS).Xamar oo dhan keligiis ayaa summadda Xisbiga xiran. MSB, Xoghayaha Guud ee XHKS ayaa waxaa talo loogu geeyey in ninkaas lagu abaalmariyo "Billad Kacaannimo". Madaxweynuhu wuxuu kolkaas yiri: "Waa runtiin oo billad buu mudan yahay, hase siinnina billad kacaannimo ee siiya-billad indha'adayg."

***

Waxaa madaxda Dawladda lagu amray in ay Nabadgelyada halkeedii ku soo celiyaan. Max'ed Xawaadle Madar oo ahaa Ra'iisal Wasaarihii, xilliga burburka Cumar Carte ka horreeyey ayaa kolkaas wuxuu yiri: " Hawl culus la inooma dirin."!

***

Waxaa socda dagaalkii Khaliijka oo loogu walqalay magacyo saamayskooda colaadeed leh, sida Hooyadii Dagaallada iyo Duufaantii Lamaddegaanka.

Soomaalidu aad bay uga xumaataa Carabta dagaalka ku dhimanaysa, Soomaalida dagaalka sokeeyey ku dhimanaysase, waxay ka xumaataa ama ka xumaan weydaa kaddib markii ay qofka dhintay qabiilkiisa ogaato.

LEOPOLD S. SENGHOR.

Afrika bal wax kale daa ee geerida iyo noloshuba ma ay kala leh soohdin.

***

Dilka, dhaca iyo gardarradu waa arrimo weligood soo jirey. Waa taxanaha isrogrogga dhinaca qallafsan ee nolosha. Waayadaan danbe, xanuunkii ay arrimahaasi lahaan jireen ayaa laba jibbaarmey, kolkii la maqlay kii dhibaatooyin-kaas geysanayey oo isku sheegaya Dawlad. ***

Waxa la arkay nin sanboor iyo neef la tigtigmay oo ay afadiisu ku leedahay: "waa adiga iyo madaxadayggaagii... intee jeer baan ku iri, bililiqada, ka leexo jawaannada cuntada iyo waxa sanboorka kiciya oo dhan." ***

Nin Afrikan ah oo ay u dhan yihiin tilmaamihii

dadka madow baadisooca u ahaa ayaa Boqortooyada Midowday tegey. Waa kuwan wadahadallada dhexmaray isaga iyo Agaasimaha waaxda socdaalka:
- Waxaan ahay Ingiriis - Sidee baad ku noqotay.
- Dhiig Ingiriis ayaa xididdadayda qulqulaya.
- Ma hooyadaa baa Ingiriis ah.
- Maya e awowgay ayaa wadaad masiixi ah oo ka mid ah kuwii aad u soo diri jirteen faafinta Diinta, qashay.

Kolkii xigtannimo kale oo la isku bahaysto la waayo, Soomaalidu dhexdeeda, waa in ay hesho mid ka dhow tan isku xirtay Afrikanka iyo Ingiriiska. Waxaa laga hadlaa gabdho bililiqo ah. Isweyddiin: maxaa loo oran waayey gabdho la afduubay, mise waxaa loola jeedaa gabdho, qiime ahaan 'alaaboobey'. ***

Madaxweyne CMM oo la kulmay wafdigii nabadraadinta. Shirkaas kaddib waxaa Gobolka Jubbada Hoose (Kismaayo) u anbabaxay wafdi ay ka mid ahaayeen C/raxmaan Shiikh Nuur, Xirsi Xaaji Jaamac iyo C/llaahi Faarax Hoolif.

***

Cumar Carte Qaalib oo qabanqaabinaya shirka 28ka. Waxaa la kala agaasimayaa dejinta ergooyinka Ururka Midnimada Afrika, Hay'adda Ummadaha Midoobay, Jaamacadda Carabta, Mu'tamarka Islaamka iyo weriyeyaal tiro badan. ***

Nuur Cismaan Keenadiid oo dhaawac ah

(xabbad) ayaa waxaa booqasho ugu yimid Max'ud Yuusuf Xasan oo isaguna dhaawac ah (xabbad). Max'ud Yuusuf waxaa la socotey gabar yar oo uu dhalay oo dhaawac ah (xabbad). Bukaan-jiif iyo bukaan-socod, midba midka kale caafimaad ugu ducaynayo! Iyaga oo ku kaftamaya waxa ku dhacay ayaa qos-qosolkoodii waxaa dhibsaday ku meesha fadhiyay oo aan wejigiisa innaba farax ka muuqanayn. Nuur baa ka sii caraysiiyey oo ku yiri:
"annaga welwelkii dhaawacmidda ayaa naga haray oo adiga ayaa naga daran oo waxaad tahay dhaawac-suge." ***

27.02.91
Soo booqasho Villa Baydhabo. Wararka la isdhaafsanayo waxaa ugu cuslaa dagaalkii Gaalkacyo oo socda. Waxaa soo noqnoqonaysey sheekada Max'ud Xaaji Xasan iyo sida ay dad badan ugu kala dhinteen, isaga oo daafacaya danaha kuwa maanta diley. ***

03.03.91
Madaxweyne CMM oo ka tacsiyeynaya shilkii doonnidii Kismaayo-Laama. Doonnida waxaa saarnaa rakaab dhan 650; 500 ayaana ka badbaaddey, 135-na way ku dhinteen, in kalena raadin baa lagu hayaa. ***

Kulan ayaa dhexmaray USC/SSA iyo SPM (Shiikh Max'ud Maalinguur, Suldaan Turki, Admiral Sarreeye Guuto Max'ed Cumar Cismaan). Waxay ka mid yihiin odayaal waayoarag ah oo talooyin ka dhiibanaya arrimo ku saabsan Gobolka Jubbada Hoose. ***

Dayuuraddii Takhtarro iyo daawooyin u qaadi lahayd magaalada Garoowe mar kale ayay xayirantay…waxaa hor istaagey ilaaladii Xawaadle ee Gegida Dayuuradaha.

Dayuuraddii Baakistaan ee daawooyinka siddey shil jaad kale ah baa ku dhacay…ilaaladii Gegida Dayuuradaha ayaa boobtay. ***

Waxaa weli muran ka taagan yahay dayuuraddii Janan Max'ed Abshir Muuse ka soo qaadi lahayd Garoowe, daawooyinna geyn lahayd. Dhibaatadu waa isku tii joogtada ahayd.: waa aragtida ilaalada Gegida Dayuuradaha. ***

08.03.91

Kaalmadii Sucuudiga iyo Masar laga sugayey waa diyaar. Waxaa weli dhimman tii uu Talyaanigu ballanqaaday. Mudane Cismaan Axmed Rooble iyo Mudane C/qaadir Max'ed Aadan 'Zoppo' oo ka soo laabtay booqasho ay ku soo mareen dhawr dal oo Yurubta ka mid ah, waxay sheegeen in kaalmooyin badan oo la ballanqaaday ay ku xiran yihiin taabbagelinta nabadda iyo xasilloonida. ***

09.03.91

Madaxweyne CMM iyo Danjiraha Talyaaniga Mario Sica waxay yeesheen kulan dheer. Danjiruhu wuxuu u soo gudbiyey Madaxweynaha warbixin uu ka sidey waxgaradka iyo odayaasha Kismaayo. Waxaa kale oo uu sidey farriimo iyo talooyin ay soo gudbiyeen duqowda Berbera. Waxa la sheegay in koox xoog leh oo qalab sidataa ay fuqsatay taalladii Sayid Max'ed Cabdille Xasan. Waxay ka hirqadeen maar. ***

Dalka(11.03.91). Golaha Dhexe ee USC ayaa shir ku qabtay Hotel Tawfiiq dorraad galab (09.03.91) waxaa shirka furay Guddoomiyaha ku meel gaarka ah Xuseen Cali Shiddo. Wuxuu soo jeediyey dhismaha guddi nabadgelyo, mid difaac, mid siyaasadeed iyo mid bulsho. Wax la sugaaba waa xeerarkii ay guddiyadaasi ku hawlgeli lahaayeen. ***

14.03.91

Weriyeyaal Talyaani ah iyo Max'ed Ismaaciil 'Baribari' ayaa waxay Kismaayo ka sheegeen in SSDF iyo SPM iyo Ururro kale ay isbahaysi samaysteen. ***

15.03.91

Yuusuf Shiikh Cali Samatar 'murtida maanta', Allaha u naxariistee, xalay ayuu ku geeriyoodey Isbitaalka Madiina. Waxaa u tacsiyeeyey Madaxweyne Cali Mahdi Max'ed, Cumar Carte Qaalib iyo Wasiirka Warfaafinta Xuseen Shiikh Kaddare.

Warkii shalay lagu sheegay isbahaysi ay samaysteen Ururro waxaa beeniyey Raadiye Muqdisho tifatirahiisa sare ee SONNA. Isbahaysigaas wuxuu ku tilmaamay isbahaysi (shakhsiyaad). Cirro, Morgan, Gaanni iyo kuwo kale. RM/K ***

17.03.91

Ramadaan 1, 1411 (Axad) munaasabaddan waxaa lagu faafiyay khudbaddii Madaxweynaha kmg ah CMM oo Ummadda Soomaaliyeed ee tabaalaysan Eebbe uga baryey nabad iyo barwaaqo. ***

18.03.91

Xirsi Cartan Samatar oo ay ladnaan iyo dhaaddanaan ka muuqanayso ayaa booqasho noogu yimid. Wuxuu noo sheegay in bishatan 15keedii, habeen-barkii ay burcad gurigiisa u soo dhacday oo xabbado badan riddey, kolkaas ayuu isaguna dhinaciisa xabbado badan ka ridey isaga oo ka hor joogsanaya burcadda qolalkii ay gabdhihiisu degganaayeen. Tacshiiraddaas ayan fileyn bay ka carareen. ***

19.03.91

1. Madaxweynaha kmg ah CMM oo Ra'iisal Wasaaraha Faransiiska kula kulmay xafiiskiisa. Waxaa laga wada hadlay sidii kaalmo loo gaarsiin lahaa Gobollada ay dhibaatooyinka xumi ka jiraan.

2. Janan Max'ed Abshir Muuse, 45 maalmood ayuu kormeer ku soo maray Mudug, Nugaal iyo Bari. Waa kolka shirweyne SSDF loogu dooranayo Imaamka SSDF.

22.3.91

Waa Jamce, waana Ramadaan. Xalay si deggan

baa loo seexday oo waallidii xabbado-ridku ma jirin. Saaka, booranihii xabbado-ridka oo la moodayay in laga biskooday ayaa soo labakacleeyey. ***

24.03.91

Cabdirisaaq Xasan Muuse, Xisaabiyaha idman ee Akadeemiyada Cilmiga, Fanka iyo Suugaanta qoyskiisii ayuu Balcad ka keenay. Wuxuu sheegay inuu la kulmay Guddoomiyihii Akadeemiyada Maryan Faarax Warsame iyo Xisaabiyaha Hey'adda Cali Diiriye Warsame oo ka soo noqday magaalada Baydhaba. Wuxuu sheegay inay iska waraysteen, iyaga oo aad uga xun, boqollaalkii qoraal iyo raad-raacyadii taariikheed ee ka mid ahaa kaydkii Akadeemiyada ee lumay: wax la burburiyey iyo wax la bililiqaystay. ***

26.03.91

Cabdirisaaq Xasan Muuse waxa uu iga amaahday buugga la yiraahdo Al-Xarakaat-Al-Haddaama. Amaahintaas waxay ii noqotay xirsixir oo buugag badan ayaa ka badbaadey duufaantii bililiqada-Eebbe Idankiis.

Max'ed Rooble (USC) oo sheegay in Kismaayo ay dayuurad Talyaani ahi ku dejisey hub loo soo diray Madaxweyne MSB oo magaalada jooga. "Talyaanigu wuxuu doonayaa inuu xukunka ku soo celiyo keligii-taliyihii la ridey. Waxaannu leennahay "Talyaaniyow, arrimaha Soomaaliya faraha kala bax." RM/K ***

27.03.91
Ururro badan waxay ku mahadinayaan Dowladda Talyaaniga, dadaalka ay ka waddo arrimaha dib u heshiisiinta iyo gargaarka benii'aadannimo. ***

28.03.91
Raadiye Addis Ababa:
Dadweynaha Godey, Qorraxey, Ceelkarrey iyo Shiilaabo waxay Dawladda ka codsadeen hub ay ku daafacaan midnimida Itoobiya.
Waa dadka u dhasahay Ogaadeenka sida uu Raadiyaha Itoobiya sheegay.
Qofkii aan xog'ogaal ahayn oo Raadiyeyaasha dhegaysta, sida midkan aynnu kor ku soo xusnay, waxaa ku dhacaya dayow maskaxeed.

***

Waxa qorshaysan hawlgelinta Booliska, soo noolaynta habka xabsiyada, nabadsugidda guud, xeerarka nabadgelyada, maxkamadaha, xeerka ciqaabta... RM/W ***

Saaxiibka dhabta ah waxaa la gartaa maalinta dhibaatada. Waxaa la ammaanay booqashada Wasiirka Warfaafinta iyo Dhaqanka ee Suudaan. Waa Wasiirkii ugu horreeyey ee ka soo gurmada Jaamacadda Carabta iyo Ururka Midnimada Afrika. Waxaa kale oo si wanaagsan u muuqday walaalaha Jabbuuti iyo Itoobiya. Waxaa dhaliilan Kenya iyo Itaaliya.

1.4.91
MFC oo hoggaaminaya ciidammadii afgenbiyey

MSB, haddana diyaar u ah tirtiridda haraagiisa …waxa kale ee uu Guddoomiyaha USC ballanqaaday in uu Xamar ka dhammaynayo, toddobaad gudihiis, hubka sharci darrada ah oo gacanta dadweynaha ku jira. RM/K ***

02.04.91

Guddoomiyaha kmg ah ee USC, Xuseen Cali Shiddo waxa uu ka hadlay saddex tallaabo:

1. Burcadda oo goobta lagu dilo, meydkooduna uu 24 saac dibadda oollayo.
2. Maxkamad Islaami ah oo si degdeg ah u hawlgalaysa.
3. Maxkamadihii caadiga ahaa oo xilalkoodii guta iyo arrimo kale oo siyaasadeed. Waxaa lagu talo jiraa in la iska qabto xukun-doonka gudaha oo shisheeyaha ku xiran. ***

Madaxweynaha kmg ahi wuxuu magacaabay guddiga sare ee gargaarka oo uu guddoomiye u yahay Janan Max'ed Abshir Muuse. Waxa uu Waxa uu isaguna magacaabay guddi hoosaad farsamo.

06.04.91

Waxaa dadweynaha la farayaa inay qaataan lacagta 5ta ah, tan 10ka ah, tan 50ka ah iyo 100ka. Lacagta waxaa la beddili doonaa bisha Agoosto 91ka. RM/W ***

C/qaadir Max'ed Aadan 'Zoppo' wuxuu BBC-da u sheegay, isagoo ka wakiil ah USC in la gaarey xabbad-joojin. ***

8.04.91

Hawlgelinta 300 (saddex boqol) oo naftood hurayaal ah (HORSEED) oo u xilsaaran xasilinta iyo nabadgelyada. Xuseen Cali Shiddo RM/W ***

10.04.91

Booqasho:

- Cabdi Iidle, Calas Qaarey, Max'ed Cabdille 'Furre' iyo Cabdi Salaad Qaarey.

Haddii la is waraystay, xog ogaalnimadii la hayey, waxay u badatay in caawa habeen-barkii la gaari doono heshiis xabbad joojineed; dhinacyada dagaallamayana la kala geyn doono meelo 20 kiilomitir u jira meesha hadda la isku hor fadhiyo. ***

11.04.91

Jab ku dhacay haraagii MSB.War bunduqa iska dhiga oo guryihiinnii ku soo noqda. Dalka ha la wada dhisee.

14.04.91

Madaxweynaha kmg ah CMM oo shalay booqasho ku tagey Baraawe, Afgooye iyo tuulooyinka la xiriira. Wuxuu halkaas shirar kula yeeshay odayaasha, waxaana la isku afgartay in meel looga soo wada jeesto nabaddiidka.

16.04.91

Isbahaysi cusub Yemen: (SNM-USC-SDM)

Go'aanno:

1. Xoojinta midnimada Soomaaliyeed.
2. U hawlgelidda qabashada shirweyne.

3. SSDF iyo SPM oo loogu baaqayo toobad keen iyo ku soo noqoshada jabhadaha xaq u dirirka ah
4. Heshiisiinta iyo nabadaynta beelaha oo si gaar ah loogu xilsaaray SNM. ***

Gabar Cadan u joogta SDLF waxay sheegtay in ciidammad SNM ay laayeen boqollaal Soomaali ah oo u dhashay gobollada Sanaag iyo Sool. Afhayeenka SNM London u fadhiya ayaa beeniyey hadalkii gabadha. Wuxuu yiri: ' ma aan lihi dagaal ma dhicin, waxaanse diiddanahay in ciidammada SNM meesha la soo geliyo.' ***

Gibilcadda Xamar, Marka iyo Baraawe ku sugan ayaa kulan ay yeesheen waxay go'aansadeen dhexdhexaadinta labada xoog ama labada garab ee USC Xamar. Go'aammada waxaa ka mid ah in ergo loo diro Nayroobi iyo Rooma. Bil kaddibna la qabto shirweyne uu sharraxan yahay Nuureeni Muunye Qaasim (Baraawe). ***

17.04.91

Maxkamadda Islaamiga ayaa maalinta Jamcaha fulin doonta ciqaab karbaash ah (19.4.91). Maxkamaddu waxay ku taal Dugsiga Jamaal C/naasir.

19.04.91 Jimce

Meeshu waa barxadda Weliyow Cadde. Kolkii uu karbaashku bilaaban lahaa ayaa barxadda dhawr dhinac laga soo xabbadeeyey. Waa la kala cararay, dibna la isuma weyddiin. ***

21.04.91

Injineer Cismaan Jaamac Cali, xubin Golaha

Dhexe SNM, Guddoomiye ku-xigeenka Guddiga Mideynta Mucaaradka iyo Nabadaynta beelaha:
a) Inaan cidna cid loo aanayn, miinooyinkii uu MSB meel walba ku aasayna la guro.
b) La dagaallanka MSB iyo kuwa raacsan.
c) Shirka Hargeysa (27.4.91) oo mudnaanta kowaad la siiyo nabadaynta beelaha.
Fikradahan ayuu Injineer Cismaan Jaamac Kismaayana ula socdaa. Xaashi uu ka sido SNM ayuu u keenay USC-da.
22.04.91
Cismaan Jaamac Cali wuxuu CMM u gudbiyey dhanbaal uu ka sidey Guddoomiyaha SNM.
CMM iyo Danjiraha Talyaaniga Mario Sica waxay qorsheeyeen sidii loo qaybin lahaa kaalmo Talyaani. Kaalmada waxaa sida markab.
RM/W ***
23.04.91 Goor 14:15
Kismaayo waxaa qabsaday USC-SDM. ***
25.04.91
Afhayeenka SNU oo beeniyey jiritaanka go'aammada la sheegay in Gibilcaddu gaartey bishatan 16keedii.
27.04.91
CMM, Madaxweynaha kmg ah wuxuu magacaabay Guddi Iib Shidaal. Max'ed Siciid Ciyow (Gentleman) iyo Wasiirka Arrimaha Gudaha Axmed Shiikh Xasan waxay ku shireen Hoteel Equatore. Waxaa ku weheliyey

Culummaa'uddiin iyo madaxda kala duwan ee Ururrada Bulshada.
Wasiirka Waxbarashada iyo Barbaarinta Max'ed Axmed Cabdulle ' Sakhraan' oo la shiray hawlwadeennada waxsoosaarka. ***
28.04.91
CMM iyo wafdi uu hoggaaminayo oo Kismaayo tagey isla maantana ka soo noqday. ***
29.04.91
Toddobaadkan iyo war yaab leh. Cayaartooyda koox qaran (kubbadda cagta) ee Dalka Ghaana ayaa si xun looga adkaaday. Kooxda Angoola oo ay marti u ahaayeen ayaa si fudud u cayaarsiisay. Falceliskoodii wuxuu noqday bayuur (ceeb) Isboorti kolkii ay carada jabka kula dheceen Hoteelkii ay degganaayeen oo ay ka urursadeen wixii qaadmi karey oo dhan sida maryihii sariiraha. Kolkii ay dhoofeen ayaa la ogaadey anshaxdarrada ay ku kaceen, kolkaas ayay Dawladda Gaana waxay ku ciqaabtay muddo labo (2) sano ah in ayan cayaarin. ***
30.04.91
CMM oo booqasho ku tagey Baydhaba iyo Buurhakaba. Hadalladiisii waxaa ka mid ahaa:
- Maamulkeennu waa xukun Dadweyne iyo xaq u dirir…waa laga baxay keli- talisnimadii ku salaysnayd 'Aniga ayaa iri'.
- Jabhadihii haraaga la saftay waxaa loogu baaqayaa in, inta ay goori goor tahay ku soo biiraan walaalahooda xaq u dirirka ah.

01.05.91
Xafiiska Madaxweynaha kmg CMM
Madaxweyne CMM wuxuu taliyaha kmg ah ee ciidammada u magacaabay Sarreeye Guuto 'Max'ed Nuur Galaal' iyo saddex ku xigeen. ***
03.05.91
Waxaa Kismaayo ku haray Axmed Cismaan Keenadiid. Waxaa berri aadaya oo-haddii Eebbe idmo-soo wadaya walaalkiis (isku hooyo) Max'ed Xirsi Faarax Cilmi Caalin 'Dhegood'. Ayeeyadiis Carwo Cilmi Caaalin waxay dhashay 'Shirwacyada'; walaasheed Faadumo waa C/rashiid Cali Sharmaarke hooyadiis'. ***
05.05.91
Shir hordhac ah ayay Ururradu (jabhado) isugu imanayaan Qaahira, siddeedda (8da) luulyo 1991.Danjiraha Talyaaniga iyo sii-hayaha safaaradda Masar ayaa martiqaad soo gaarsiiyay CMM, Madaxweynaha kmg ah. Shirkani waa gogolxaar waxaana ku xigaya shirweyne arrimaha Soomaaliyeed si guud looga hadlayo.
09.05.91
Injineer Cismaan iyo wafdi SNM ah oo uu hoggaaminayo ayaa shalay (8.5.91) yimid:
1. Shirka Ururrada waa in Dalka gudihiisa lagu qabto.
2. Doonnidii siddey qaxootigii 600-700 qof (Mombasa) waxay ahayd in lagu soo dejiyo meelo badan oo nabad ah sida Xamar, Boosaaso, Berbera.

3. Kuwa Dalka nabad la'aanta ka sheegaya dano kale bay wataan... ***

10.05.91

C/risaaq Xaaji Xuseen oo eedda heshiis la'aanta saaray madaxdii Ciidammada Kismaayo. Wuxuu ku eedeeyey in ay eedayntii kuwa Xamar ka gaabsadeen oo xalaydhalay ha laga noqdo yiraahdeen. ***

12.05.91

Waxaa la isugu yeeray maamulayaashii Akadeemiyada Cilmiga, Fanka iyo Suugaanta si loogu qaybiyo cunto. Farsamo xumo awgeed waxay noqotay kulan ceebeed oo si xurmodarro ah lagula dhaqmay dadkii dhibaataysnaa ee loo yeeray. Dhibaatadii ayaa qadaf lagu daray. Asluub xumo. Ibtilo. ***

17.05.91

Madaxweynaha kmg ah CMM iyo Guddoomiyaha USC (kmg) Xuseen Cali Shiddo waxay Raadiyaha iyo Wargeysyadaba ku faafiyeen in hubka magaalada lala wareegayo aan la oggolayn, xoogna lagu ururinayo.Booliska ayaa arrinta fulinaya. RM/W

19.05.91

Afhayeenka USC ee London wuxuu ku tilmaamay tallaabooyinka siyaasadeed ee SNM ballan furyo. Waxaa lagu ballansanaa in laga wada tashado dib u heshiisiinta Soomaaliyeed, iyo xaqiijinta midnimada Soomaaliyeed. ***

Dawladnimada Woqooyi waxaa talo ku soo jeediyey beelaha Woqooyi waxaana kalfadhigii 2aad ee Burco ku guddoonshay Golaha Dhexe ee SNM. BBC ***

Injineer Cismaan Jaamac hadalkiisii waxaa ka mid ahaa: "Goonni u goosashada Woqooyi waa dacaayaddii MSB iyo kuwa raacsan."

SNM waa USC & USC waa SNM...

Guddoomiyaha SNM C/raxmaan Tuur:

- Woqooyi waa Dawlad kmg ah.
- 2 sano gudahood ayaa la qaban doonaa doorashooyin xor ah. BBC

C/raxmaan Axmed Cali 'Tuur' maalin Jamce ah taariikhduna tahay 17.5.91 ayuu kaga dhawaaqay Burco calan saaridda.

SDA (Max'ed Faarax C/llaahi London): wuxuu canbaareeyey siyaasadda SNM.

SNM (Cismaan Axmed Xasan) sarkaal sare, London: wuxuu siyaasadda SNM u taageeray si xamaasad iyo jidbo leh.

USC (Cali Xasan Xuseen, taageere Caydiid) London: siyaasadda SNM wuxuu ku tilmaamay ayaandarro caqabad ku noqonaysa xal u helidda arrimaha Soomaaliyeed.

Jabbuuti: Waa arrin gudaha Soomaaliya, filise aannu maynno in ay gaareyso heer goosasho. ***

USC (Cabdulmaalik, Xoghayaha Arrimaha Dibadda) Washington:

Si kulul ayuu u canbaareeyey arrimaha goosashada. Woqooyigu dhaqaale ahaan, iskiis ma u istaagi karaa? Maya iyo maya. ***

SNM London:

Waa siyaasad dadweyne oo ka gilgilanaysa cadaadis lagu soo hayey 30 sano. Dhaqaale ahaan way isku filan tahay. Madaxda USC qaarkood, sida Janan Caydiid oo kale, xog'ogaal ayay u yihiin arrimaha .

21.05.91

Dhacdooyinkii gudaha Soomaaliya waxaa ku soo biiray Mingiste Xayle Maryam oo Dalkiisa ka baxsaday. Wuxuu magan galay Dalka Simbabwe oo uu ku leeyahay beer iyo guryo, ciddiisuna joogto. Waxaa dhammaaday 15 sano oo talis qallafsan ah. 53 jir buu ahaa. Waxaa talada sii hayey 4tii toddobaad ee hore Tasfaye Gabre Kiidaan. ***

Jamhuuriyadda Soomaaliland (Max'ed Shiikh Cismaan) SPM London: "Waa arrin naxdin leh.Waa taariikh madow".Wuxuu USC ku eedeeyey 'isreeraynteeda.' ***

Cismaan Max'ed Jeelle (Sacuudiga jooga), ahaan jirey xubin Golaha Sare ee Kacaanka:

Waa arrimo ku dhacay degdeg iyo wadatashi la'aan, yaanse laga dhigin mindi-mindi ku taag ee ha la isu caqli celiyo. ***

Jaamac Rabbiile Good iyo Janan Yuusuf Tallan (SDA) oo xubno ka ah Golaha Dhexe ee SNM:

"SDA waa la baabbi'iyey, SNM ayaana na kulmisa." ***

Sheekooyinkii naxdinta lahaa ee Soomaalida waxa ku soo biiray dilkii Rajiif Ghandi, 6 sano kaddib dilkii hooyadiis Indiira Ghaandi. Waxaa ka danbeeyey, baa la yiri Tamil Tigers/Sri Lanka.

***

22.05.91

SDA (Axmed Xaddi):
Taageere Jamhuuriyadda Soomaaliland. BBC
Axmed Faarax Max'ud (SSDF): Si adag ayuu uga soo horjeedaa goosashada Woqooyi.
C/rashiid Aadan Seed: taageere dhalashada Jamhuuriyadda Soomaaliland isaga oo ku hadlaya magaca SSDF(?!)
Suldaan Ismaaciil Max'ud Cali Shire: Hadal looga qabtay Burco oo u eg inuu taageerayo goosasaha Woqooyi.
Garaad C/qani oo la sheegay inuu isaguna taageeray goonni isutaagga Woqooyi, lamase hayo hadal laga duubay oo waxa la sheegay inuu xanuunsan yahay.
Ma xanuun siyaasadeed baa ?
Max'ed Cali Ibraahim (Madaxa Dhaqdhaqaaqa Islaamiga Soomaaliyeed, Jidda): goosashada Woqooyi waa danta Itoobiya iyo Israa'iil.
Ibraahim Max'ed Siciid (USP):
"Israaca la sheegayo ee beelaha Woqooyi waa wax aan waxba ka jirin. Waa in laga noqdo arrintaas foosha xun".

25.05.91

'Wargeyska Sharqal Awsad' iyo shirkii Burco: Suudaan oo diiddan goonni u goosashada Woqooyi iyo Itoobiya oo taageeraysa.

Shirkii Burco.

Iyada oo aqoonsiga dunidu ku xirmay isu keenista kooxaha (Ururrada) iska soo horjeeda, ayaa arrinta waxa ku soo biiray oo sii murgiyey goosashada iyo dhalashada Jamhuuriyadda SoomaaliLand…timirtii horeba dab loo waa. ***

Wargeyska Sharqal Awsad ayaa waxaa xigtey BBC-da, iyadana waxaa ka sii xigtey Dalka..go'aanka Burco wuxuu ka dhashay garabka ciidan ee SNM oo shirka ku soo galay xoog, sandullana ku marsiiyey talooyinkii goosashada. ***

Burcad ayaa dil, kufsasho iyo dhac kula kacday reer Shiikh Suufi. Waxay goobta ku dileen Shiikh C/raxmaan Shiikh Max'ed Shiikh Cismaan Suufi iyo gabar, ninna way ku dhaawaceen. Shiikhu wuxuu ahaa ninkii ugu da'weynaa reerkii Shiikh Suufi dhegahana wax kama maqli jirin. Kolkii ay weyddiisteen inuu guriga ka soo saaro dahabka u kaydsan ugama uu jawaabin sidii ay rabeen; buntuqa salkiisa ayay markaa madaxa kaga dhufteen. Waxay qabeen in dadka caddi ay giddigood dahab haystaan. Shiikh C/raxmaan waxaa lagu aasay qubuuraha Shiikh Suufi 25.5.91.

***

Madaxweynaha kmg ah CMM wuxuu magacaabay guddiga nabadgelyada oo isugu jira duqow, culimmo, saraakiil (Boolis). Kulankan waxaa ka hadlay Madaxweynaha ka sokow Janan Max'ed Abshir Muuse, Max'ed Siciid Ciyow (Gentleman) iyo Xuseen Cali Shiddo, Guddoomiyaha kmg ee USC. ***

26.5.91

War Cad (Golaha Wasiirrada)

1. Wada-tashi iyo miis la isugu yimaado.
2. Go'aanka goosashada Woqooyi oo laga noqdo.
3. Inay Gobollada Woqooyi ka mid yihiin Gobollada Jamhuuriyadda Soomaaliya.
4. SNM oo yeesha baaqii wada-xaajoodka Ururrada ee uu ku dhawaaqay Madaxweyne Al-Xaaji Xasan Guuleed Abtidoon.
5. Goosashadu waxay khilaafsan tahay qodobka 6aad ee dastuurka SNM. RM/W

Waxa kale oo uu goonni isutaagga Woqooyi ka soo horjeedaa xeerarka Ummadaha Midoobay, Ururka Midnimada Afrika iyo Jaamacadda Carabta. ***

Kalfadhigii 2aad (26.5.91) waxuu Guddoomiye C/raxmaan Axmed Cali 'Tuur' soo jeediyey qaab dhismeedka Dawladda (J.SL): Madaxweyne, Madaxweyne ku-xigeen, 17 Wasiir iyo Wasiiru Dawle iyo 7 Wakaaladood. ***

28.05.91

- War murtiyeed USC-SDM:

Goosashada Woqooyi (J.SL) waa war naxdin leh

- J.SL, magacaabid:
1. Madaxweyne kmg-ah 2 sano, C/raxmaan Axmed Cali 'Tuur' (h-y).
2. Madaxweyne ku-xigeen Xasan Ciise Jaamac (Arab). ***

Jabhadda EPRDF ayaa qabsatay Addis-Ababa. Fikradaha 2da jabhadood oo kale oo waaweyn weli lama oga. ***

Reer Shiikh Suufi: shilkii dugaagnimo oo qoyskooda ku dhacay (25.5.91) kaddib, 3 maalmood ayay soomeen.Waa dhaqan-diimeed ay Eebbe ku baryaan. ***

C/llaahi Yuusuf Axmed Gaashaanle Sare, Madaxa SSDF oo laga sii daaayey xabsiga ciidammada. Waa kolka ay Jabhadda EPRDF maxaabbiista sii daysey qabsashada Addis-Ababa kaddib. Waxaa weheliyey C/qaadir Xasan (Isbarriije) iyo Daahir Mire Jibriil (29.5.91). ***

31.05.91

Shiikh Muuddeey Gacal, Guddiga Sare ee fulinta oo wakiil ka ah CMM, wuxuu BBC-da ku yiri: Dhammaan Jabhaduhu way oggolaadeen in shirka Jabbuuti ay ka soo qayb galaan; 'xattaa SNM iyo Injinneer Cismaan Jaamac'. ***

Waxaa dunida laga codsanayaa kaalmo degdeg ah, baahi daran awgeed. ***

EPRDF caasimadda iyo talo la wareegid. Janan Tesfaaye Gabre Kidaan, Madaxweynaha kmg ah oo magangelyo siyaasadeed u galay safaaradda Talyaaniga.

Arrimaha Angoola

Gebagabo saxiix. Edwardo de Santos Madaxweynaha MPLA (Waa Xisbiga Madaxweynaha Angoola) iyo Jonas Savimbi, Madaxa Unita. Goobjoogayaal: Ruush, Maraykan iyo Burtuqaal oo kulanka ku marti geliyey Lisbona. ***

Jabbuuti I

02.06.91

Ergada Jabbuuti u ambabaxday waxaa ka mid ahaa Aadan Cabdulle Cismaan (Aadan Cadde), Cismaan Axmed Rooble, Max'ed Abshir Muuse iyo C/qaadir Max'ed Aadan 'Zopo'. Xubno wafdiga ka mid ahaa oo ay ka mid ahaayeen Cali Shiddo Cabdi iyo Max'ed Nuur Wardheere ayaa ka haray wafdiga. Waxaa afduubay dhinac USC ka mid ahaa oo ka biyo diidsanaa shirka Jabbuuti iyaga oo ugu marmarsoonaya isku hayb ahaansho hoose. ***

03.06.91

Bannaanbaxyo lagu taageerayo Dawladda Cali Mahdi Maxamed (CMM) Madaxweynaha kmg ah ayaa hadba barxad lagu qabanayey. Waxaa la soo bandhigay halkudhegyo iyo muugag faafinaya fikradaha CMM iyo Cumar Carte Qaalib. ***

Wasiirrada Arrimaha Dibadda ee Ururka Midnimada Afrika (UMA) iyo Madaxweynayaashuba waxay si xun u dhaleeceeyeen goosashada Woqooyi (ku dhawaaqidda Jamhuuriyadda SoomaaliLand).

***

Guddoomiyihii hore ee UMA Muzeveni (Ugaandha) waxaa beddelay Guddoomiyaha cusub Babangida (Nayjeeriya). Xoghayaha Guud ee Ururkuna waa Saalim Axmed Saalim.

Mabaadi'da UMA:

1. Gumeysi ka ciribtiridda Afrika.
2. Dhawrista soohdimihii jirey kolkii gumeysiga laga xoroobey.
3. Faraggelin la'aanta Arrimaha Gudaha ee Dal kale.

***

05.06.91

La kulmid Shiikh C/llaahi Dhiblaawe 'macallin Shaafici' (Murusade, ciidan) isaga oo raadinaya carruurtii Xirsi Cismaan Keenadiid si uu u dejiyo guri u dhow gegidii hore ee ciyaaraha (Istaadiyo Koonis).

***

Madaxweynaha kmg CMM oo ka qayb galay aaskii marxuum Xaaji Max'ed Max'ud Afrax 'Xaaji Baraako'. Wuxuu sheegay in uu Xaajigu ahaa halgame SYL ka tirsan.

06.06.91

Raadiye Muqdisho oo weli laliska laga haysto, FM-tiisu waxay baahisay in Cumar Carte Qaalib lagu soo dhoweeyey Abuuja (Caasimadda Nayjeeriya). Waxa soo dhoweeyey Babangida waxaana loo ridey 21 madfac. 21! Ma hab-

maamuus cusub baa? Madaxweynaha, intee madfac ayaa lagu soo dhoweyn lahaa? ***
Shirka Jabbuuti waa kii 27aad ee Madaxwey - nayaasha UMA. Waa fadhi ay irduhu u xiran yihiin. Hawlaha horyaal waxaa ka mid ah waxkaqabashada burburka Soomaaliya, Eretereeya, Koofur Afrika, iwm. ***
Saraakiil sare ee Bankiga Adduunka iyo IMF-ta ayaa ku taliyey in xoog dhaqaale la saaro oo la kiciyo beeraha Soomaaliya, goortii la arko Dawlad ay Soomaalidu wada oggoshahay.
Weriye BBC Siciid Faarax Yare:
-Cidda baahani waa dadweynaha ee maxaa Dawladda loogu xirayaa?
-Cidda heshiiska lala galaa, ma aha dadweynaha ee waa Dawladda. ***
07.06.91
Network Afrika (BBC):
Burco: Max'ed Xasan Madaxa Guddiga Gargaarka.
SNM----burcad hubaysan baa jirta. Baabuurro lagu dhacay Berbera iyo Hargeysa oo la moodayey inay ciidammada SNM dheceen ayaa la hubi waayey cid dhacday. Waa cudur meelo kalena ka dhacay in la kala garan waayo ciidammo jabhadeed iyo kuwo burcad. ***
300 Kun oo ku soo qulqulaya Woqooyiga Jamhuuriyadda SoomaaliLand oo ka soo baxsanaya xeryaha Itoobiya. Guryahoodii oo burbursan ayay waabab ka ag dhisteen/muteen.

Ceerigaabo waa magaalo aan lagu reebin hal taako oo macdan ah (maar, naxaas, iwm.). ***

1da Luulyo, 1991ka, laga bilaabo, madowga Koofur Afrika meeshuu doono ayuu dhul ku yeelan karaa. Takoor sharci baa tirtirmay, kii dhaqaale baa taagan. ***

Shir madaxeedkii 27aad ee UMA ayaa xirmay. Waxaa la magacaabay guddi uu madax u yahay Ibraahim Babangida. Waxyaalaha la danaynayey waxaa ka mid ahaa xasilloonida Itoobiya iyo deriskeeda- (Suudaan, Jabbuuti, Soomaaliya iyo Kenya).

BBC waraysi: Aadan Cabdulle Cismaan (Aadan Cadde) oo jooga Jabbuuti:

- Meel fiican ayay arrimuhu noo marayaan.
- Ka-qaybgaleyaal: SSDF, SPM, SDM iyo USC.
- Goosashada SNM waa arrin xun oo aannu filaynno in ayan sidaas ku dhammaan. - Max'ed Ibraahim Cigaal waa dhexdhexaadiye.

Aadan Cabdulle Cismaan (waraysi):
Yaa mas'uul ka ah waxyaalihi Xamar ka dhacay?
Waxaa mas'uul ka ah MSB. ***

11.06.91

Xaaji Xasan Guuleed Abtidoon, Madaxweynaha Jabbuuti oo soo gabagabeeyey shirkii 1aad ee dib u heshiisiinta Ummadda Soomaaliyeed.

Go'aanno

1. MSB waa u halis dalka, midnimada iyo nabadgelyada. Waa inuu dalka ka baxaa.
2. Xabbad-Joojin (baaq walaaltinnimo).

3. Bil kaddib waa in la isugu yimaaddo shir guud oo ay ka soo qayb galaan jabhadihii shirka 1aad ka soo qaybgalay iyo kuwii aan ka soo qaybgelin sida SDA, USF, USP iyo SNM, halkaasna lagu dhiso Dawlad waddani ah oo loo dhan yahay.
4. Midnimada Ummadda Soomaaliyeed waa muqaddas, lamataabtaan ah.

Woqooyi oo loo diro ergooyin ka kala socda Dawladda Jabbuuti, Odayaasha iyo Jabhadaha.

***

Aadan Cabdulle Cismaan (Aadan Cadde) shir guddoomiye. La-guddoomiyeyaal: C/risaaq Xaaji Xuseen iyo Max'ed Ibraahim Cigaal. Afhayeenka shirka: Muumin Bahaddoon Faarax, Wasiirka Arrimaha Dibadda Jabbuuti oo go'aammada akhriyey.

12.06.91

Cumar Macallin (SPM):

Shirka Jabbuuti si habboon ayuu u dhacay. Niyadsami iyo Soomaalinnimo.

Muuse Islaan (Guddoomiyaha kmg-ah ee SSDF): Talllaabo weyn oo toosan. Xabbad Joojin. Waxaa la isku afgartay xaqiijinta nabadda. ***

13.6.91

Wuxuu sheegay in guriga Ummadda ee Jabbuuti ey wakiillada Jabhaduhu (USC, SDM, SSDF iyo SPM), 11kii June ku saxiixeen go'aammadii shirka 1aad ee dib u heshiisiinta Soomaaliyeed.

Goobjoogayaal: Aadan Cabdulle Cismaan 'Adan Cadde', C/risaaq Xaaji Xuseen, Cismaan Max'ed Jeelle iyo odayaal kale. Ajendada shirka 2aad: Dastuur, Baarlamaan, Madaxweyne, Xukuumad oo dhammaan kmg ah. RM/W ***

14.1.91

Shirka Jabbuuti I

Guddiga Dhexdhexaadinta:

1. Aadan Cabdulle Cismaan 'Aadan Cadde'
2. Max'ed Ibraahim Cigaal
3. C/risaaq Xaaji Xuseen.
4. Cismaan Axmed Rooble.
5. C/qaadir Max'ed Aadan 'Zoppo'.
6. Max'ud Yuusuf 'Muuro'.
7. Cismaan Max'ed Jeelle.
8. Cumar Xasan Qoorey. 9. Janan Muuse Xasan.

SSDF-ta waxaa wakiil ka ahaa Muuse Islaan Faarax, SPM-tana Cumar Macallin, SDM-tana Cabdi Muuse Mayow, USC-dana Xuseen Xaaji Max'ed 'Bood'. Cuqaashii goobjoogga ahayd waxaa ka mid ahaa Shire Suudi iyo Max'ed Jaamac Juge. ***

18.06.91

Xamar ayaandarro weynaa!. Hubkii cuslaa ee uu Madaxweyne MSB ku garaacayey USC-da, mid ka culus ayay USC-da oo labo garab noqotay isku garaacayaan.

Dadweyne bannaanbaxaya oo mirahan ku heesaya:

Ilaahow naga qabo kan baadiye ka yimid baabuur uusan lahaynna baroon saartay. ***

17.06.91

Xuseen Xaaji Bood: SNM waxaa lagu martiqaaday shirka Jabbuuti.

Xasan Ciise Jaamac (Madaxweyne ku-xigeenka JSL): Shirkii Abuuja (Nayjeeriya) waxaa la isku dayey in goosashada nalaku canbaareeyo lagumase guulaysan. ***

19.06.91

C/llaahi Colaad Cali (Madhibaan), waraysi, Laascaanood:

Jamhuuriyadda SoomaaliLand waa wax aan jirin. Qorshaha Isaaq waa dad layn, boob, dhac.

***

Cismaan Garaad Max'ud (60-64 mudane) oo iskiis shirka Burco u tagey. Dantiisu waxa ay ahayd aragtiyo isdhaafsi,kalamase kulmin aaraa' isdhaafsi oo waxaa la soo jeediyey 7 qodob oo la oggolaaday. ***

Baaq

Aadan Cabdulle Cismaan 'Aadan Cadde': Soomaaliyey dantaada garo.

Shiikh Mukhtaar Max'ed Xuseen: Soomaaliyey xumaha qabyaaladda ka leexo.

C/qaadir Max'ed Aadan 'Zoppo': Ballanqaadyada ha la fuliyo.

25.06.91

C/raxmaan Tuur oo shirka laga waraystay isaga oo wafdi hoggaaminaya oo Jabbuuti ku sugan:

Shirka Jabbuuti waa arrin Koofure oo aan na khusayn. ***

26.06.91

Xasan Guuleed Abtidoon: gogosaha annaga ayaa leh garramiddase Jabhadaha (USC, SDM, SPM, SSDF)... Xasan Guuleed waxa uu joojiyey dabbaaldeggii sannadkan. ***

27.06.91

SDA Guddoomiye Max'ed Faarax USF iyo Ciise C/raxmaan waxay soo saareen war murtiyeed: diidmo jiritaanka Jamhuuriyadda SoomaaliLand.

***

RM: Eedayn SPM oo aan dhawrin heshiiskii Jabbuuti. SPM oo hortii la safatay MSB...Dawladda kmg ah (USC) waxay dhintay ciidammadeedii Jubbada Hoose iyada oo u gogolxaaraysa heshiiskii Jabbuuti. Tallaabadan SPM dhab looma wada garan. ***

Cumar Carte Qaalib iyo shirkii beelaha Hawiye (Hotel Guuleed).

Cumar Carte Qaalib khudbaddii uu halkaa ka jeediyey wuxuu ugu maahmaahay taageerayaasha USC, 'sida ninkii maska u tababbaray si uu danbiisha uga soo baxo illooweyse inuu baro sidii danbiisha loogu celin lahaa...ninkaas markii danbe maskii baa cunay'. Murtida Maahmaahdu waa kumayaalkii dhallinyarada ahaa oo miyi laga keenay oo Xamar lagu dagaal geliyey, kaddibna, xargo goostay oo faraha ka baxay.

Waxaa laga xigtay sheekadan wargeyska Gorgor (trs.40aad, 24.6.91) ***

29.06.91

Shirkii SDM waxaa si buuxda la isugu raacay taageeridda iyo fulinta go'aammadii ka soo baxay shirkii 1aad ee Jabbuuti.

Madaxweynaha kmg ah CMM oo furay Xabsiga Dhexe. Wuxuu la shiray ciidammada Asluubta iyo Garsoorayaasha Maxkamadda sare.

Taxanaha bililiqada: Xafiiska Wasiirka Isboortiga iyo Dhallinyarada Cismaan Afrax Guure oo la 'nadiifiyey'. Shabeelle Press ***

30.6.91 Goor 12:20

Aniga iyo Max'ed Max'ud Jaamac (Farmashiiste) oo bas ku maraynna Bakaaraha agtooda ayay kuwo hubaysani si degdeg ah baabuurkii nooga dejiyeen. Kolkaas ayay baskii iska buuxiyeen iyaga oo u wada sidii wax waalan xabbadana dhinac walba ka ridaya oo la baxsadeen. Waxaannu goor danbe ogaanney in kuwan xabbadaha ridaya bas hore oo ay wateen burcad kale ka qaadday oo baskoodii oo gubtey meel walbana ka daloola ayaa agtayada yiil. ***

01.07.91

Taxa taallooyinka:

Axmed Gurey, Max'ed Cabdulle Xasan, Dhagaxtuur, SYL, Xaawo Taako oo loo haystay (codka Yoobsan) in gogoldhig looga dhigayey taalladii dhabta ahayd ee 21kii Oktoobar, lama calfan. ***

Kismaayo oo mar 2aad maamul wareegtay…SPM ayaa USC koorasiibtay. ***
Hadba xaafaddii goob dagaal noqota ayaa laga qaxaa. Waxaa yaraaday dad ku nool gurigii lagu aqoon jirey. Waxaa ku marin habaabay kuwo ugaarsanayey magacyo qabiil oo gaar ah. Burcad bililiqo doon ah oo maqashay guri reer hebelkii shillalka saarnaa ayaa deggan, ismase ayan weyddiin in xigto ama xidid la yahay iyo in kale. Albaabkii ayay xoog ku jebiyeen. Yar ciddu dhashay ayaa haddiiba aqooday mid ka mid ah kooxda guriga soo gashay oo, isaga oo aan waxa dhacayaba dareensanayn, yiri: ' Abti! Abti! Abti!'. Weerar ceebeed ka soo qaad. Cudurdaarashada burcadda cantatab ka soo qaad. Qoyska guriga loogu soo dhacay waa reer C/risaaq Xasan Muuse 'C/risaaq Guul'. ***
03.07.91
Hey'adda Duullimaadka Rayidka iyo Saadaasha Hawadu waxay sheegtay in la la'yahay dayuurad, nooc DONIER22, oo marinkeedu (khad) yahay Lr HH-O48, oo sidda 20 rakaab ah oo u socota Jabbuuti. Dayuuradda la waayay (1.7.91) waxaa leh shirkadda Soomaali AirLines.
***

Hermann Cohen, Kaaliyaha Xoghayaha Dibadda (Afrika) ee Maraykanka:
Waxaannu taageeraynnaa mawqifka Al-Xaaji Xasan Guuleed Abtidoon oo ah diidmada goosashada Woqooyi (J.SL). BBC ***

Shirka EPDRF ee Addis-Ababa
Waxaa ka qayb galay WSLF (Jabhadda Xoraynta SoomaaliGalbeed-J.X.S.G) oo uu ka joogo C/naasir Aadan oo wakiil u ah.
ONLF oo aan si rasmi ah loo martiqaadin waxaa u hadlay Max'ed Shiikh Ibraahim. ***
Waxaa la faafiyey imaatinkii odayaashii ka soo qaybqaatay dibuheshiisiinta Jabbuuti iyo wakiillo ka tirsan SSDF oo ay ka mid yihiin C/risaaq Xaaji Xuseen, Max'ud Yuusuf Aadan 'Muuro', C/llaahi Boqor Muuse, C/llaahi Faarax Cali 'Hoolif' iyo Max'ed Cali Xaashi. ***
04.07.91
Wakiilka USC Max'ed Rooble:
Dagaallo Jabhadda ka dhexdhacay, curyaaminta Dawladda kmg ah, Kismaayo oo gacanta ka baxday, xiriirro iyo shirqoollo uu MSB ka danbeeyo, waxaas oo dhan waxaa ku wacan Max'ed Faarax Caydiid. ***
Casumaad lagu taageerayo shirkii Jabbuuti ayaa waxaa fidiyey CMM Madaxweynaha kmg ah. Waxaa qayb xamaasad leh ka qaatay C/risaaq Xaaji Xuseen. Siyaasiyiinta kale ee goobjoogga ahayd waxaa ka mid ahaa Max'ud Yuusuf 'Muuro' iyo C/qaadir Max'ed Aadan 'Zoppo'. Goobta shirku waxay ahayd Hotel Maka-Al-Mukarrama. ***
06.07.91
Dayuuraddii la afduubay (eeg 3.7.91) waxay ku degtay Garbahaarrey. Afduubayaashu waxay

kala ahaayeen C/qani Shiikh Cabdulle, Cabdi Gorod Nuurre Max'ed iyo Khaliif Maax oo ku raacay magaca Shire Suudi Max'ud. Waxaa weheshay 17 kale. ***

Falcelis dugaagnimo ah ayaa ka dhacay Villa Baydhaba. Afduub iyo dil. Meydad lagu sheegay Tiribuunka, Warshadda Baastada, Villa Baydhaba gudihiisa. Waxaa lagu tilmaamay kuwo ku raad leh afduubkii dayuuradda…oo-sida la leeyahay-waa kuwo hortii xeebta lagu laayey kaddibna meelahaas kala duwan lagu qubay. Maxaa ka run ah? 105 qof miyaa Xalane ku afduuban?. Madaxa Laanqayrta Cas miyaa cunno iyo daawo Villa Baydhaba keenay? ***

Kolkii ay burcadda hubaysan Villa Baydhaba soo gashay, intii ay xabbadihii hore la tageen mooyee in kale ayaa ka booddey derbi danbe. Kuwa derbiga danbe ka boodey waxay ku kor dhaceen tiin, qodxihiisa iyo cagihii ka kor yimidna waa la isku ogaa. Dadka derbiga danbe isku dayey inay ka boodaan waxaa ka mid ahaa nin la yiraahdo Max'ed Cali-Baashi Cismaan Keenadiid (Aun). Wuxuu ahaa duuliye muuqaal ahaan aad u cas, gar weyn, dhaaddan, aadna u culus. Wuxuu holliyey inuu derbiga ka boodo wuuse is qaadi waayey. Kuwii hubaysnaa oo meesha yaacayey kii u soo horreeyey ayaa kuwii kale wuxuu ku yiri, (wax ha yeelinina shariifkan, inkaartiisa...). Duuliyaha ayaa kaddib wuxuu yiri, "horta casaantaydii ku baxsaday waxaanse is weyddiinayaa yaa ku yiri asharaafta mooyee inta kale waa la layn karaa?. ***

08.07.91

Hotel Maka-Al-Mukarrama dadka deggan waxaa ka mid ahaa, Max'ud Yuusuf Aadan 'Muuro', C/llaahi Boqor Muuse, Max'ed Cali Xaashi, C/llaahi Faarax Hoolif iyo Imaam Max'ed Abshir Muuse. Burcad hubaysan ayaa Hotelka soo weerartay: dil iyo bililiqo. Waxay dhacday bishatan 3deedii. Isla galabtana waxaa la sugayaa imaatinka wafdi-nabadraadineed oo ka imanaya Jabbuuti, marinkiisuna yahay Garoowe-Xamar. Wafdiga waxaa hoggaaminaya C/risaaq Xaaji Xuseen. ***

Xasan Guuleed Abtidoon, Madaxweynaha Jabbuuti oo guddoonsiiyey Aadan Cabdulle Cismaan 'Aadan Cadde', C/risaaq Xaaji Xuseen, Max'ed Ibraahim Cigaal Billadda Qaranka. ***

09.07.91

Duuliyihii Dayuuradda oo Nayroobi ka sheegay in 'Jaliilad' lagu afduubay oo uu ku degay Luuq. Hortii, Raadiye Muqdisho wuxuu sheegay in ay Garbahaarrey ku degtey. Ka sokow hantida rakaabka, dayuuraddu waxay sidday $150000/= Dollar oo cunto lagu soo iibin lahaa. ***

11.07.91

La-haysteyaashii Villa-Baydhabo oo la soo daayey. Burcaddu 2 ayay Xalane ku dishey, 2 jirranaana dacdarro ayay u dhinteen.

Haysteyaashu waxay ahaayeen Xawaadle (Cali-Madaxweyne).
15.07.91

Shirkii Jabbuuti oo si rasmi ah u furmay

Jabhaduhu waa SSDF, USC, SDM, SPM, SDA iyo USF. Ku-talaggalka tirada ka qaybgaleyaashu waxay ahayd 150, waxaase dhab ahaan, ka soo qayb galay 350...waxaana goobjoog ahaa UMA, EEC, Jaamacadda Carabta, IGAD, Mu'tamarka Islaamka iyo, Dalal 20-neeyo gaara oo ay ka mid ahaayeen Walaayadaha Midoobey ee Maraykanka, Midowga Soofiyeetiga, Shiina, Jarmal, Talyaani, Masar, Faransiis, Kenya, Yemen iyo kuwo kale.
Maalin Isniin ah ayuu shirku furmay, 10:04 gelin hore; waxaana lagu furay Aayadaha Quraanka Kariimka ah ee uu akhriyey Shiikh Mooge Dirir Samatar. Erayadii meesha laga yiri oo Soomaalida ku guubaabinayay inay midnimadooda xoojiyaan waxaa ka mid ahaa Madaxweynaha Ugaandha Yuweeri Musafani oo yiri (war tolow midooba, hadda waxaad u muuqataan 20 qabiil oo doonaya 20 Dawladood iyo 20 Madaxweyne). ***
Doodo adag kaddib 6da Urur (Jabhado) waxay isku raaceen gololo (Ajenda) 5 qodob ka kooban.
1. Sidii Dalka looga saari lahaa MSB.
2. Sidii Nabad lagu gaari lahaa.
3. Sidii Midnimada lagu xaqiijin lahaa.

4. Sidii lagu dhisi lahaa xukuumad loo dhan yahay.
5. Kale.
Shirkan 2aad waxaa Ururrada ka wakiil ahaa:
SSDF-Muuse Islaan Faarax
USC – Cumar Xaashi Aadan
SPM – Cumar Macallin
SDM – Cabdi Muuse Mayow
SDA - Maxamed Faarax Cabdullaahi
USF – C/raxmaan Ducaale Aadan ***
C/raxmaan Tuur: Dhibaatada Dalka ka jirta waxa ku wacan kuwii 'Manifesto'. ***
18.07.91
Waxa la malaynayaa in shirka oo Khamiista xirmi lahaa uu Jamcahana socon doono. Waxay u badan tahay in muddada lagu kordhiyo 24saac. ***
19.07.91
Weli, go'aammo rasmi ah lama soo saarin waxayse warchitectureku u badan yihiin in Dawladda fiinteedu ahaato hal Madaxweyne iyo 2-ku-xigeen. ***
Cali Xamadi Ibraahim, Danjiraha Suudaan u fadhiya Jabbuuti oo shirka ka sheegay in wafdi SNM uu Dawladdiisa gaarsiiyey in ay ka noqdeen gooni-u-goosashadii Woqooyi.
Hal mar ayaa farax lala istaagay oo la qaaday heestii: 'Soomaaliyey toosoo…' BBC
C/raxmaan Tuur oo isla maanta lagu waraystay magaalada Baariis wuxuu yiri: 'waa arrin aan

waxba ka jirin. Goosasho ka noqosho bal warkeed daa'e lagamaba hadlin arrinta' ***
Sida C/raxmaan Tuur waxa u hadlay Saleebaan Max'ed Aadan (S.Gaal) oo Xamar yimid isaga oo wafdi ballaaran oo SNM ah hoggaaminaya oo marti u ah USC.
Halkudhegyadii lagu soo dhoweeyey waxaa ka mid ahaa: " Wada jir wax aynnu ku weyney, kala-tagsanaan ku heli maynno" ***

Shirka Jabbuuti-II

Dalalka Martida ah:
Masar, Sacuudi, Imaaraadka, Suudaan, Yemen, Liibiya, Nayjeeriya, Itoobiya, Ugaandha, Kenya, Maraykan, Ingiriis, Faransiis, Talyaani, Kanada, Jarmal, Midowga Soofiyeeti iyo Shiina. ***
20.07.91
Heshiiskii maanta la sixiixi lahaa dib buu u dhacay. Ergooyin ayaa qodobbada qaarkood wax ka qabey. 24 saac ayaa dib loo dhigay. Dib u dhigiddu waa markii 3aad.
Weriye Max'ed Daahir BBC
21.07.91
- Madaxweyne Xasan Guuleed Abtidoon oo maanta xiray shirki 2aad ee dibuheshiisiinta Soomaaliyeed (15-21.1991) (Axad).
- Ka qaybgalayaal: USC, SSDF, SPM, SDM, SDA, USF.

Go'aanno

1. MSB oo dagaal hubaysan lagu qaado, haddii nolol lagu qabtana Maxkamad la soo taago.

2. Xabbad-Joojin guud laga bilaabo 26ka (Jamce bishatan), Ururkii jebiyana ka meel laga wada noqdo. Bixin guddi ilaaliya, dhawra go'aammada oo ka kooban odayaasha iyo Jabhadaha.
3. Midnimidu waa muqaddas, lamataabtaan ah meelmarinteedana waxaa u xilsaaran Dawladda kmg.
4. Qaadasho Dastuurka 1960kii, muddo aan 2 sano ka badnayn, laga bilaabo maalinta heshiiska la saxiixay (21.7.91, 13:30, Guriga Baarlamaanka, Jabbuuti). Dhisid Gole Sharci Dejin..123 xubnood oo ku salaysan Degmooyinkii jirey 1969kii ka hor. Degmo kasta waxay lahayd Guddoomiye iyo 2 Guddoomiye ku-xigeen.
5. Doorasho Madaxweyne kmg ah (CMM): muddo 2 sano ah laga bilaabo maalinta la dhaariyo.
6. 2 Madaxweyne ku-xigeen: 1aad SDM; 2aad SSDF iyo SPM.
7. Ra'iisul Wasaare: Nin u dhashay Woqooyiga Soomaaliya.
8. Gole Sharci: - Guddoomiye SSDF iyo SPM
- 2 Guddoomiye ku-xigeen: USF iyo SDA. ***
22.07.91
Waxaa lagu heshiiyey in la soo wada cumraysto, si qofkii shakisan uu qalbigiisu saafi u noqdo. ***
23.07.91
C/raxmaan Tuur oo caro ka muuqato ayaa yiri:

- Dawlad dibadda lagu dhisay ma hirgalayso.
- SDA iyo USF waxay fadhiyaan Jabbuuti.
Dawladda Jabbuuti waxaannu u sheegaynnaa in haddii ayan faragelinta arrimahayaga joojin aannu ka qaadaynno tallaabo ku habboon.
- Go'aammada ay soo saareen qaarkood waa sheeko carruureed..jagada Ra'iisul Wasaare ee Woqooyi ah oo ay ka hadleen waa dhalanteed..Ra'iisul Wasaaraha ay sheegayaan dadkiisii mee?
- Shirka Jabbuuti maba aha shir na khuseeya.

BBC, VOA ***

24.07.91
Muuse Islaan Faarax:
- Maka ayaannu ku soo Cimraysannay; hadda waxaannu joognaa Jidda oo aannu wada hadallo kula yeelanaynnaa Dawladda Sucuudiga; kaddib, waxaannu ku soo noqonaynnaa Jabbuuti si aannu u dhammaystirno arrimaha xabbad-joojinta.
- Tiradayadu waa 200 ku dhowaad. Shirkii 2aad ee Jabbuuti wuxuu ku dhammaaday heshiis iyo wanaag.
- Ergooyinku waxay ka wada xumaadeen xasuuqa Gaalkacyo ka dhacay waxaannuna ka soo saari doonnaa war loo dhan yahay oo ergada USC-na ay ka mid tahay.
Professor Siciid Shiikh Samatar:
a) Go'aammada Shirka Jabbuuti waa heshiis iyo nabaddoonnimo aad u wanaagsan.

b) Sida jirtase:
1. Colaad Qabiil oo aan gaarin, heerkii dhaqan ahaan, inta qolo laga adkaado uu dagaalku hakado…iyada oo aan la kala adkaan, ma la heshiin jirey?
2. Badanaa, lama midaysna: SPM-Jubbada-Hoose, SNM-Woqooyi, USC-Koofur. Xamar yaa xukuma? Ma Cali Mahdi mise Caydiid? ***
Prof. Axmed Ismaaciil Samatar:
Go'aammada Shirka Jabbuuti waxay horseedayaan nabad, midnimo iyo walaaltinnimo loo baahnaa. Heshiiska qabaa'ilku waa lagama maarmaan… hadhawse yeyna baas u noqon kartida, aqoonta iyo farsamada oo aan heerkii la rabey gaarsiisneyn… ***
Lixdii Urur ee ansixisay heshiiskii Jabbuuti oo jooga Jidda. Waa booqasho, shirkii kaddib ay wufuuddu ku soo mareen goobaha barakaysan ee Sacuudiga. Aadan Cabdulle Cismaan: waxaanu Boqorka ka codsanaynnaa kaalmo looga baxo abaarta iyo dhibaatooyinka Dalka ka jira. ***
Muddaale (Majallad) Al-sharq-al-Awsad oo tirsigiisii maanta si tifatiran uga faallooday kulanka Boqor Fahad iyo martidii Soomaaliyeed.
***

Boqorka Sucuudiga, Aadan Cabdulle Cismaan iyo Cumar Carte Qaalib ayaa, Arbacadii, waxay isdhaafsadeen khudbooyin aad u xiiso badan. Is-afgarad iyo duco ayaa la isdhaafsaday. Waxaa tixo kanshahan ku habboon oo aad loo jeclaystay tiriyey (Carabi) Cumar Carte Qaalib iyo Axmed Azhari. Ahmiyadda uu shirkani u leeyahay Jaamacadda Carabta waxaa ka hadlay xoghayaha guud ee Jaamacadda Carabta Cismat Cabdul-Majiid. ***

Max'ed Qanyare Afrax-Xubin Golaha Dhexe oo ka mid ahaa ergadii USC ee ka qaybgashay shirkii 2aad ee Jabbuuti oo maanta Dalka ku soo noqday oo sheegay in guul weyn la soo hoyey, USC-na ay xubin firfircoon ka ahayd. ***

Boqor Fahad: dagaalkii 1977kii marar badan ayaannu MSB kula talinnay in uu is casilo. ***

26.07.91 Sano Khamiisaad

Shalay waxay ahayd dabshid (Nayruus). Maanta waa Istunkii Afgooye. Waxaa isku beegmay xabbad-joojintii jabhadaha iyo Istunkii. Dabbaaldegga Istunku waa 3 maalmood.

Dr. Cali Shiikh Axmed Shiikh Abuu-bakar, afhayeenka Dhaqdhaqaaqa Islaamiga, Jidda:

- Shirka waxaannu u aragnaa mid guul xambaarsan.
- Dhaqdhaqaaqu wuu diiddan yahay siyaasadda SNM.
- Waxaannu ku rajo waynnahay in heshiisku uu miro-dhal noqdo. ***

04.08.91

Guddoomiyaha USC Max'ed Faarax Caydiid wuxuu sheegay in Ururka SNF uu soo weeraray meelo ka mid ah Gobollada Mudug iyo Galgaduud. ***

07.08.91
Madaxweynaha kmg ah Cali Mahdi Max'ed oo ku magacaabay mudane Cumar Xaashi Aadan Guddoomiyaha Gobolka Banaadir oo ka kooban 8 degmo: Xamar, Balcad, Jowhar, Cadale, Afgooye, Wanlewayn, Marka iyo Baraawe. ***
Golaha Dhexe ee USC oo ka biyo-diidsan Go'aammadii Jabbuuti (20.7.91). Kuwaas oo u cuntami waayay.
Is-afgarad la'aan ayaa dhextaal labada garab ee USC-da. waxaa kale oo ay goosashada Woqooyi kala durkisay SNM iyo USC-da oo waxaa shiiqay halkudhegyadii uu Inj. Cismaan Jaamac Xamar la tagay oo ahaa-sida aynnu horey u soo sheegnay-
- USC waa SNM & - SNM waa USC
- CMM waa Caydiid & - Caydiid waa CMM ***
C/llaahi Xaaji Max'ud 'Insaaniya' Walaayadaha Midoobay ee Amerika (Virginia)
Aad baan u taageersanahay go'aammada Shirka Jabbuuti. Xagga goosashada Woqooyi, fikraddaydu waa-bal Soomaaliya intii la haystey kala-goynteedu ha joogtee-waa inaan la illaawin qaybaha weli gacmaha shisheeye ku jira. ***
10.08.91
Guddoomiyaha SDA Max'ed Faarax C/llaahi Xasharo iyo xubno kale ayaa Xamar yimid. Waxay ballanqaadeen fulinta heshiiskii Jabbuuti iyo dhawrista midnimada oo muqaddas ah. ***

Guddoomiye ku-xigeenka Ururka USF Cumar Cusmaan Yaabe, Afhayeenka Ururka Cali Shiikh Ibraahim Aareeye iyo xubno kale oo Xamar Yimid wuxuu ballan qaadkoodu ahaa taageeridda iyo fulinta heshiiskii Jabbuuti iyo ilaalinta midnimada oo muqaddas ah. ***

11.08.91

Ismaaciil Aadan Faarax (Jidda). Wargeyska 'Al-Xayaat' oo magaaladan ka soo baxa oo baryahan Soomaaliya wax ka qorayey ayaa wuxuu waraysi la yeeshay Cumar Macallin Max'ud (wakiilka SPM) iyo Baribari (SSDF).

Waxay yiraahdeen, buu yiri: haddii Cumar Carte Qaalib Ra'iisul Wasaare lagu magacaabo, kuma aannu jirno heshiiskii Jabbuuti...waxaa jagadaas nagula habboon Max'ed Ibraahim Cigaal. ***

13.08.91

Wargeysyada Shabeelle Press iyo Dalmar waxay maanta qoreen warar loo qaadan karo in wixii maar ahaa ee uu Raadiyuhu ku shaqaynayey ay iska qaateen ilaaliyeyaashii Raadiyaha.

Dhinaca kale, Toddobaadle Beeldeeq (codka USC, Garabka MFC, 13.8.91) wuxuu isaguna qoray in qalabkii war-laliska maartii laga bililiqaystay inta loo dhacay qolka kaydka dayactirka. Waxaa kale, oo toddobaadkii hore Raadiye Muqdisho laga xaday Baabuurkii Gaashaannaa (SBS) oo xiriirin jirey wararka Gobollada iyo Xarunta. ***

14.08.91
Daahir Xaaji Cismaan Sharmaarke
Waraysi, Nayroobi: "Si buuxda ayaan u taageersanahay heshiiskii Jabbuuti. Waxaa kale oo aan taageersanahay siyaasaddii Manifesto in kasta oo aanan wax ka saxiixin oo nala ka qarsaday.13kii SYL asaastay, 4 baannu ku nool nahay..Cali Xasan Cali 'Verdura', Max'ed Cali Nuur, Max'ed Faarax Hilowle 'Farinaaji' iyo Ani. Waxaannu ku tala jirnaa inaannu Dalka isugu nimaadno oo ka qayb-qaadanno nabadaynta iyo dhismaha." ***
15.8.91
Galabta waxaa Gegida Dayuuradaha ee Xamar ka soo degay Guddoomiyeyaasha SSDF iyo SPM, Muuse Islaan Faarax iyo Cumar Macallin Max'ud oo kala hoggaaminaya wufuuddii Ururradooda. Waxaa kale oo isku dayuuraddaas ka soo degay C/risaaq Xaaji Xuseen oo hoggaaminaya Samaddoonno. Waxaa soo dhoweeyey Guddoomiyaha Gobolka Banaadir Cumar Xaashi Aadan, Xuseen Xaaji Max'ed 'Bood'iyo madax kale. Waxay sheegeen inay soo mareen Gobollada Bari, Mudug iyo Nugaal, Dadweynaha ay wakiillada ka yihiinna ay 95% oggolaadeen heshiiskii nabadda ee Jabbuuti. ***
18.08.91(10:27)
Dhaarintii Madaxweynaha kmg ah Cali Mahdi Max'ed. Dhaariye: Shiikh Xuseen Abuukar.
Madasha dhaarta waxaa ku dhammaa

hoggaamiyeyaasha 6da Urur (USC, SSDF, SPM, SDM, USF, SDA), siyaasiyiin, halgamayaal, waxgarad iyo madaxda qaybaha bulshada. Waxaa gabay aad loo jeclaystay shirka dhaarta ka tiriyey C/qaadir Yamyam. Eebbe ayuu wuxuu uga baryey Soomaalida-siiba Madaxda-in uu ku beero garasho dareensiisa in ay isku af, dhaqan iyo Diin yihiin. Waxaa aad loo sugayey madashase ka maqnaa Guddoomiyaha USC, MFC.

18.08.91

Madaxweynaha kmg CMM waxaa lagu dhaariyey Aqalka Ummadda, 18kii Agoosto, goortii ay saacaddu ahayd 10:27.

19.08.91

Soo saariddii xeerarka nabadda iyo la dagaallanka burcadda.

19.09.91

Xabbis (Jabbuuti) buuxdhaaf , 10 cabbur u dhimatay (4 Itoobiyaan ah, 1 Soomaali ah, 1 jabbuutiyaan ah …4ta kale weli lama yaqaan) BBC

SSDF oo xeebaha Bari ka ilaalinaysa … Maraakiib burcad kalluumaysi…Waxaa ka digey Max'ed Abshir Wolde (xalay). Waa Gobollada xeebaha Woqooyi-Bari. BBC

20.09.91

Saaka taniyo galabta fadhiyid Hotel Weheliye. Berri ballan, ani, Baashane, Aswad, iyo C/xamiid. Berri u 'hiilgurasho' Hotel Maka-Al-Mukarrama.

17.11.91 (Namiibiya)
Namiibiya waa xor sano iyo 8 bilood. Haysasho cunto ku filan. Wasiir mas'uul ka ah: xagga beeraha caddaanka waxoodii (hanti) baan faraha uga qaadnay. Ma aannu lihin ciidan aqoon beereed oo ku filan leh... hadda ayaa loogu hawl jiraa. Deynta caddaankaasi waxay na dhaxalsiisay in maanta aannu gudubnay isku fillaansho oo badar u dhoofinno Afrikada Koofure iyo Angoola. BBC-African News ***

28.09.91 RM (20:00)

Hotel Guuleed Go'aanno

1. Dagaalka waxaa kaalinka Shabeelle ka bilaabay ciidammo-tekniko oo ah kuwa ka amar qaata MFC
2. Isku deyid dil waa been
3. Midnimo muqaddas: joojin wixii taageero dhaqaale, siyaasadeed, bulsho oo kaalmo u noqon kara goosashada...
4. Fulin heshiiskii Jabbuuti iyo USC oo degdeg, raajin la'aan ula xaajoota Ururrada kale

Tallaabo siyaasadeed ama ciidan ayaa laga qaadayaa ciddii carqaladayn la timaadda. ***

CMM oo ku qabtay Hotel Maka-Al-Mukarrama qado-sharaf lagu soo dhoweynayey wufuuddii ka timid Jabbuuti. Waxaa halkaas khudbooyin ka jeediyey Madaxweynaha kmg ah, Muuse Islaan Faarax iyo Dr. Maxamed Cumar Dhigicdhigic. ***

Qormada Saddexaad

01.10.91

Saaka waxaa la faafiyey dhismaha Dawladda loo dhan yahay. Raadiye Muqdisho waa shib, kaddib wararkii 06:30 iyo 08:00. Koox hubaysan (Saleemaan) ayaa xarunta Raadiyaha qabsatay. Isla markaas, koox kale (Duduble) ayaa iyaguna qabsaday xarunta Boostada.

Raadiyuhu wuxuu hirarka soo galay bisha saddexdeedii oo uu sheegay wasiirraddii shalay la dhaariyey. Raadiyuhu, isaga oo xiganaya Raadiye Ethiopia International ayuu wuxuu ka hadlay dagaal Doolow ku dhexmaray Dir iyo Dagoodi.

***

08.10.91

Shirkii ugu horreeyey ee Golaha Wasiirrada (Villa Baydhabo):

1 Fulinta heshiiskii Jabbuuti

1. Baaq: Ciddii nabadda iyo walaaltinnimada diiddan, waa in meel looga soo wada jeestaa.
2. Baaq: Adduunweynaha oo loogu baaqo gargaar degdeg ah.
3. Dhisid Ciidammada qalabka sida: Xoogga Dalka Soomaaliyeed, Booliska, Asluubta iyo Ciidammada Deegaanka.
4. Dhisid 3 Gudd:

I. – Gargaarka Degdegga ah.

II. - Siyaasadda iyo Nabadgelyada.

III. – Ilaalinta barnaamijka Dawladda.

***

17.10.91
Ra'iisal Wasaarihii hore ee Soomaaliya C/risaaq Xaaji Xuseen wuxuu Ra'isal Wasaarennimada Cumar Carte Qaalib ku tilmaamay mid aan habboonayn: 'Dhabar adayggii loo baahnaa ayuusan Cumar lahayn'. Waxaa kale oo uu yiri, "Waxaa jagadaas ku habboon Jaamac Max'ed Qaalib" ***

23.10.91
BBC (Waraysiyo):
CMM : USC waa mid, hal ujeeddo leh… wixii ka leexsan waa ra'yi shakhsi ah. Anigu, naf iyo xoolo ayaan u soo huray.
MFC: Waa Sulux huwan Jubbad USC, watana siyaasad aan USC ahayn…Waa Dawlad (niman) ismagacaabay.
MAM : (24.10.91) Soomaalidu waa dad walaalo ah… waa dad wadadhashay, is dhalay. Haddii ay heshiiskii Jabbuuti wax si ka noqdeen, waa in la kulmo oo la saxo. ***

26.10.91
Shir Jaraa'id (Guriga Ummadda).
• Dr. C/salaam Xaaji Maxamed 'Ina Xaar Ogaadeen' SPM iyo Dr. Maxamed Cumar Jaamac 'Dhigicdhigic' SSDF waxay sheegeen inay taageerayaan Jabbuuti I iyo II. Nabadayn, meelaha ay ka taliyaan, sidii uu ahaa heshiiskii xabbad-joojinta ee 26.7.91
29.10.91
'Cirgoyska' wafdigii uu hoggaaminayey Wasiir

ku-xigeenka Talyaaniga ee Arrimaha Dibadda, Andrea Borruso. Dayuuradda Borruso, Falkon-10 oo ay leeyihiin Ciidammada Cirka ee Talyaaniga, kolkii ay kor timid Gegida Dayuuradaha ee Xamar ayay ilaaladu ku amartay in ay ka baxdo cirka Soomaaliya. Ilaaladu waxay ka mid yihiin ciidammada ka amar qaata Guddoomiyaha USC MFC.

20.12.91

Fadhi Guddiga Fulinta (USC). Waa kulan degdeg ah. Oggolaansho Guddi dhex dhexaadineed ee uu hoggaaminayo Max'ed Ibraahim "Liiqliiqato" oo uu xubnahiisa ka mid yahay Janan Nuur Caddow. Xabbad-Joojintii shalay waxay bilaabanaysey 06:00. Waxaa la is-ogeysiiyey in dhinacii nabadda diida uu Guddigu dhinac ka noqonayo. RM/K

21.12.91

Guddiga Dhexdhexaadintu wuxuu ka kooban yahay xubno isu xilsaaray in xabbad-joojin lagu heshiiyo. Waxaa Guddoomiye ka ah Max'ed Ibraahim " Liiqliiqato." Odayaasha la wada hadlay waxaa ka mid ahaa Cali Geeddi Shadoor. Guddoomiyuhu wuxuu sii wataa hawlihii iyo xiriirradii uu Xamar la lahaa. RM/K

22.12.91

Guddiga Dhexdhexaadinta oo shaaca ka qaaday in Manifesto ay xabbad-Joojinta caqabad ku noqotay iyaga oo soo jeediyey shuruud aan la yeeli karin.

Wadahadal hore baa jirey oo Axadda (maanta) ayaa la ballansanaa. Dhinaca lala kulmay oo jawaabta keenay waxaa ka mid ahaa Xaaji Maxamed Jilicow, Inj. Xuseen Cabdi, Shiikh Cali Tuurre, Cabdullaahi Geeddi Shadoor iyo Prof. Maxamuud Xasan Nur. RM/K
("Shuruuddu waa maxay? Diidmadase ma waxaa leh Guddiga Dhexdhexaadinta mise dhinaca kale? Qoraha.")
23.12.91
Xalay taniyo saaka waa hub culus oo xiriir ah. Waa kii ugu darnaa ee la xusuusan yahay.
Shir Guddiga Nabadaynta iyo iska dhex qabad saddex xubnood: Max'ed Ibraahim Axmed Liiqliiqato, C/raxmaan Xaaji Muumin iyo Xaaji C/qaadir Sh. Xuseen oo la xiriiri doona shakhsiyaad iskood u wadey talooyin nabad-raadineed.
Afhayeen Guddi: Warkii 22kii bishu wuxuu ahaa gef farsamo ee lalama kulmin Manifesto; waxaa lala kulmay odayaasha la magacaabay (dhinaca). Ugaas Khaliif Ugaas Warfaa: Inta sheeganaysa in ay muddo ku jireen dadaalka nabadaynta. Taageero (geesinnimogelin) ka helid Ururka Gargaarka Islaamiga oo ka tirsan Raabiddada Islaamka (Maka). RM/(K
24.12.91
Liiqliiqato: Hawshayadu waa sidii dhinacyada xabbad-joojin loo oggolaysiin lahaa. Waa joojinta dhiigga qubanaya. Gundhigga colaaddan iyo

waxyaalaha la kala tirsanayo ka heshiintoodu waa arrin Soomaali weyn u taal : Isimmo (duubab), Culimaa'uddiin, waxgarad, siyaasiyiin. Shakhsiyaadka danaha gaarka ah wata iyo kuwa lillaahida ah waa la kala arki doonaa. RM/K

25.12.91

Iyada oo la raacayo taladii Ugaas Khaliif, Liiqliiqato iyo 2dii xubnood ee loo doortay in ay la kulmaan shakhsiyaad la sheegay in ay iyaguna ku hawllan yihiin sidii xabbad-joojin loo xaqiijin lahaa, waxba kama suuraggelin. Sidii uu ballanku ahaa, waxay tageen guriga Mire Indhayare 09:30 waxayna sugeen taniyo 11:15 mana ayan iman. Waa lagu kala dhaqaaqay iyada oo ballan danbana uusan jirin. RM/K

26.12.91

WARCAD

Guddiga Nabadaynta wuxuu qabtay tax kulammo ah oo ku wada dhammaaday is-afgarad la'aan. Burburka wada tashiyada waxaa ku wacnaa USC-da . Sidaas awgeedna, waa in ka dhinac la noqdaa oo laga qaybgalaa dagaalka hubaysan ee lagula jiro. Beelaha xubnaha Guddiga Max'ed Ibraahim Axmed "Liiqliiqato" oo loogu yeeray barahooda. RM/K

27.12.91

Waa been-abuur warkii magaca Guddiga Nabadaynta lagu faafiyey 26kii bishan, RM 20:00. Waxaa beenabuurtay xubin ka mid ah

Guddiga. Hawsha Nabadayntu sideedii bay u socotaa. RM/K

30.12.91

Guddiga Nabadaynta ayaa sheegay in ay labada dhinac gaareen Xabbad-Joojin iyo heshiis. Xabbad-Joojintu waxay bilaabanaysaa 18:00.maanta.

Liiqliiqato laftiisa ayaa warkan (heshiiska) Raadiyaha ka sheegay, kana codsaday labada geesood fududeynta kormeerka xabbad-joojin. RM/K

31-12-91

Guddiga Dhexdhexaadinta ayaa waxaa lagu kordhiyey 18 xubnood oo SDM ah. Waa Guddiga isu xilsaaray xabbad-joojin ee USC iyo SDM; heshiis nabadeed oo soo muuqday ayaa hakaday. RM/K

Guddoomiyaha Guddiga Nabadaynta iyo xabbad-joojinta oo sheegay in dadaalkii ay bilaabeen 16kii Dis.1991, ay mirihiisu dhow yihiin. Maxamed Ibraahim Axmed Liiqliiqato wuxuu ka hadlay oo kale, yididdiilo nabadeed iyo dareen is-afgarasho. RM/K

OGEYSIISYO

Golaha Wasiirrada oo shir la isugu yeeray berri.

- Waxaa la baajiyey duullimaadka dayuuraddii u anbabixi lahayd Garoowe. RM/W

- Warfidiyeenno ayaa waxa loogu yeeray ka qaybgalka shir jaraa'id oo lagu qaban doono xarunta USC, ka soo horjeedka Wakaaladda Biyaha. RM/K

Go'aan

30.10.91 BBC Guddiga Fulinta:

- Hey'adaha shisheeye, samafal, iwm, si ay Dalka ku soo galaan, waa in ay oggolaansho Ururka weyddiistaan… ilaa laga dhiso Dawlad Qaran.
- In ay Dawladda Talyaanigu beddesho safiirkeeda Mario Sica. Go'aankani wuxuu ka danbeeyey 'cirgoyskii' shalay. RM /K ***

03.11.91 BBC:

Caydaruus Cismaan Keenadiid oo u soo diray BBC-da qoraal. Wuxuu ka soo diray Sanca (Yemen).Waa kiisii 2aad. Wuxuu xusay tixo ka mid ah gabaygii Cismaan " Iga Daweyneysa".

- Duulkaan Cilmi lahayn hawadu waa la durugtaaye
- Midbana wax u dahsoon waa isagu door inuu yahaye
- Maankeys dafirayee haddii laysku wada diimey
- In dib lays ogaan doono baa iga daweyneysa.
- Jinni baysku diray oo nafluhu waa isdagaayaaye
- Diinlaaweyaashiyo intaan dar Alle eegeynnin
- Dibindaabyo hoosiyo ninkii doonaya xumaato
- Inaan duxi ka raacaynnin baa iga daweyneysa.
- Ragga qaar daliillada sharcigu waa dacniyayaaye
- Intii daallimiinoo ku wacan duminta khayraadka
- Inkastay dadkiiska hor wadaan oo la dabajoogo
- In ceebtoodu daahiri dhaqsaa iga daweyneysa. ***

07.01.91

Ayaandarrada weyn oo sii baabbi'inaysa Raadiye Muqdisho oo hortiiba sakaraad ahaa

waa dilkii-sida uu qoray Wargeyska Shabeelle Press- C/qaadir Cali Iidle (Isu-duwaha barnaamijyada oo la sheegayo inuu dilkiisa ka danbeeyey weriye ay ka wada shaqeeynayeen Xarunta Raadiyaha. Wargeysku waxa uu qoray weriyaha la tuhunsan yahay magaciisa oo saddexan iyo weliba naanaystiisa.
Eeg Shabeelle Press 7.1.91 ***

7.11.91
Sonkoreey Axmed Aadan, 42 jir iyo Faadumo Cali Ibraahim, 30 jir oo ku xiran saldhigga Booliska ee Degmada Dharkeynley. Gabar 5jir ah bay qasheen, oo ay ka qafaasheen Degmada Hawlwadaag. Faadumo way qiratay waxayna sheegtay inay horey wiil u wada qasheen. " Sonkoreey baa igu martiqaadday hilibkaas oo iigu sheegtay mid xoolaad", bay tiri Faadumo. Sonkoreey way inkirtay "maba aqaan naagtaas". Waxa la ogaaday in ay jiraan labo naagood oo kale oo carruurta qasha,. Rooti ayay ku gadaan Suuqa Boocle oo u dhow kaalinka Shidaalka Madiina.
Dable Daahir Ciise Jimcaale (Diiwaan hayaha Saldhigga): "lafo warqad ku duuban oo aashuun ku jira baa laga helay guriga Sonkoreey. Baaris ayaa socota… inay dad ama duunyo yihiin".

Eeg Shabeelle Press 7.11.91

Wargeys kale oo isla maalintaas soo baxay Xog'ogaal, wuxuu sheegay inay Sonkereey

Juudaan qabto. Beerka dadka ayaa u daawo ahdii (senen) miyaa soo noolaatay? ***

08.11.91

BBC

Max'ed Siciid Samatar ' Gacaliye', Afhayeenka SNF (Addis-Ababa) oo ka hadlaya qabanqaabada shir guud oo loo dhan yahay oo ay giddi jabhaduhu ka qaybgalaan. Itoobiya iyo Ereteria ayaa qabanqaabinaya. ***

07.11.91

Madfaca iyo Maansada

Guddoomiyaha USC MFC ayaa BBC-da ka qaaday tixo gabay ah ee uu tiriyey. Wuxuu ku qaaday luuq fudud oo dabacsan. Waxaa waraysanayay (ma aan hubo) Rick Wells.

Waa kuwan tixihii – intii aan ka qabtay 7dii Nof. 1991kii.

"Calankii Carfoonaa rag baa ciidda soo dhigaye

"Catir kama yaqaanniin cadkaa quruxda caankaa leh

"Cabaadkiisa waxaa laga maqlaa calaha dhaadheere

"Culimadu kitaab ma akhriyaan mana cimraystaane

"C/qaadir Jeylaaniyow bay ku carwasaadaane

"Cood ma aan tabcado iyo guryaha taga cirkaa dheere

"Carruurtayda lama seexdo iyo cuudsantaan qabaye

"Caatada waxa iigu wacan dhiisha aan culine

"Inay caraftu gaartaan rabaa caalamkoo idile
"Cosob inaan ka yeelaan rabaa calowga noo yaale.
Cid fikrad ka dhiibata gabaygaan, xagga murtida, qaafiyadda, afka… waxaan taniyo hadda maqlay gabar lagu magacaabo Shukri Cali Mire Awaare. BBC-da ayay weyddiisatay in loogu celiyo, lagamase yeelin. Waxay tiri:
"Dad baa ku qosqoslay, anigase wuxuu ila yahay gabay qiiro leh."
Shukri waxay ka soo hadlaysay Nayroobi ***

11.11.91
Beryahan, waxaa xiiso yeeshay raacidda Xaajiyad-Khamsiinta. Inta uu baabuurku buuxsamayo waxaa la fiirsadaa waxa ka dhacaya agaggaarka guriga Haweenka.
Kurayo hubaysan ayaa hadba qof dhaca, furta, dila. Waxaa la noqday daawadeyaal kagguur ah oo dareen iyo danqasho beelay. Waa dad samray oo iscaaliyey. ***

13.11.91
Hubka culus ayaan kolna joogsan: sharqan, qarax kala yeer iyo xoog duwan. Waa isku dhimasho iyo isku guuldarro. Qof hortiiba nolol qallafsan ku jirey oo qaxaya, carruur, waayeel, dad jirran, meel miciin laga sugaana ayan jirin.. Xeryihii hore ee qaxootigu way baabba'een, dadkii oo sidiisii u tabaalaysan. Kolkii la maqlo qof leh:

“ waa sidii Hargeysa”, war wuu ku dhan yahay: dil, burbur, bililiqo. ***

14.11.91

BBC (Weriye Siciid Bakar) Cabdi Warsame Isaaq (Shir Jaraa’id)

Guddoomiye SSNM

1.Waa in meesha laga saaraa iska hor imaadka siyaasadeed oo loo yeelayo qaab Daarood-Samaale…iyo Afweyne oo Daarood oo dhan loo nisbaynayo; waxaa jirta, bal cid kale daa ee in Marreexaan badani ka soo horjeedo.

2. Midnimada Dalku waa tii 1960kii

3. Waxaa loo baahan yahay shir weyn oo lagu sii ballaariyo kii Jabbuuti.

Xasilloonidarrada waxaa ku wacan:

Kala qaybsanaanta USC

Kala qaybsanaanta SDM iyo

- Maqnaanta SNM.

(11:30) C/Xaliim Cismaan Keenadiid baan ka soo noqday aniga oo ka baqay in ay xaafaduhu kala xirmaan kaddib markii ay bilaabatay jugtii iyo jacdii beeluhu. Cidda ridaysa iyo cidda lagu ridayo ogaanshahooda waxaa dhadhan iyo ujeeddo tiray 10 bilood oo isgaraacis ah. Qof kasta oo Xamar deggan (Haddii laga reebo burcadda rasmiga ah) wuxuu dareenkiisii ku koobmay oo keli ah, sidii uu jaliiladaha iyo Jiibabka uga gabban lahaa. ***

Saaka waxaannu la kulannay Axmed Shuqul oo ballanqaaday inuu isagu la wareego ilaalinta

dukaanka maran ee Maxamed Maxamuud Jaamac. Dukaanku wuxuu ku yaal daarta Uunlaaye (Shineemo Shentaraale).
Axmed Shuqul, isla subaxnimadan ayuu ilaaladii geeyey oo ku yiri: "Seeddigey ha u dhowaannina". ***

14.11.91

Reer C/llaahi Ax. Keenadiid berri bay Kismaayo u xirxiran yihiin in ay raacaan baabuurka Cabdi Cali Xundhur.
Baabuurro badan baa gudba:
Laba u danbeysey waxaa dhacay "Ciidankii" ilaalada u ahaa: mid waxaa rakaabka ka mid ahaa Suldaan Turki, midka kale Cali Gaas, waa furasho aan calal lagu reebin. Labada kooxoodba waxay ka mid ahaayeen qolada la yiraahdo-anigu ma aan hubo-hormuudnimada burcadnimada bay haystaan.

17.11.91

Dareen colaadeed, is-horfadhi dagaal sida ay qoreen Shabeelle Press, Xog'ogaal, iwm.siiba xaafadda Madiina iyo meelo kale. Dareenkii waa la gudbey oo waa ayaandarree hub culus ayaa la isdhaafsanayaa taniyo galabdheertii.
Taariikhdani waa bilowga afartii bilood ee dagaallada Sokeeye, kuwii ugu xumaa xag dhimasho, dhaawac, burbur, qax… ***

18.11.91

11:45(RM), FM-tii oo taniyo shalay aammusnayd oo uu ka hadlayo Guddoomiyaha USC oo sheegay in ciidammadiisii ay ka guulaysteen kuwii Sulux-Manifesto, lana baabbi'iyey Dawladdii Cali Mahdi Max'ed. Jabhadaha xaq-u-dirirka ahi waxay Ummadda u horseedayaan walaaltinnimo, barwaaqo, midnimo. ***

Maxamed Faarax Caydiid: 13:00(RM). Waxaa la damcay, inta la isku meegaaray xarunta USC in la qabsado, Guddoomiyahana laga takhalluso. Culimmo iyo Odayaal baan u diray si ay ciidammadaas u durkiyaan oo loo reebo isku dhac; waxaan u sheegay in, xataa haddii xabbado nalaku soo rido aannaan falcelis samaynayn.

Waxaa xigey diidmadii iyo iskudhacii aan ka baqayey.

Sulux-Maanifeesto ayaa la jabiyey. Waa maalin u dhiganta 26kii Jannaayo 1991kii, taas oo ahayd maalintii Max'ed Siyaad Barre uu Xamar ka baxay. ***

19.11.91

Dhibaatooyinkii dhinac walba ahaa oo hortiiba jirey, colaaddii aloosnayd, hubkii cuslaa ee taniyo dorraad dhacayey waxaa weheshey wax (cudur) waayahanba nala deris ahaa oo la yiraahdo 'biyo la'aan'.Taniyo

Talaadada maanta ah teedii kale waa biyo la'aan; labo-habeen oo keli ah ayuu xoogaa soo dhacay.Taniyo saaka waa jug, jac, qax iyo weli biyo-la'aan.

Isku bixiska biyo la'aaneed wuxuu bilowday Jimcihii.
Dadka Xamar ka baxayaa xaggee bay u qaxayaan? Dhawr cidood oo goofaf agaggaarka ku leh mooyee, inta kale xaggee bay u qaxayaan? Meelna…maayadda ayaa sidata. ***
Waxaa lagu sii wareeray kutirikuteen iyo majidho loo bareerayo. Agtayada dad baa guuraya. Dhalanteedkii dhexdhexaadinta lagu sheegi jireyna warkiis lama hayo.Kol haddii garta iyo gardarrada aan la kala soocayn, waxaan laga fursanayn in la raaco hab dhaqankii nafleyda jiqaha ***
Waraysiyo:
Cali Xasan Xuseen: Taageere MFC oo ka hadlay guul, midnimo, barwaaqo, wada-tashi iyo, ka xoroobid Sulux-Manifesto. Ciidanka Guddoomiyaha ayaa Xamar oo dhan gacanta ku haya; in yar oo ciidammadii jabay ah baa la sii eryayaa. Caydiid baa **Daarood tirtiraya**: waa dicaayadda Sulux-Manifesto…Xiriir fiican ayaa naga dhexeeya SNM, SPM…
Maxamed Rooble: inta Cali Xasan Xuseen sheegay ayuu ka soo horjeedkeeda taageeray: MFC wuxuu horseeday guuldarro, dagaal sokeeye, silic iyo saxariir. ***
Go'aanno ka soo baxay Guddiga Fulinta ee USC.

1. Xabbad-joojin

2. Iskaashiga Mujaahidiinta iyo D/weynaha si ay uga hortagaan burcadda.
3. Shaqaalaha oo taga goobahoodii shaqo: Raadiye Muq…Boostada, Shidaalka, Dekedda, Gegida Dayuuradaha, Isbitaallada, iwm.
4. Waa xilli roob: si looga hortago cudurrada faafa waa in lagu dhaqaaqo xaaqid, qashin ururin, iwm.
5. Dhaawac guryaha ku silcaya oo la geeyo isbitaallada si ay daawo u helaan.
6. Samaddoonno, indheergarato, iwm, oo u hawlgala dhaqan-gelinta qodobbadan.
7. Dhismo hab maamul. ***

20.11.91

Xalay buu ceelku biyo keenay; maanta waa Arbaca (Arbaca bil u danbaysa?), biyahana waxaa la la'aa 5 maalmood (Jimce-Talaado). Habeen-barkii xalay, taniyo haddeer (11:40) saf ayaa ceelka loogu jiraa;waxaa ka kordhacaya hub jaad kasta leh, daalka iyo diifta waxaa u sii dheer muuqaalka naxdinta leh ee dadka agmaraya, qaxaya, cafashka ku raran…Qaxootiga qulqulaya waxaa wehesha reer 'Labo-dhagax' la yaqaan oo aan yarayn oo yiri: 'Aan qaxnee, xagge…? Meel hebla biyo ma leh… Teer waxaa halis ah waddada loo marayo Guryaha laga tegayo yaa ka ilaalinaya tuugada caadiga ah?

Dagaallada qabaa'ilka dhexmaraa waa wax weligood soo jirey.Taniyo maalmihii ka horreeyey Dagaalkii Xamar (Dis. 90kii), meelo, siiba Gobollada Dhexe, la isku laynayey baa jirey. Ciidammada MSB-na dhinac bay kala dirirayeen.
Waxaa la oran jirey isaga ayaa hubka isugu dhiibay. Aad bay u fiicnaan lahayd hadddii ay, 100% run ahaan lahayd, oo aan isaga kaddib, qabaa'il diriraba la arkeen! ***
21.11.91
Koox hubaysan ayaa habeen-barkii gurigayaga soo weerartay. Islaan ayaa hoggaamineysey. Waxay ku tiri: "Nin Gaashaanle Sare ah oo reer Suldaan Cali Yuusuf ah baa gurigan deggan. Qalab isgaarsiineed buu haystaa oo maalintii god dheer oo guriga ku dhexyaal ayuu ku xabaalaa. Habeenkii buu la soo baxaa oo toos Max'ed Siyaad Barre kula hadlaa. Hadda wuxuu la jiifaa dhaawac ka soo gaarey dagaalkii uu Siyaad ku daafacayey".
Qolo aannu deris ahayn ayaa ka hortagtay kooxdii raadineysey 'kornaylka khabiirka ku ah qalabka isgaarsiinta'. Barqadii ayuu deriskii booqasho noogu yimid. Khaliif Faarax Shuuriye (Aun)oo kaftamaya ayaa yiri: " meeyey kornaylkii?". Khabiirkii la raadinayey wuxuu ahaa Nuur Cismaan Keenadiid (Aun). Maalin dhoweyd ayaa la xabbadeeyey bas uu fuushanaa oo marayey jidka Wadnaha; dad baa ku dhintay

dad uu ka mid ahaana wuu ku dhaawacmay.
Kolkii Nuur laga waraystay aqoontiisa isgaarsiineed wuxuu yiri: " Raadiyaha batariga waan gelin aqaan, inkasta oo kolkol aan kala jeed u geliyo oo uu Raadiyuhu shaqayn waayo". ***
22.11.91
Dhimasho, dhaawac, qax, cabsi, biyo la'aan, dawo la'aan iyo cunto la'aan. Haddii la helana aan la goyn karin. Shilal jaadkaas ah sidii la isaga waraysanayey ayaa waxaa la helay warka ah in shalay, New York lagu doortay Xoghayaha Guud ee Ummadaha Midoobey: waa Boutros Boutros-Ghaali, R-Ws ku-xigeen (Masar).
Waxaa loo jeedaa dad baabba'a isu caaliyey.
Meeshii hadba dhibaatadii timaadda wax laga qaban lahaa ayaa, af iyo addinba, dhibaatada lafteeda la isku jaangooyaa, si loola qabsado.
Waa hab nololeed nafta lagu khatalayo oo burcadnimo kasta loogu muujinaayo 'halgan siyaasadeed'.
Hubkii cuslaa ee bilowday 17.11.91 (Axad) ayaa saakana (Khamiis) qarxanaya.

Fiiro

Dad caalwaa ah hadallada ka soo duulduulaya:
I. Meesha uu dagaalku marayo? Dhegahaaga ayaa war kuugu filan.
II. Ma soo fiirinnaa guriga uu jiibku ku dhacay? Waa kaltan ee saacaddaada ha sugi waayin.

III. Odayaashii beeluhu meeye? Raadiyaha ha laga baafiyo… haddii la xusuusto, markii cid ugu danbaysay, hubkii ay siteen. ***

Galabta waxar uu tagsi maray baa birta lala gaarey. Tagsigu ma istaagin oo habkii "burcad-weynta" magaalada ayuu dhinaciisa ka raacay. Aad baa loo dhibsaday oo lama xusuusneyn in xooluhuna, ay sida dadka, qiime beeleen. Khasaare ama faa'iido kala sheegashadu waa hubka iyo baabuurta la kala dhaco: dadka la iska dilo lama sheego oo ma aha arrin xiiso leh. ***

24.11.91

Xalay gelin-danbe iyo saakaba waxay ka mid ahaayeen goorihii uu hubka cusli ugu dhicid darnaa.

Odayaal xaashi ku qoray toddobaadle Himilo, si xilkasnimo leh bay Soomaalida ugu guubaabiyeen in ay danohooda dhabta ah u soo jeestaan.

Isla wargeyskan BBC-dii xalayna (21:00) waxay ku tilmaantay mid wacyigelin qumman ku salaysan. Qoraalkan maanta waxay odayaashu ka digayaan inaan mar kale lagu hodmin hoggaamin askareed, taas oo ah tijaabo la soo eeday. BBC- GS Himilo waa wargeyska Garoowe. ***

25.11.91

Weli dhicid hub culus. Xooggii beelaha baa shaqaynaya; xirribtii beelaha baa la la'yahay. Imaatin Yaasiin Nuur Cismaan iyo saaxiibbadiis

(Aun)… Nabad buu sheegay iyo C/Xaliim(Aun) oo u xirxiran Qoryoolaydiisii. Gabadhiisii Hodan baa la socota. ***

26.11.91

War na soo gaarey (Muuse Axmed Kheyr-Aun- oo dhinac kale soo booqday). Waa wada warar dadban. Waxaa la sheegay in martidii Hotel Maka-al-Mukarrama degganayd la wada furtay. Waxaa degganaa siyaasiyiin caan ah oo u joogey ka qeyb-qaadashada dhismaha Dawladda. Dhac iyo bililiqo fool xun baa lagula kacay waxaana loo reebay oo keli ah dacas iyo dhaaraan. Jugta iyo Jacdu waa maalintoodii 10aad. Dayniile baa caasimad noqotay…Ciddii degganayd, ayuusan nasiib wanaag, ku dhicin booranaha beelaha kale aafeeyey.Qolooyin aan dagaalka toos u gelini way jiraan, dhowr jeer ayayse (bilowgii) hal tallaabo u jirsadeen. Miyir waxaa loo daayey Murusadaha Dayniile.

Odayaal heerka qabiilka ka garasho sarreeya oo Soomaalinnimo isku bahaysta ma laga waayey dadka Xamar deggan?

Taniyo hadda, kooxaha xooggooda mideeyey oo aan qoloqolo isu takoorin waa burcadda iyo tuugada !!! ***

Cismaan Axmed Rooble (Guddoomiyaha Rugta Ganacsiga):

War dagaalka joojiya... meeye Culimmadii, indheergaratadii, waxgaradkii, xilkaskii…War kii madaxnimo doonayaa , yuu madax u noqonayaa haddii dadka la laayo?. Cabasho, calaacal, murugo. BBC-GS.

27.11.91

Waxaa booqasho noogu yimid C/qaadir Guuleed Maxamed oo noo soo sheegay in kooxdii uu ka mid ahaa C/llaahi Axmed Keenadiid jid dhexe lagu dhacay. Xigtada inteeda kale oo laga warhayaa way ladan tahay. Aroor hore bay Jugta iyo Jacdu bilowdeen. Waa maalintii 11aad.. Sheegid 2da dhinac (Abgaal iyo Habargidir iyo qolooyin kala raacsan) waxay xalay kala saxiixdeen heshiis xabbad-joojin ah. Taniyo aroortii hubka culus yaa ridayay-haddii x-j lagu heshiiyey?

Mujaahidkii soo warramayey wuxuu yiri: "Waa burcad nabadda diiddan..."

Haddeer (11:30) ayuu hub cusli ku dhacay agtayada guri ah ... Hal dhaawac culus ah. ***

28.11.91

Dawladdii sharciga ku dhisnayd waa sideedii... CCQ wxuu la kulmay Cali Mahdi Maxamed wuxuuse haleeli waayey Maxamed Faarax Caydiid.

CCQ wuxuu aad u dhibsaday qaabka jactadka ah – waa sida uu Ra'iisal Wasaaruhu u qaatay-ee uu C/salaam Harari (weriye) wax u weyddiinayey.

Xabbad-joojin baa lagu heshiiyey ayaa maantana la leeyahay, xalay iyo saakana hub culus ayaa dhacdhacayey...

"Kuwa maanta ridayaa waa burcad" baa la leeyahay.
Intii xabbadaha ridaysey oo wax dhacaysey heshiiska ka hor, iyo burcadda hubka ridaysa waxna dhacaysa heshiiska kaddib, haddii ay xudduud lahaan lahaayeen... in wax la kala garto baa suurtoobi lahayd.
Galabta, 17:00 guri deris kaya ah, Ilma Warsame Cali (reerCadaado) baa waxaa ku dhacay Jiib. Guri kale iyo geed buu soo jibaaxay. Finfiniinkii baa labo diley, tirana dhaawacay: Dawo, gargaar degdeg ah, gaadiid warkood daa...2da mid ilmo yar buu ahaa...Gurmad aan waxba tarayn baannu ugu tagnay. Waa ayaandarro.
29.11.91
Maxamuud Nuur Cismaan ayaa ka yimid Libooy, halkaas oo ay joogeen qaar xigtada ka mid ahi. Giddi dhibaatooyinka nolosha ee la malayn karo ayaa haystey, ha ugu sii darnaatee hoy xumo iyo wixii carruurta lagu xannaanayn jirey oo la la'yahay.
Waxaa Kismaayo lagu soo arkay reer C/llaahi Axmed Keenadiid(Aun) oo nabdoon ayse jidka labo jeer ku sii dheceen. Kooxda danbe ayaa goortii ay ka weydey wax qiime leh aad u carootay. Waxaa jirey nin miskiinka tuugsada, kolkol ku yiraahda: "sadaqadii hortaa baan baxshay", waana runtiis, illowse masaakiintu kama wada tirsana shirkad hantida wadaagta oo wax isuguma jiraan. Si la mid ah, ma lagu oran

karaa, bililiqaystaha labaad ee iscaraysiinaya, 'waa lagaa soo horreeyey?'. ***

Digniin RM (FM) 14:00 **(Warcad)** USC (Afhayeen): Guddiyada iyo kuwa beryahan wada shirarka siyaasadeed waxaa looga digayaa in ay faraha kala baxaan arrimaha USC. Waa in ay ka waantoobaan. ***

30.11.91

Xalay: Taniyo aroortii wxuu ahaa habeenkii uu hubka cusli ugu dhicid badnaa.

Xamar arrintiisu waxay maraysaa: Woqooyiga magaalada Cali Mahdi Maxamed ayaa u taliya, koofurna Maxamed Faarax Caydiid. Dhinac walbana waxaa burburinaya kan dhinaca kale u taliya. Dadka aan labadaan ahayn oo magaalada la baabbi'inayo wax ku leh, waa kuwo aan taag iyo talo hayn. Taniyo xalay waa qaraxyo aan joogsad lahayn. Walaac baa abuurmay. Saaxiibbadii deriska ahaa baa midmid u qaxaya: Sugaal, Inj.Caliyow. Barni X.Y. oo Kismaayo ka timid oo aan iyaduna sheeko qabow keenin. War la'aan iyo guri yuurur. Afgooye, Awdheegle, Qoryooley, Kismaayo iyo Dayniilahaan baa loo kala qaxayaa.

Murugo

1. Ma dhacdo in mar keli ah la maqlo magaca 'Soomaali'
2. Waxaa lagu hadaaqayaa magacyo qabiil oo 1943kii wixii ka danbeeyey ay inta

waxgaradka ahi ka xishoon jirtey. Danbayn, galtinnimo iyo wacyi siyaasadeed la'aan bay astaan u ahaayeen. Haddana, isku astaamahaas baa bilan.

3. Marka keli ah ee MSB baa la eryay-ay macne yeelanaysaa waa markiii la dhiso maamul ka hufan kiisii, haddiise laga sii liito waxay noqonaysaa uun kursiga ha loo kaltamo.
4. Kolkii ayaandarrada siyaasadeed ee ugu weyni ay Soomaalida haysey, waxaa laga hadli jirey sharciyo lagu tuntay, maantase, sharciyo la jebiyo ama la dhowro ayaanba jirin. Ugaar.
5. Waxaa aad loo karaahiyeystay kooxdii MSB dhinac walba ka xiimi jirtey oo ilaalin jirtey. Maanta, waxay kooxo hubeysani ilaaliyaan qabqable kasta oo gabood falay oo baqaya. Hawshii ilaaladu way kerortay. Waa boqollaal la'ilaaliyeyaashu. Ilaalintu kuma koobna qabqablaha: waxaa si la mid ah loo ilaaliyaa baabuurka ama hal birmiil oo shidaal ah. ***

- C/qaadir Max'ed Aadan 'Zoppo': Xabbad xal ma aha.
- CMM: Hub culus baa Dadweynaha lagu ridayaa..Waa dugsigii MSB…Xamar inta badan Dawladda ayaa gacanta ku haysa. Nin 'madax adag' baa arrinta wada.
- MFC: Waxaa nabadda diiddan oo dagaalka hurinaya Sulux-Manifesto. ***

Xarunta USC, laga soo bilaabo 28ka bishan, waxaa ku shiraya aqoonyahannada Ururka...Guddiga la magacaabay (Guddoonka) waxay ka doodayaan:

1. Sidii loo soo afjari lahaa dagaalka Manifesto-USC

2. Khilaafka USC-da dhexdeeda. RM (FM) ***

Afhayeen: Beenin warkii uu CMM BBC-da (21:00) ka sheegay. Eedayn Sulux-Manifeesto. Heshiiskii Jabbuuti waa mid Soomaalida kala geynaya. Heshiis lala galay Jabhado ay USC-da colaadi dhextaal. RM/K ***

1.12.91

Shalay waxay ahayd maalintii ugu xumayd dagaalkaba: isku faalal dhinac walba ah. Habeen horana kii mindhaa ugu darnaa. Xalay xasillooni. Maanta (gelin hore) roonaan.

Dubai

Barnaamij 'Waxay ila tahay'

Axmed Maxamuud Mire: keenis iib qalabkii Warshadaha oo la soo fuqfuqsaday.

Jawaanno xiddigihii saraakiisha ee Qaranka oo ay moodayeen maar aanse ahayn.Yaab wuxuu ku dhammaaday markii la keenay qaboojiyayaashii waaweynaa ee meydka! ***

M.S.F (Takhtarrada aan xudduudda lahayn) :(Bari-Nugaal-Mudug).

- Xasillooni iyo nabad (socdaal habeen ilaalo la'aan)
- Marid Garoowe-Qardho-Boosaaso.

- Boosaaso:Dhaqdhaqaaq ganacsi oo xoog leh; dadkeedii oo laba jibbaarmey, 50000(qaxooti iwm.).
- Qalalaase marmar dhinaca Gaalkacyo…magaaladan waxaa deggan oo keli ah ciidammada Jabhadda…dhowr iyo toban ayaa dhinacyadaan ku dhimatay dhowaan.
- Nal joogto ah
- Dekedda: Dhawr iyo toban doonyood iyo markab yar (shidaal-qaade) ayaa ku xiran.
- Baahi 'antibiotic' BBC-FS ***

02.12.91
Hadalkii MFC, shalay iyo Wasiirka Warfaafinta iyo Dhaqanka. Xamar.
Imaatin 19kii Jannaayo. Kulammo la isku afgaran waayey isaga iyo Dawladdii Maanifesto (CCQ) oo MSB dhistay (sida uu yiri). "Markii aan ka diidey inaan Dawladdaas aqoonsado, nin ka mid ahaa kooxdaas ayaa igu yiri: "Caydiid, waa inaad aqoonsataa!".
Ninkaasi wuxuu ahaa, buu yiri CMM. Warka intiisa kale: Mujaahidiin, USC, Gobollada Dhexe, Manifesto-Sulux, Jabhadaha xaq u dirirka ah (USC, SNM, SPM, SDM): kolkii uu MSB meesha ka baxay oo uu MFC doonay inuu Raadiyaha ka sii daayo hambalyo iyo bogaadin oo Manifesto ka horjoogsatey… Mana uusan dooneyn in uu xoog ku marsiiyo (sidii uu yiri) oo wuu isaga tagey. RM/K

“20kii waxay u ekaayeen kuwo ku qancay ‘USC ku soo biira’, maalintii xigtey bay ra’yigoodi ku adkaysi la yimaadeen.”

03.12.91

Ceelkii oo biyo la’ tan iyo xalay. Soo booqasho reer Nuur Cismaan K. (Aun) iyo Isbitaalka Madiina oo la waran yahay.

Shir Jaraa’id MFC (xarunta USC):

- Xamar 90% haysasho.   - Gudaha, dibadda.
- Beenin dhexdhexaadin Fahad iyo taageero ay USC ka hesho Israa’iil.
- Furid xiriirka Gobollada ay Ururrada kale haystaan iyo kuwa USC.
- (Shalay Raadiye) hayn raad ay Manifesto soo gelid dagaal ku weyddiisatey Jabhado, kumase ayan guuleysan.

04.12.91 (RM-FM-06:30)

Maalmahan, burcad baa Shidaalka Dhexe qabsatay, isna hor taagtey shidaalkii ceelasha. Baad iyo laaluush bay maamulkii Manifesto uga barteen…loona dulqaadan mayo. Waxaa ammaanan Ashaamud, (lamase sheegin waxa ay qabteen, ama ka qabteen burcadda). Afhayeen Gudd. FulintaUSC

***

Dhac, Carruur dharbaaxo lagala daalo iyo burcadnimo isjabhadaynaysa ayaa loola tegey guriga carruurta (xaaska) Muuse Islaan Faarax (Aun)iyo C/Xamiid F.- Waxaa joogey ilma Muuse 2 gabdhood iyo wiil, ilma C/Xamiid, ina

C/qaadir Dheel, Iwm. Aqoon iyo raadraac baa lagu yimid. ***

Galab18:30 (RM-FM)

Dhegaysad cajalad wadahadal Xuseen Shiikh Axmed Kaddare, Wasiirka Warfaafinta ee xukuumaddii CMM (Xamar) iyo Xasan Abshir Faarax, siyaasi caan ah oo ka tirsan Gobollada Woqooyi Bari (Garoowe) iyo Cabdi Xaaji Goobdoon.

Afhayeenka Guddoomiyaha USC-SNA MFC oo fikradihiisu ahaayeen kuwo ku laadaya dhinaca Kaddare. Haddii la soo koobo murtida wadahadalladii (Fooniye) Xuseen Shiikh Axmed Kaddare (Xamar) iyo Xasan Abshir Faarax (Garoowe) waxay ahayd dhinac sheegaya inuu dagaalka Xamar ku guuleystey (99%) doonayana taageero siyaasadeed isaga oo cuskanaya mabda'a isku xiraya inta aamminsan dibuheshiisiinta iyo dhisidda Qarannimada Soomaaliyeed.

Dhinaca kale waxaa laga maqlay guubaabo nabadeed, farriin xabbad joojineed dardaaran ka fogaansho dhibaatooyin danbe oo loo geysto Soomaalida tabaalaysan.

Waa kuwee maqaawiirta Beelaha Woqooyi Bari ee uu Xasan Abshir Faarax la tashaday.?

Bishii 10aad 1994kii ayaan wadahadallada Kaddare iyo Xasan Abshir waxaan ka waraystey Guddoomiye ku-xigeenka SSDF Dr. Yaasiin Cartan, wuxuuna yiri: "Arrinta wax war ah

kama aan hayo, waxayse igula habboonaan lahayd in, iyada oo la xushmaynayo mabaadi'ida dibuheshiisiinta iyo nabadda la soo dhoweeyo codsiga Dawladda kmg ah."
(Wadahadallada Kaddare iyo Xasan Abshir waxaa duubay Goobdoon oo ka sii daayey Raadiyaha USC-SNA). ***

05.12.91

Maalintii 19aad ee Dagaalka. Shalay iyo dorraadba heerarkii ugu xumaa ayuu dagaalku marayey. Dhinacyo ballaaran ayuu hubku ka dhacayey.

Biyihii yimid shalay gabbaldhacii, saaka way go'an yihiin.

Iyada oo maanta oo dhan la dagaallamayey, ayaa gelinkan danbe (hadda waa fiid) si waalli ah hub la isu weydaarsanayaa… meelo kala duwan oo aannaan oddorosi karin bay ka dhacaysaa; laba guri oo noo dhow ayaa mid walba jiib geedo ku hor yiil ku dhacay: laga samatabax…Mid waa kan Warsan oo maqnayd iyo mid kale. Annaga waxaa na qaaday finfiniin aan cidna wax yeelin.

Arkid deris Axmed Waddan oo carruurtii (5) soo ceshey qaxii kaddib; dhib nololeed bay soo arkeen wiil baa ka dhaawacmay (lug xabbad lafise ma jabin.) ***

06.12.91

Dagaal aad u xun shalay, (maqlid) Hotel Weheliye 4 dhimasho iyo dhaawac badan.

Dhimashada waxaa ka mid ahaa ergey SPM G/sare Duuliye Max'ed Xaaji Axmed Barre, dhaawacana ergay kale Caydiid (SPM) walaalkiis. Saakana, isku Hotelka, isku xabbadi hii la hurgufayey waxaa ku geeriyoodey 2 qof. Marka oo lagu diley gurigiisa Maareeye Guud Maxamed Salwe. Hadalka keli ah oo la yaqaan waa: Burcad reer hebel ah baa dishey bahalnimadii baa sii beekhaantay.
Booqasho Bakaaraha iyo kula kulmid Gaashaanle Sare Axmed Culusow Shibbane, Maxamed C/lle Islaan iyo Bare "sherooto" oo ay dorraad tuugo meesha lafteeda ku furatay... xoogaagii ay gabadhiisu sigaarka ku rogrogan jirtey baa laga dhacay. ***
Horta ayaa haysta Dekedda, Gegida Dayuuradaha iyo Kaydka Shidaalka? Sida uu yiri Max'ed Qanyare Afrax, Wasiirka Arrimaha Gudaha waxaa haya Ciidammada Dawladda Ashaamud iyo beelo uu ku tilmaamay in ay dhexdhexaad yihiin sida Xawaadle, Murusade, Karanle, Gugundhabe iyo Duduble.
(BBC 5.12.91-F-S) Run ku sug ***
Markab ay Laanqayrta Cas leedahay oo Dekedda ku soo xiran waayey toban iyo dheeraad maalmood. Gargaar buu sidaa. Dawladda Maraykanka oo ku baaqday in xabbadda la joojiyo, Dekedda iyo Gegida Dayuuradahana la furo. BBC ***

07.12.91
Dagaal xun iyo xaafado laga qaxayo. Dan gaar ah baa ka adkaatay danihii guud.. Dareen Soomaalinnimo warkiis maba yaal. ***

Reer Dr.Muuse Axmed Khayr (Aun) baa galabnimadii guriga ka anbabaxay. Baabuur maantadii hore la raray baa la filayaa inuu berri (aroor hore) Kismaayo u raaco. Waxaa la socda C/risaaq Axmed Khayr oo ay weheliyaan wiil uu dhalay iyo mid uu awoowe u yahay.
Reer Cabdi-Carab iyaguna waa socdaal: isku baabuur. Socdaal nabadeed. Baabuur iyo ilaalo Murusade ah. ***

08.12.91
Hub culus daryaankiis ayaa meelo ka yeeraya oo si hakasho la'aan ah u dhacaya.
Magaalo iyo dad isku dul iyo gudo baabba'ay.
Fiiro guud baa la waayey. Soomaalinnimo?
Erayga si ayaaba la isaga dhowraa oo wuu xujaysan yahay; maqalka ugu Soomaalisani waa marka la maqlo qof leh " Beel hebla baa maanta gacan sarraysa".
Dadka waddada marayaa waraysad ma leh.
Markii aad qof ku tiraahdid "Dagaalka ka warran?. Wuxuu kuugu warramayaa sidii adiga oo ku yiri "Iiga warran sidii aad jeclaan lahayd inuu dagaalku noqdo".
Waa kasmo laga dhaxlay Golayaasha Hanuuniska, Afmiinshaarrada, iwm. oo uu xilkoodu ahaa in ay wax waliba yeeshaan

qaabka ay doonayso siyaasadda 'rasmiga'ahi. Haddase, waa tee siyaasadda "rasmiga" ahi?.

09.12.91

Aroortan hub culus baa dhacdhacaya...(15:30) hub culus oo si waalli ah isaga dabadhacaya ayaa bilowday. 28 maalmood (30 Dis-26 Jan'91) ayuu MSB Xamar hub culus ku garaacayey... Hal dhinac buu ka dhacayey, maantase laba dhinac buu ka dhacayaa. Maalin laba-docaynta beeluhu waxay u dhigantaa 2 MSB. ***

MSB : kursi uu haystey ilaalintiisa ayuu madaafiicda u ridayey.

CMM : kursi soo bidhaamay ilaalintiisa ayuu madaafiicda u ridayey.

MFC : kursi baadigoobkiis ayuu madaafiicda u ridayey.

Geeri: Ina Weheliye Maalin oo ay dhashay Ina Jaamac Warsame Islaan iyo Ina aderkiis. Bir bay u dhinteen (shalay). Mid baa ka nool kuwa ay isku habarta yihiin, mid saddexaadna dhowaan buu geeriyoodey (bas) ***

Afhayeen SSNM:

Cambaarayn Manifesto oo geysatey dhibaatooyin ka baaxad weyn kuwii MSB.

RM/FM ***

Hey'adaha Samafalka (Caalamiga): Baabba'a iyo baahida xun, Xamar iyo dagaallaada, ugu yaraan 3000 baa geeriyootey: Daawo iyo Cunto la'aan.

BBC ***

Maqlid in aroornimadii shalay ayan Kismaayo u anbabixin baabuurtii Murusade. Waxay u baaqatay tacsida gashay reer Weheliye Maalin.
10.12.91
Dhaca hubka culus ayaa ka sii daray gelinkan danbe. Goortan (16:30) waa taxane, si xun u qarxanaya. Dad yaabay oo cid miciin u ah waayey oo qaxaya baa hadba na agmara. Annagaba 5 qof baa dorraad naga qaxday. Waxa la weheshadaa qarax, hugun iyo daryaan. Dhimasho iyo dhaawac, dhan walba yaal. ***
11.12.91
Hub culus xalay oo dhan, saakana weli dhacaya Galabta: 'gantaalo' iska daba dhacaya.
Fiiro
2da beelood oo islaynaya dadweyne kale ayaa ku dhex baabba'ay, magaalo ayan dadka ka xiginna way ku dhex burburtay...denbi Ummadda laga galay oo ayan deero deero u hardiyayn.
KAALMO (Laanqayrta Cas ee Imaaraadka Carabta) 800 tan. Ku kala dejin Berbera iyo Boosaaso (Bari, Nugaal, Mudug, Sool, Sanaag), saraakiil la socota ayaa qaybisay. Kaalmooyinkii hore ee laga dejiyey Berbera, Awdal, Sool iyo Sanaag way ka qadeen halkaas oo weliba ay ku tabaalaysan yihiin dad badan oo qaxooti ahi.
BBC-GS

Senegaal (Dakar): Shirkii ugu horreeyey ee Mu'tamarka Islaamka oo lagu qabto dal Saxraada koofur ka xiga (madow).
Go'aannada Mu'tamarka Islaamka waxaa ka mid ahaa in mindnimada Soomaaliya ay muqaddas tahay. Shirka waxaa 'hoosiis' yar ku rogey Boqorradii iyo Madaxweynayaashii Carabta oo wada maqnaa. ***

12.12.91

Hub u dhacaya si talantaalli ah, dhinacse u badan. (18:15) Goorahan danbe si xun oo xiriir ah buu u dhacayaa. Waxaa naloo sheegay in hub soo dhacay (meel xoogaa noo jirta) uu geed cidla' ah ku qarxaday oo uu dhaawacay islaan meesha mareysey. Dadkii goobta ka dhowaa islaanta uma ayan gurman-baa la yiri-oo beel kale bay noqotay. In kasta oo ay colaad xumi abuurantay, runnimada gargaar la'aantaani...igala weyn war la qaato, waase dhab. ***

Del Boca, buuggiisa '***Una Sconfitta dell'intelligenza***' bogga 118aad wuxuu qoray afada Madaxweynaha kmg Nuurto oo la weyddiiyey waxyaalihii ay aragtay wixii ugu naxdinta badnaa, waxay tiri: "waxaan arkay oo aanan weligey illaaweyn gabar 13 jir ah oo intay bensiin ku shubtay oday indho la' dab ku daartay, kolkii la weyddiiyey waxa ku jiidey arrintaas waxay tiri 'odaygu waa qabiil aannu dirirsannahay'" ***

Dhaqdhaqaaqa u dagaallama Suudaanta Koofureed ayay dhinacyo ka mid ahi islaynayaan, weliba si xun. Waa kuwii shalay isku safka ahaa oo seefo (madaafiic) isla dhacaya. Suudaan looga macallinsan walaalo islaynaya! Xuquuqda qoraagana (Copyright) ma ay sheegan karto oo Soomaalida ayaa ka mudan.. ***

MFC:
Heshiis USC, SPM, SNM.
Reer Woqooyi waxay diidayeen kooxda Manifesto oo ismagacawday… haddana waxay diyaar u yihiin in ay walaalohood ku soo noqdaan. RM/FM

C/raxmaan Tuur (Kharduum). Abaabul shirweyne dibuheshiisiineed; wuxuuna sheegay ka qaybgelidda MFC. BBC

C/risaaq Xaaji Xuseen iyo Max'ed Yuusuf 'Muuro' (SSDF): - Baaq xabbad-joojineed.
- (Ku baaqid) dhexdhexaad ka ahaansho Dagaallada Xamar.
- Ammaan Hey'adaha gargaarka ee Xamar jooga.
- Dhaliil kuwa maqan.
- Ammaan saaxiibtinnimada Talyaaniga…BBC.

MFC: 06:30 – Wax nafta iyo maalka loo huro oo xorriyadda iyo sharafta ka weyni ma ay jiraan. Dagaal xaq ahi waa hanashada Gobannimada.
RM/FM ***

Afhayeen USC:
Saddex jeer ayuu hadda ka hor, Guddiga Fulintu ku baaqay xabbad-joojin shuruud la'aan ah,

bishatan 7deediina qoraal ayaannu ku gudbinney, kaas oo ay ahayd inuu dhaqangalo 9ka (Isniin) Dis, 6da aroornimo. Waxba kama hirgelin jawaabna ma aannaan helin oo kooxdii Manifeesto ayaa carqaladeheedii maleegeysa.

RM /FM ***

Muuqaal naxdin leh: Waa dadka hadba xaafad ka qaxaya. Jirrada weyni waa kolka hoos loo fiiriyo 'waxa' qaxa dhaliyey.

15.12.91

Maanta ka hor, Kacaanku wuxuu haystey horyaalnimada hub culus ku garaacidda magaalada. 28kii maalmood ee madaafiicdii Madaxtooyada (30 Dis.90-26 Jan.91) waxaa jebiyey oo 29 jirsadey qabaa'ilka dagaallamaya (17.11-15.12.91)

Arkid Axmed Cabdi Kariim, oo ii sheegay in Allaha u naxariistee Xaashi (AK. C.F.S) iyo Abiib Cismaan Guutaale ay dagaalladaan ku geeriyoodeen. Madaafiic baa ku habsatay Hoteel Lafweyn, halkaas oo uu degganaa uuna ku geeriyoodey Abiib (Afhayeenka SDA).

Bakaaraha ayaa waxaa la iigu sheegay baabuurro Kismaayo loo rarayo oo la naadinayo. Waa arrin caadi ahaan jirtey, maantase waa dhacdo cusub oo lala yaabo.

Xoghayaha Warfaafinta, xubinna ka ah Guddiga Fulinta (USC), waxaa hadalladiisii ka mid ahaa in xukuumaddii Manifesto geysatey dhibaatooyin ka badan kuwii uu MSB geystey 21kii sano... RM/FM

Max'ed Ibraahim Xadraawi, Max'ed Daahir Afrax iyo Prof. Siciid Sh. Samatar oo dood wareeg ah ka yeeshay arrimaha Soomaaliyada maanta:

- Xushmaddii, ismaqalkii dhaqanka bulshada oo la waayey.
- Tixgelinta qofka qoriga haysta oo ka dhalatay keli-talintii askareed ee la soo maray.
- Wiilasha hubaysan ee aan qaangaarka ahayn ee mirqaansan oo goob walba (Gegida Dayuuradaha, iwm) ka talinaya.
- Heybaddii culimmada, odayaasha, indheergaratada oo la qiimatiray oo kaalintoodii ay muuqan la' dahay.
- Gabay (Suugaan) kaftan ah la isku dayo in dadka looga hadliyo.
- Nabad lama sugayo haddii kuwa dagaallamaya uusan dhinac meesha ka bixin (Tani waa fiiro u gaar ah Prof. Siciid Shiikh Samatar) BBC ***

Axmed Naaji Sacad (fannaankii caanka ahaa) oo Sanca (Yaman) ka diray tixo baroordiiq ah: "Xamar yaa xaalmarin doona..." si qoto dheer ayuu u cabbiray dulliga sharaftii Ummadda beddelay. BBC ***

Max'ed Faarax Hilowle 'Farinaaji' iyo xaaskiisii iyaguna rakaabka Kismaayo bay ku jireen. Sidii uu dagaallada Xamar ugu geeriyoodey Qareen Maxamed Cali Nuur, 13kii SYL aasaastay waxaa ka nool Dr. Cali Xasan Cali 'Verdura' –Aun-(Qoryooley), Daahir Xaaji Cismaan Sharmaarke –Aun-(Nayroobi) iyo Farinaajihan Kismaayo u socda. ***

Dagaalkii ugu xumaa in uu maanta dhacay baa waxaa sheegay takhaatiirta Laanqayrta Cas. Qiyaastoodu, badanaa, waxay ku xiran tahay tirada dhaawaca Isbitaallada la geeyo. BBC

18.12.91

Xalay habeenbar danbe, saaka iyo galabtaba waxaa dhacaya hub culus.

Waxaan waddada kula kulmay saaxiibbo aanan waayahan arag oo ay ka mid yihiin Gaashaanle sare Axmed Culusow Shibbane, C/qaadir Dholodholo, C/raxmaan Aswad, Max'ed Cabdullaahi (Mariottini). ***

Qalalaase Jabbuuti: Ciidammada Nabadsugidda ayaa xabbadeeyey xaafadda Cafarta (25 dhimasho). Colaad. Geeridu intaas ka badan. BBC

'Madaxweyne' C/raxmaan Axmed Cali waraysi: Maamulka Dawladeed, habka dibuheshiisiinta beelaha iyo ku soo biirid kuwii aan horay u ahayn SNM sida Sool iyo Sanaag.

Dhowaan Baarlamaankii Dastuurka diyaariyey xubno cusub ayuu ku kordhiyey (12 Sool, Sanaag iyo Awdal kiiba). BBC ***

19.12.91

Waxaa la maqlay in Bakaaraha lagu diley Muumin (Garsoore, Dawladda CCQ) ***

5 Urur (Nayroobi) oo ku dhawaaqay dhexdhexaad ka ahaanshaha dagaallada Xamar. Waxay ka digeen in inta ay Soomaalidu shirar ballaaran isugu imaanayso aan la soo faraggelin. Ma Ururradii jiri jirey baa mise waa nimankii baaqyada ku soo saari jirey magac Jabhado ayan ka wakiil ahayn? BBC ***

MFC oo la kulmay 500 oo mujaahidiin ah (taageerayaal, ka tirsan Aagga 4aad), xusid:

- Qayb libaax ka qaadashadoodii eryiddii MSB.
- Gacan weyn ku lahaan 'doorashadaydii' Hoteel Guuleed.
- Siyaasadda Jabhadda.
- 5 jeer xabbad-joojin ku dhawaaqid iyo Manifesto oo aan jawaabin. ***

21.12.91

Garaad C/Qani G. Jaamac oo la xiriiray BBC-da oo u sheegay in 12kii kursi ee uu ka hadlay C/raxmaan Tuur (eeg 18.12.91) ayan waafaqsanayn 18kii ay Sool (Beeshaas) ku lahayd sharcigii 26kii Juunyo, 1960kii. Haddaba, dhismaha Baarlamaanku waa mid aan la isku raacsanayn. ***

RM (FM) Fiid

Saarid heestii "Dad bay meeli bugtaa"... in kasta oo loo baaqo oo loo sheego barwaaqo...dad... Ujeeddo? Tii MSB waa la gartay, tanse?

23.12.91

Xalay hub culus oo xiriirsan taniyo saaka...waa kii ugu darnaa ee la xusuusan yahay.

Dukaan

Inta aan laga hadlin Soomaalinnimo, Muslinnimo, iwm meeday benii-aadannimadii ay dadyowga adduunku isku xaq dhawrayeen, hab kasta iyo Diin kasta ha haysteene? Qarannimo iyo Dawladnimo waa erayo laga maarmay…Nabad iyo dadnimo hadalhayntoodba meesha ayay ka baxday. Waxaa meel loo banneeyey aragtiyadii jiqaha; waxaa la jideystey dil, dhac, boob.
MSB ma uu dhacay? Run ahaan, haddii aan fikrado iyo halkudhegyo dhalanteed ah maaweelo laga dhiganayn, wuu dhacaydu waxay qiime yeelanaysaa markii wax laga qabto wixiii uu ku eedeysnaa…Haddaba, ninka la yiraahdo C/raxmaan Tahliil oo dukaankiisa noo dhow suray MSB masawirkiisa , waa in ujeeddadiisa la garto… duurxulka uu la gubanayana lala dareemo, meelaha uu canaananayaana ay dhabta gartaan.
Arrintu ma aha surid masawir iyo surid la'aan ee waa bandhig siyaasadeed oo lagu maxkamadaynayo xumaha lagu bedertamayo.C/raxmaan wuxuu yiri: "Masawirka waxaan Dukaanka ka fujinayaa markii aan helo masawirka Madaxweyne Qaran oo aan meeshiisa suro." ***
Laba dayuuradood (gargaar) UNICEF? –oo ku kala degay Gegida Woqooyi iyo tan Koofure ee Xamar… ***

25.12.91

Dayuurad Gargaar (Lihi Beljam) oo ku degi weyday Gegida Dayuuradaha ee Koofure, nabad-gelyo-la'aan awgeed. Dib bay u noqotay, sideedabana wixii la keeno ilaalada Gegida Dayuuradaha ayaa qaadata, dhacda. ***

La kulmid saaxiib Jaamac Xaaji Xasan (H-yoonis) –Eeg 30 baabuur oo Woqooyi u raran buu la socdaa.Waxay tegayaan Gaalkacayo oo uu ku sugayo Guddi Garoowe ka imanaya.Waxaa ka mid ah oo teleefoon ku soo sheegay Fagare (Max'ud Saalax Nuur-Xubin G. Dh. SNM). Wuxuu baabuurta kula taliyey inay shidaal ku filan, taniyo Gaalkacyo soo qaataan. Gaalkacyo bay ka heli doonaan shidaal ka jaban kan Xamar, 4 meelood oo meel (waax). Marinkan oo burcad laga badbaado ayaa xiiso leh. ***

La kulmid Aw Jaamac Cumar Ciise oo la bililiqaystay oo isu diyaarinaya qax iyo xerada Baraawe.

Buugaggiisii uu afartameeyada sano ururinayey wuxuu kol hore u dhiibtey saaxiibkiis oo USC ah. Kolkii ay USC laba garab oo hubeysan u kala baxday ayaa saaxiibkiis gurigiisii waxaa bililiqeystay garabkii kale. Ma cusba shilalka jaadkaas ahi.Ayaandarro weynaa!! ***

Waraysiyadii Garaad C/qani iyo C/raxmaan Tuur waxaa ugu duluc cuslaa:

C/qani : Kolkii la weyddiiyey in calanka Jamhuuriyadda Soomaaliland laga taagey Sool, wuxuu yiri. "Hargeysaba kuma aanan arag."

***

C/raxm : Isaga oo weyddiin ka warcelinaya wuxuu sheegay in xiriirka uu la leeyahay MFC uu yahay shakhsi, uusan wax saamays ahna ku yeelanayn ka-noqoshada Madaxbannaanida Woqooyi oo ah go'aan kamadanbays ah.
C/qani : Xagga goosashada Woqooyi, run ahaan, cidda goosatay waa Koofur.
RM (FM):
Kulan ergo (2 ka tirsan Unicef) oo farriin ka wada Xoghayaha Guud ee Ummadaha Midoobey. Waxay la kulmeen MFC (4 saac). Caydiid wuxuu ballanqaaday in uu Hey'adaha gargaarka Xamar ku soo dhoweynayo. Waxaa la sheegay in Xoghayaha Guud ee Ummadaha Midoobey uu ergay gaar ah soo dirayo.
Shirkii Boosaaso
(Janan Max'ed Abshir Muuse, Jabbuuti, Waraysi)
BBC
- Janan Max'ed Abshir Muuse iyo Isimmada Gobolku waxay isku raaceen Dhismaha Gole Maamul, oo uu madax ka yahay Boqor C/llaahi B.Muuse, Difaacana uu u xilsaaran yahay C/llaahi Yuusuf Axmed.
- Maamulku wuxuu ka kooban yahay 8 Wasiir.Waa maamul kmg.

- Maqaawiirta 4ta Gobol (Bari, Nugaal, Mudug, Galgaduud) waa u diyaar in ay heshiisiiyaan oo u gar qaybiyaan qabaa'ilka Xamar ku diriraya.

***

Dagaal Kismaayo ka dhacay toddobaadkan (dhimasho 25-30): waxaa ka mid ah Gaashaanle Sare Faarax Cabdi Gaanni. Shir doorasho (23.12.91) oo aan lala tartamayn ayuu Axmed Cumar Jees ku helay 96%.
Kismaayo oo ay cunto yari xumi ka jirto (cunto badanina taal) ayaa waxaa wax lala qaybin waayey nabadgelyo la'aanta.. weriye Axmed Maxamed Nayroobi. BBC ***

28.12.91
Ergooyinkii UNICEF baa harjad ugu jira sidii ay ku heli lahaayeen marin/marimmo dagaalka ka reebban oo ay cunto iyo daawo u mariyaan dadka labada dhinac (Woqooyi iyo Koofur) ku xanniban. Qiyaas dhaawac iyo dhimasho 20,000 (labaatan kun qof) BBC

29.12.91
Waxaan arkay Axmed Cartan Xaange(Aun) iyo Aw Jaamac Cumar Ciise oo saaran baabuur isu diyaarinaya Kismaayo.
Si culus buu Aw Jaamac igula taliyey in aan meesha ka tago, isaga oo ku daray waxyaalo dhegihiisa soo gaargaarey. Saaka dad badani wuu faraxsanaa oo xabbad-joojin ayaa wax dhab ah oo 12:00 ka bilaaba- naysa laga dhigay. Ayaandarro... saacaddaas la sheegay taniyo iyo

haddeer 17:00 ayay si xun u dhacaysaa. Ma loo baahnaa ku dhawaaqid Maamul Gobol?
1. Hortiiba wuu jirey ee maa la xoojiyo iyada oo aan magac Wasiir la gaarin si ayan u fiigin kuwii midnimada Soomaaliyeed hadba marmarsiinyo ku carqaladaynayey?
2 Maqaawiir dadka qancisa oo ka socota Gobolka Galguduud ma ay joogeen?
3. Raggii Ururka ee dibadda jirey meeye?
4. Weyddiimo kale.
Labada dhinac oggolaansho in ay la kulmaan la-taliyaha Xoghayaha-guud Ummadaha Midoobey James Johna oo la sugayo Jimcaha.
30.12.91 **SANNADGUURA**
- (30.12.90) Waa maalintii 1aad ee ay kulmeen Xamar iyo maadaafiicdii XHKS – 30.12.91
Hal sano kaddib, isla madaafiicdii ayay USC Xamar ku duqaynaysaa, weliba USC-du laba dhinac ayay ka duqaynaysaa.Waa sannadguura la moodo in lagu xusayo kawaan gudihiisa. ***
31.12.91
Hub dhacaya: Galabnimo si daranna u xiriirsan.

***

RM (FM)
MFC: Guddi Maamul iyo Nabadgelyo oo ka kooban 42 xubnood. Guddoomiye Cismaan Max'ed Jeelle, kuxigeenno Cali Ugaas C/lle iyo Cali Maxamed Guure.

Adeegyo bulsho..Xaqiijin midnimo USC, Shareecada Islaamka, wacyigelin bulsho iyo waxsoosaar.
-Biyo, koronto, xasilloonida Gobollada iyada oo la adeegsanayo ciidammada USC oo ah kuwii Dalka xoreeyey.
-Caafimaad, Waxbarasho, Bankiyo iyo Isgaarsiin.

***

1.1.92
Hub culus 2da gelinba.
Suldaan Max'ed Jaamac Samatar: Raalli kama ahin maamulka Burco. Haddii qaybta nagu aaddan (25 wakiil) aannaan helin dibadda ayaannu ka joogeynnaa maamulka.12ka uu C/raxmaan sheegay cidina dooni ay mayso.Waa ka bixid Golaha Dhexe iyo Guurtida. Maamulka C/raxmaan tixgelin la'aan ayuu u muujiyey Awdal, Sanaag iyo Sool. BBC.
Waxaa la sheegey in dagaalkii Berbera ay ku geeriyoodeen 150 qof.
Masar waxay codsatay in ay xubnaha Jaamacadda Carabtu shir degdeg ah isugu yimaadaan iyaga oo ka tashanaya arrimaha Xamar, iyo guud ahaan, Soomaaliya.

Suldaan Max'ed Jaamac Samatar: Gargaarka lama gaarsiiyo Awdal. Maamul dhaliilan..Sanaag iyo Sool waa la mid. Kooxo burcad iyo wax la mid ah baa maamusha deeqaha. Shirweyne ha la qabto. BBC

Cali-kamiin labaataneeyo qof baa ku dhimatay Hoobiye. Ina Khaliif Faarax Shuuriye waxaa ku dhacay 4 xabbadood (Baas). Tii u darnayd oo kellida waa laga soo bixiyey. Lafi ma ayan jabin. Soo roonaansho. Isbitaalka, haddii Isbitaal lagu sheegi karo, waa laga soo celiyey, dhiig, meyd, dhaawac naafoobey oo meel walba daadsan; yarku waa Siciid oo ay dhashay Raaxo. ***

03.01.92

Guddiga Fulinta (USC), 31.1.91-Fadhi magacaabid: Duqa Magaalada Max'uud Yuusuf Tiirow iyo Guddoomiyaha Gobolka Xasan Axmed Iimaan Desriga. RM (FM)

Hub culus siiba galabta. ***

Kulan ergayga gaarka ah James Johna (Sierra Leone) ee Ummadaha Midoobey oo Max'ed Faarax Caydiid Xaashi uga sida Xoghayaha Guud. RM/K

Shalay iyo maanta dayuuradihii Laanqayrta Cas oo Nayroobi ka imaan jirey ayaa joogsadey. Waa arrin nabadgelyoxumo. BBC

Isbitaalka Banaadir oo ka mid ahaa meelihii uu Max'ed Faarax Ceydiid nabadgelyadooda dammaanadqaaday oo madaafiic lagu duqeeyey.

News Desk, BBC

Waxaannu codsaneynnaa in Cumar Carte Qaalib lagu maxkamadeeyo lunsashada hanti qaran iyo ku lug lahaanshaha bilowgii dagaallada sokeeye. Ciise Max'ed Siyaad ku qaybsanaha Arrimaha Dibadda USC. BBC ***

05.01.92
James Johna oo shalay la kulmay Cali Mahdi Max'ed. CMM oo taageeray keenista ciidammo nabad-ilaalineed. Xilliga la marayo ayaa u bisil. Dhibaatada keli ah ee jirtaa waa carqaladaha MFC. RM/W

J.J. wuxuu u duulay Hargeysa. Shirkii Jaamacadda Carabta ee ku saabsanaa Arrimaha Soomaaliya ayaa maanta la qabanayaa. News Desk

Idaacadaha Dibadda oo ka wada faallooday qaraxii gaarey Isbitaal Banaadir. ***

06.01.92
Raadiye Itoobiya (15:00): Takhaatiirtii Hey'adaha gargaarka oo wax laga laayey (Xamar) R-K-S

Takhtaraddii Hey'adda Gargaarka ee Boosaaso lagu diley iyo 2 nin oo weheliyey oo la dhaawacay. Labada dhaawac mid waa Dr. Cali Cabdi Seed midna waa Siciid Irbad. (U malayn) muslimiin asal raac ah. BBC ***

MFC: Beenin BBC **a)** Oggolaansho xabbad-joojineed (6 jeer hortii ku dhawaaqid) iyo nabadayn. **b)** Ciidammo shisheeye diidid, maxaayeelay, waa gaalo. Waa aragtida MFC, muxuuse ka qabaa haddii la soo diro ciidammo Muslim ah. RM/FM

Hargeysa (Weriye Chriss Green.)
Takhaatiirta MSF oo sheegtay in ay Xamar halis noqotay ayna ka dhoofayaan. 4 madfac baa Isbitaal Banaadir ku dhacday. In kooban, sida qalliinka bay ka tegayaan. ***

07.01.92
James Johna, sahankiisii kaddib Xamar (Koofur iyo Woqooyi), Kismaayo, Hargeysa iyo Boosaaso wuxuu qabtay shir Jaraa'id, Nayroobi: "Waxaa iga talo ah in Xamar loo diro ciidammo ka socda Ummadaha Midoobey.". Xaaladda maanta Soomaaliya ka jirtaa waa mid aan loo adkaysan karin. ***

'Focus' (BBC) **Waraysi MFC:**
a) USC iyada ayaa xasilinaysa meelaha ay ka taliso, muddo gaaban kaddib.
b) Ciidammo shisheeye dooni aannu meynno; annaga ayaa ku filan.

CMM: Oggolaansho keenista ciidammo ka socda Ummadaha Midoobey. Waxa uu xoogga saaray sida ay lama huraan u tahay in Ciidammo la keeno Soomaaliya oo la xasiliyo. ***

08.01.92
Agtayada, dhinaca jidka Wadnaha, geeri (labo qof iyo tiro dhaawac ah) waa Hoobiye ku habsaday 'geedka Jacaylka' agtiisa. Jidka Wadnaha (10:00) Gaadiid Dadweyne wuu joogsadey. Cabsi Hoobiye? Waddada oo dhinaca Bakaaraha laga xiray.Dhiillo ayaa soo kurortay. Kismaayo dagaallo sokeeye ayaa ka socda. 200 dhimasho. SPM-ta Ina Jees oo dagaal kula jirta SSDF. Qax badan iyo SPM oo xirtay waddada Kenya iy Baraawe. Kenya odayaal iyo waxgarad ayaa dadaal ugu jira in ay arrinta wax ka qabtaan. Axmed Max'ed Nayroobi

Dayuurad Gargaar oo degi weyday oo Kenya ku noqotay. Iyada oo dadka tabaaleysan uu gaajo god qarkiis u saaran yahay ayaa-waa ayaandarree- waxaa Dekadda Xamar muddo 4 bilood ah yiil 7000(toddoba kun) ton, cunto lala qaybin waayey nabadgelyoxumo awgeed. BBC

Janan Max'ed Abshir Muuse: **DHARBAAXO FAGAARE**.

Dilkii Takhtaraddii Hey'adda gargaarku caro iyo tiiraanyo ayuu dhaliyey. Waa dharbaaxo fagaare. Booliska iyo Maamulka Gobolka ayaa baaraya. Ma denbiileyaal soo galooti ah baa mise dadkayaga baa la adeegsaday? Waa gabar NewYork uga timid in ay carruurteenna daaweyso?! Waxaa dhaawacmey Dr.Cali Cabdi Seed iyo Siciid Irbad oo degdeg loogu qaaday Jabbuuti. Ma ahayn arrin ku lug leh dhac ama waxyaalo kale. Xagga wadaaddada waxaan la xiriiray Shiikh Cali Ismaaciil Deshise oo 100% nagu taageersan qabashada iyo maxkamadaynta denbiileyaasha. Shiikhu aad ayuu uga xumaaday qanbaracdaas. BBC

09.01.92

Kulan CMM iyo weriyeyaal shisheeye. Wuxuu ku baaqay CMM xabbad-joojin iyo keenista Ciidammo nabadilaalineed. BBC

Max'ed Abshir Wolde (Afhayeenka SSDF): "Kismaayo waa nabad.Labo toddobaad ka hor iska hor-imaad wuu jirey. Odayaal iyo waxgarad baa arrinta faraha ku haya.

Waxaa jirey heshiis ahaa in beelaha Jubbada Hoose dhammaantood ay ku hawlgalaan magaca SPM, haddaba waxaa yaab leh in magaca 'SSDF' meelo ayan waxba ka jirin lagu ag walaaqayo" BBC ***

Qaxooti yaab leh. 25 nin oo Soomaali ah oo qax ku tagtay Addis-Ababa, kaddib Mooska, kaddib Stockholm oo iyana Mooska dib ugu soo celisey. Mooska kolkaas u dirid Addis-Ababa, halkaas oo ay Mooska dib ugu soo celiyeen. Waa meesha ay hadda ku xayiran yihiin oo uu weriye kula kulmay (Gegida Dayuuradaha) Xasan Mooge Carte oo iyaga ka mid ah. BBC ***

10.01.92

James Johna oo Boutros-Ghali u gudbiyey warbixin ku saabsan xabbad-joojin. ***

11.01.92

Waxaannu maqalnay geerida Allaha u naxariistee, Injineer Max'ud Xaaji C/raxmaan. Waxaa soo sheegay Prof. Max'ed Shiikh.

Boutros-Ghali, Xoghayaha Guud ee Ummadaha Midoobey oo ku dhawaaqay xabbad-joojin laga hirgeliyo Xamar. Wuxuu la soo kulmay Madaxweynaha Faransiiska, wuxuuna la sii tashaday Ra'iisal-Wasaaraha Boqortooyada Midowdey. Raadiye Itoobiya ***

Ilxumada Isbitaalka Banaadir. Balli-Doogle dayuurado yaryar oo jaad keena baa ka soo dega, had iyo goorna waa la isku laayaa.

BBC ***

12.01.92 (Axad)
Shalay galab, xalay, saaka, waa dagaal xun oo isku bixis ah. Waxaa la sheegay taniyo shalay, xaafado qoloqolo degaammada u kala xirxirtay. 'Cid' cusub miyaa ku biirtay dagaalka shalay galab? ***

13.1.92
Xalay iyo saakaba dagaal xun, biyo iyo nabad la'aan: Nolol la'aan. ***

Galabta sheegid in 'dhinacii' dagaalka ku cusbaa la darbeeyey.
Gurigayagu galabta waa 'soohdin'dagaal. Bartilmaameed. Wararkii Dibadda ee Raadiyeyaaasha waxaannu la maqli weyney hubka culus oo dhacaya awgiis.
Magaalada BURCO waxaa hub culus (madaafiic, lidka dayuuradaha, iwm) isku garaacaya HabarYoonis iyo Habar-Jeclo.
Geeri badan, dhaawac iyo qax ayaa ku xigey burburkii xabbad-joojinta. Isbitaalka Berbera wuxuu la ciirayaa meydka iyo dhaawaca. Wasiirkii Gaashaandhigga Max'ed Kaahin Axmed? ayaa laga qaaday jagadii kolkii saaxiibkiis Ibraahim Dhegaweyne Ciidan hubeysan uu la galay buuraleyda. Waxaa la xusuusan yahay Dagaalkii Berbera iyo 5tii ganacsade ee Shiikh lagu laayey. Ka werin MSF

***

Toddobaadkii dhowaa dad fara badan, oo reer Woqooyi u badnaa oo ay u rarnaayeen

siddeetameeyo baabuur ayaa isku dhigay waddada Gaalkacyo ...Waxaa laga qaxay nabad la'aanta Xamar... Waxaa dadkaas ka mid ahaa saaxiibbaday reer Jaamac Xaaji Xasan 'Jaamac Dheere' (Habar-Yoonis).
Afhayeen USC;
- Biyo la'aan. Xamar burcad baa shidaalkii ceelasha leexsatay, motoorradii iyo haamihiina miiratay. Waannu ka xunnahay, dhowaanna wax baa laga qaban doonaa. ***

14.01.92
Hubkii ugu cuslaa ayaa saaka korkayaga iyo dhinacyadayada ka dhacaya ... ***

BURCO Takhtar (MSF):

- Dagaal weli socda.Qax badan. 200-500 (dhimasho iyo dhaawac)
- Takhtarka oo ka gaabsaday siyaasadda.

15.01.92
Koox hubaysan oo garaacaysa albaabka Inj. C/llaahi Nuur Caliyow (Barqo-dheer). Faadumo Khaliif (SSDF) oo agmaraysa baa ku tiri: " War guriga ciddaad moodaysaan ma ay leh" Midkood: " Eeddo, ma run baa? Xaggeer ayaa markaas Cali Rooble (USC) ka yiri: "Waa runteed ee isaga taga!" Way ka dareereen. Faadumo Khaliif waa islaanta ay koox burcad ahi oran doonto: " labada qof ee nalaka diley iyo intayada kale oo calool-xanuunku ku dhacay waa habaarka islaantaas faqashta ah oo aannu orgiga ka qalannay. ***

Yuusuf Shiikh Cali Shiikh Madar Wasiirka Arrimaha Dibadda (Jamhuuriyadda SL): "Dhacdadii Burco siima buurna. Odayaal, guurti iyo Dawlad baa gacanta ku haya." (Waraysi BBC)

17kii Maajo 1991kii bay SNM madaxbannaani ku dhawaaqday, Wasiirkana waxay BBC-du ka sheegtay in uu Dalka ka maqnaa 7 (toddoba) bilood. 8dii bilood ee uu Dalku madaxbannaanaa, Wasiirku bishii u horreysey oo keli ah ayuu Jamhuuriyadda cusub joogey. Faallo uma baahna! ***

16.01.92

Dhallinyaro deris ah baa iskood isugu xilsaartay in ay xaafadda tuugada ka ilaaliso. Waxaa dadaalkaas weyn tilmaan iyo ammaan gaar ah ku mutaystay Axmed Cali Xasan 'Axmed Taajir' oo ay walaalo yihiin Raaxo, oo ah afada Khaliif Faarax Shuuriye (Aun).

RM (FM) (Afhayeen GMS):

(14:00) Beenin warkii shalay galab ay BBC-du ku sheegtay in beel hor leh oo USC ahi ku biirtay Ciidammada Cali Mahdi Max'ed. Waa shakhsiyaad Manifesto ah iyo kuwo ay soo abaabuleen. ***

Kaaha Bari oo ah wargeys ka soo baxa Boosaaso. Tifatiraha wargeysku waa Prof. Khaliif Max'ed Barre: " xusuustii Xamar, nabaddii, sharaftii magaca Soomaali; Xamar caasimad ma noqon kari doontaa.?" BBC ***

47 qaxooti ah, carruur, 2 haween ah oo uur leh, gaajo, 10 iyo dheeraad maalmood badda ku soo jirey oo ka soo qaxay isgawraca Xamar ayay TANSAANIYA (beni'aadannimo) u oggolaatay laaji'nimo.Inta aan doonnida oo xashwadi ka dhacday (dalool) laga soo dejin ayaa cunto iyo cabbis lagu qulaamiyey. BBC ***

RM(FM)-Guddoomiye. Ku-xigeenka 2aad ee U.S.C. Dr. Cali Max'ed Guure iyo Dr.Xiirey Qaasim Weheliye (Wakiilka Macaadinta iyo Biyaha), waxay beeniyeen warkii BBC-da ee shalay. Waxay yiraahdeen beesha Murusade, sida lagu sheegay ma ayan yeelin ee waa warar ay ka danbeeyaan qas iyo fidmo wadayaal.

18.1.92 **GO'AAN**

Laga soo bilaabo madaafiicdii MSB (30.12.90), taniyo maanta, waxaannu joogney Xamar oo ' rug aboodi' noqotay. Walaac ayaa nagu abuurmay. Markii ugu horreysey ayaannu shalay arrimo isbiirsaday awgood, go'aan ku gaarney in guriga albaabbada loo xiro oo aannu isku dhigno dhabbaha dheer ee Woqooyi.Waa goorta ugu horraysa ee uu Eebbe oggolaado. Isla saaka ayaannu soo booqannay G/Sare Xuseen Siyaad Faarax 'Qoorgaab' iyo odayaal kale oo uu ka mid yahay Cali Calas Qaarey. Waxaa laga wada hadlay arrimo ku saabsan labaataneeyo qof oo reer Keenaddiid ah. Waa la ballamay. Waxaa ila socdey Maxamuud 'Dhaloweyn'.

***

CHRISS GREEN oo Laasqoray ku waraystay Max'ed Max'uud ' Xamuurad' : " SNM oo dagaallo ku haysa beesha Ceerigaabo u badan. 15000 oo qaxooti dulsaar ah. Wax heshiis ah baa jirey, islase maanta baannu maqallay in ay Ciidammada SNM weerarro soo qaadeen. BBC

Faadumo Xasan (Jidda) iyo Daahir Diiriye (Abuu Dabey) oo aad uga xumaaday dagaallada BURCO (Habar Yoonis & Habar Jeclo). Boqollaal dhimasho iyo dhaawac.Qax 2aad iyo hub culus oo la isu adeegsanayo.
Faadumo Shiikh (shiikhow) oo Jabbuuti ka baryaysa in ayan isha keli ah ee magaca Soomaali u ifaysa (Jabbuuti) burburin.Guubaabo: In aan tallaagadaha meydka la fuqsan, odayaal garaadkii ka yaraaday oo gacmo iyo lugo go'aan ururinaya, Dhallinyaro magac qabiil miyi looga keeno oo lagu dagaalgeliyo, markay ku baabba'aanna, kuwo cusub, isku tabtii la mariyo.Waxgaradkii meeye? Dadku ma CMM & MFC baa? BBC
20.01.92
Labo markab oo ay leedahay Laanqayrta Cas ayaa shidaal, daawooyin iyo cunto, iwm. ku kala dejinaya Marka iyo Cadale, labada qaybood ee USC. BBC
Golaha Amniga ee Ummadaha Midoobey ayaa degdeg uga fariisanaya sidii xabbad-joojin loo

oggolaysiin lahaa kooxaha Xamar ku diriraya, kaddib markii la dhegeystay James Johna. Waa sida uu Boutros-Ghali soo jeediyey.2 bilood kaddib ayuu Dekedda Xamar ku soo xirtay markab ay Laanqayrta Cas leedahay.
Raadiye Itoobiya ***
21.01.92
Ummadaha Midoobey (UNICEF & WFP) ayaa u soo jeediyey 2da dhinac ee dagaallamaya in ay ugu deeqayaan 12 malyuun Doollar. Waa gargaar wax looga qabanayo xagga caafimaadka, waxayse shardi uga dhigeen in ay xabbadda joojiyaan. Xabbad-joojini ma dhicin oo laguma heshiin. BBC

Ergadii Eritree waxay la kulantay Cali Mahdi Max'ed iyo Ururradii taageersanaa Dawladdiisa, si fiican ayayna isu afgarteen. Waxaan weli la ogeyn in ergadaasi ay weli la kulantay Max'ed Faarax Caydii iyo in kale.
(Siciid Bakar Mukhtaar) BBC
22.1.92
Cumar Carte Qaalib oo la kulmay dhiggiisa Masar iyo Xoghayaha Guud ee Jaamacadda Carabta Cismat Cabdulmajiid. Raadiye Jabbuuti (06:30).

AFP (New York) : Soomaaliya oo lagu soo rogo cunaqabatayn xagga hubka, xabbad-joojinna la

faro. Hubka Soomaaliya ku qulqulayaa wuxuu halis ku yahay Dalalka deriska ah. BBC
Qaxootiga Keenya (Soomaali) lama tirakoobin waxaase lagu qiyaasay 50000. Tirada dhexdhexaadka ah oo maalin walba Xamar ka soo qaxdaa waa 250. BBC(Axmed Max'ed Nayroobi)
(RM) Gobollada Dhexe oo samaystay Maamul Goboleed, Ciidan Nabadgelyo. Waa Maamul taageersan Koofurta xagga dagaallada Xamar. Waxay raacsan yihiin mabaadi'da USC-da Caydiid. Warkan waxaa laga helay Axmed Cabdi Shiikhow 'Ilkacase'oo soo kormeeray Dh/marreeb, Xarardheere, Hobyo iyo Matabaan.
24.1.92
Wargeysyo (Af-Soomaali):
a) Himilo (Garoowe) : Suubbanaanta shareecada iyo Diinta Islaamka.
b) Waayaha (Dalka Jarmalka): Soomaali waxay diimo ka dhigteen magacyada Daarood, Isaaq, Hawiye iyo Digil-Mirifle.
(RM) Afhayeen (Waaxda Duullimaadka ee Wasaaradda Gaadiidka Cirka iyo Dhulka):
- Dayuurado yaryar oo 'caadaystey' ku degidda meelo aan loogu taloggelin.
- Duuliyeyaasha dayuuradahaas duurka ku dejinaya- haddii ayan ka waantoobin- waxaa lala tiigsanayaa xeerarka Caalamiga ah.
- Waxaa cirka u furan oo ay nabadgelyadoodu sugan tahay Gegida Xamar iyo tan Balli-doogle.

***

25.1.92
Wasaaradda Arrimaha Dibadda (State Department) oo talo weyddiisatey 25-34 Soomaali ah. 4 qodob ayaa loo soo jeediyey:
1. Ergey caan ah u dirid (Jimmy Carter, C. Vance, iwm).
2. Xabbad-Joojin. 3. Kaalmo kordhin.
. Shirweyne Soomaaliyeed. Dibuheshiisiin.
Cali Jimcaale Axmed. (N.Y) oo ka mid ahaa kooxda lala tashaday. BBC ***
26.01.92
(RM)-W Hub culus baa dhacaya.
Shir ay isugu yimaadeen Naadiga Aqoonyahannada oo ka doodaya wax ka qabashada dhibaatooyinka maanta.
Guddooyime Dr. Max'ed Saalax Barre.
Deris, duuliye Max'ed Sugaal shalay ayuu ciddii ula guurey Hiiraan. Waxa ku jiidey ka tegidda guryihiisii iyo hawlihiisii cidina ma ayan weyddiin ... war dhafoor buu ku yaal. ***
27.01.92 Hub Culus
CMM oo la kulmay ergada Eritrea ee uu hoggaaminayey Xoghayaha Arrimaha Dibadda Max'ed Siciid: wax ka qabashada arrimaha dalka ka aloosan. (RM/W
MFC iyo CCF (k-x) oo la kulmay ergada Suudaan ee uu hoggaaminayo Max'uud Fatxi oo farriin ka sida Dawladdooda. RM/K
28.01.92
Wasiirka Arrimaha Dibadda iyo wafdi uu

hoggaaminayo oo u anbabaxay dhawr dal oo ka mid ah dunida Carabta Masar, Kuweyt, Yaman, iyo kuwo kale.Wasiirku wuxuu madaxdaas gaarsiiyey farriin uu ka wadey CMM, Madaxweynaha kmg. RM/W

(RM) oo ka xigtey BBC-da (06:30) James Johna:
- MFC oggol xabbad-joojinta, iyo
- Xal siyaasadeed oo la gaaro iyo Ummadaha Midoobey oo qabanqaabiya wadahadallada...

Kulanka Culimmada Shiikh Ibraahim Cabdullaahi Cali, Agaasimaha Jaamaca Isbahaysiga: "xumaha iyo reebbanaanta (axaadiis badan) oo ku saabsan diradiryada; waxaa xataa la iska reebay in la isku diro bahaa'imka. RM (K) ***

29.1.92 (13:45)

Madaxweyne ku-xigeen Cabdulqaadir Max'ed Aadan 'Zoppo.' (shir Jaraa'id Hotel Hilton , Nayroobi): Wuxuu si buuxda u taageeray go'aankii xabbad-joojinta ee Golaha Ammaanka iyo ciidammada Ummadaha Midoobey ee nabad-ilaalinta. Wuxuu kale ee uu raaciyey qaybinta kaalmooyinka. RM/W

Raadiye Itoobiya: (15:00)...Boutros-Ghali oo ku faraxsan xabbad-Joojin oggolaanshaha MFC. ***

Kaaliyaha Xoghayaha Guud James Johna:
1. Xaashi Xabbad-Joojin-oggolaansho oo laga helayMadaxweynaha kmg. CMM.
2. Xaashi X-Joojin oggolaansho oo laga helay magac aannaan garan oo ka soo diray Jabbuuti,

kuna hadlay magaca Guddoomiyaha USC. Ergey baannu Xamar u diraynnaa si loo soo hubsado in MFC uu yahay qofka warqadda ka danbeeya.
3. Ciidammada nabad ilaalinta lamana soo qaadin lamana soo reebin.
4. Arrintu way cuslaatay oo ka duwan markii hore.
a) Hadda Golaha Amniga ayaa isu xilsaaray.
b) Boutros-Ghali oo ah nin aqoon gaar ah u leh Afrika, siiba Soomaaliya... Focus on Africa ***
Xeryaha Awaare.30 qof ayaa gaajo ugu dhimatay. Dawladda Itoobiya, Hey'adaha Caalamiga ah iyo J. SLand oo aan ka wada tashan qaxootiga , maxaayeelay, J. Soomaaliland oo aan la aqoonsanayn: UNHCR
Waxaa intaas ku soo biiraya kuwo ka soo qaxaya dagaallada Burco, iwm. Kharajkii dib u celinta lama hayo. BBC ***
Waraysi Janan C/llaahi Max'uud Xasan 'Matukade' Afhayeen SSDF: "Waa nabad inta ay ka taliso...haddii Ururro la isugu yeero, saldhigga la haystaa waa Jabbuuti"
Xabbad xal laguma gaari karo, waana in uu yeelaa qofkii aan waallayni. BBC ***
Boosaaso Max'ed Shiikh Cismaan oo deggan London:
- Roobkii dayrta waa la helay.
- Dilka gabadhii (UNICEF) kuwa ka danbeeyey waa la yaqaan.

- Cunto raqiis ah baan la doonayn sida wixii ku dhacay kuwii Garoowe cuntada jaban keenay. (Dil shisheeye ka danbeeyo?!)
- Hotel Gacayte hortiisa ayaa lagu diley.
- Dekedda waxaa maamula Ururka Itixaadka oo uu Max'ed Shiikh Cismaan laftiisu ka mid yahay.
- Cid (wadaaddo) aan Gobalka u dhalan baa la qabtay si looga leexiyo meesha runta ah... kaddib waa la iska sii daayey. Max'ed wuxuu sheegay in la dhaliilayo Maamul Goboleedka, isagaoo laftiisu yiri: Maamulka uu Max'ed Abshir sameeyey... BBC

30.01.92

Xalay, xaggayaga (Maxamuud Xarbi, Xamar Bile), xabbado ayaa ka dhacayey taniyo saaka. Boutros-Ghali wuxuu ku talinayaa in kooxaha Xamar ku dagaallamaya lagu kulansiiyo NewYork.

RM(K) oo keli ah ayaa ka gaabsaday xaashida Jabbuuti iyo saxiixa la garan waayey iyo in ay NewYork gaartey xaashi saxiixan oo Madaxweynaha kmg ahi ku oggolaaday baaqii Golaha Ammaanka. Waa intii laga maqlay James Johna. RM/W+K

SOS: iyada oo Boqor Fahad ka codsanaysa in uu ku taageero keenista ciidammo shisheeye si loo abuuro marimmo nabadeed oo fududeeya qaybinta gargaarka.

Red Cross (Laanqayrta Cas): xeryahooda (Xamar) ayaa gaajo loogu dhimanayaa.
James Johna haddii si kale la waayo, waa la baabba'aye, waa in kaalmooyinka dayuurado laga soo daadiyaa.
Austrian Charity:
- Murusadaha Dekedda ku wareegsan iyo Xawaadlaha haysta Gegida Dayuuradaha in lagu soo daro ergooyinka NewYork la isugu keenayo.
- CCQ (Geneve): Xabbad-Joojinta ayuu aad u soo dhoweeyey wuxuuna ku talinayaa in ciidammo shisheeye la keeno. BBC (weriyeyaal kala duwan) ***
(RM) (W) 27-30.1.92 Shir aan caadi ahayn Golaha.Dhexe (GMS)
Go'aannadii ka soo baxay waxaa ka mid ahaa MFC oo laga qaaday xilka guddoomiyennimada iyo Xubinnimada Ururka: waana in la maxkamadeeyaa, jagadiisana waxaa si kmg ah loogu dhiibay Gudd. Kuxigeenka 2aad ee Ururka Maxamed Qanyare Afrax. ***
31.01.92
Kenya waxaa ku qulqulaya 700 oo qaxooti ah maalin walba. Dadka ka soo qaxay dagaallada Xamar waa dad uu dhacaankii ka dhammaaday, miirmay, dhaawacan. BBC

Axmed Cismaan Keenadiid oo yiri:
1. Digir waaweyn oo aan horay loo aqoon baa la keenay. Waxaa la ogaadey in digirtaan, hortii fardaha Maraykanka la siin jirey kaddibse laga

joojiyey kolkii dhogortii ka duushay. Iyada oo cunnadaas xumaatay la gubi lahaa ayaa waxaa talo keenay safiir Maraykan ah oo Soomaaliya joogi jirey oo wuxuu yiri: "Digirtan ha loo diro Soomaalida gaajada u dhimanaysa oo ha lagu quudiyo. Waa Dad ay calooshoodu karin yeelatay oo ayan waxba yeelayn.

2. Nin kitaab-gaablow ah ayaa waxuu wareejiyaa tusbaxyo uu yiraahdo waa xijaab oo albaabkii laga laallaadiyo tuugo kama soo gasho.Nin tusbaxa iibsaday oo albaabka gurigiisa ka laallaadiyey oo bilo kaddib la waraystay ayaa wuxuu yiri: "tuugo danbe agtayda sooma marin muddo saddex bilood ah, yaabkuse wuxuu yahay tusbixii i xijaabi lahaa ayaa habeenkii aan meesha surayba la xaday" ***

XOG ADAG SIR

Guddoomiyaha USC ayaa sheegay in uu helay xaashi sir shirqool ah ee uu qoray CCQ. Waa xaashi ay qoreen Sulux-Manifesto oo ay doonayaan in aan kolna Dalku xasilin. Nuqul xaashida ka mid ah waxaa loo diray Max'ed Abshir Muuse si uu qalalaase uga rido Bari iyo Nugaal; Nuqul kale waxaa loo diray Muuse Islaan Faarax iyo Cumar Macallin si ay nabadda uga hor-istaagaan Kismaayo iyo Gaalkacyo; CCQ iyo taageerayaashiisa reer Woqooyi waxaa loo xilsaaray in ay Woqooyi dagaallo ka ridaan; Xamar iyo agaggaarkiisa waxaa lagu qaybiyey CMM iyo Qanyare. RM/K ***

Cilmi Axmed Sharmaarke, mu'asis USC:
Dekedda Gegida Dayuuradaha iyo Kaydka Shidaalka beelo ma ay haystaan ee USC baa gacanta ku haysa…qabaa'il ayaa haystadu waa beenta BBC-da. Warfiid (K)

- Shirka Madaxweynayaasha dalalka Afrikada Bari iyo tan Koofure waxaa khudbad ka jeediyey C/qaadir 'Zoppo'kaddibna wuxuu u lalay dalalka Talyaaniga, Jarmalka, Faransiiska & Beljamka.
- Abuuja (Nayjeeriya) waxaa tegay Madaxweyne k-xigeenka 2aad Cumar Macallin Maxamuud.
- Cumar Carte Qaalib oo khudbad ka jeediyey Shirkii Amnesty International. RM /W ***

Imaatin Wakiilka (Maraykanka) CARE (Somali Care) Robert…12kii malyuun (UNICEF & WFP) waa diyaar. Xabbad-Joojin bay ku xiran tahay…Talo? Imaatinkiisa iyo la kulmidda dhinaca Woqooyi, waxaa sheegay RM (W) iyo Wargeyska Xog'ogaal. ***

03.02.92

Saaka tegid Km 5, farasmagaalaha Xamarta Koofure oo aan ku maqlay in gurigayaga uu Jiib ku dhacay oo inta la hubo aan kolba anigu geeriyoodey. Qaar dhaawac bay igu sheegeen. C/raxmaan Aswad oo dhaawac igu maqlay guriga ayuu iga soo raadiyey. Dhawr hoobiye baa iska daba dhacay oo guri deris ah burburiyey, mid kale oo laba tallaabo noo jirana

dhawr qof ku laayey. Aswad naftiisa ayuu la cararay.
Waxaa kale oo la ii sheegay in Faadumo Y. Cismaan ay fooniye ku soo waraysatay tirada (inta) naga dhimatay. ***
Maqlid dhac (Jilib agteeda) baabuur Yaasiin Nuur Cismaan Keenadiid(Aun) iyo dad kale. Dhaawac Yaasiin ka mid yahay oo Isbitaalka Kismaayo la geeyey, layn iyo dhac baa la isugu daray. R-K-S
East Timor (Indonesia): Dad (aas) qubuuro lagu kor xabbadeeyey: geerida rasmiga ahi waa 19 (sagaal iyo toban)– ase badan- baa la leeyahay. WWA
Injinneer C/llaahi Nuur Caliyow oo 50 kg oo galley ah naga siiyey " ducada" beerta... maalin dhoweyd. ***
04.02.92
Xuseen Cali Shiddo wuxuu ku qiyaasay geerida 40,000, dhaawacana 60,000, qaxana 500,000? RM/W
Maxamed Ibraahim Cigaal(Aun), Ra'iisul Wasaarihii hore oo CMM ku eedeeyey fulin la'aanta heshiiskii Jabbuuti,
USC oo aan iyadu Madaxweyneheeda xulan, Baarlamaan dhisid la'aan, Ra'iiisul-Wasaare ka dhexqabasho la'aan xubnaha Baarlamaanka, iwm. RM/K ***
Madaxweynihii hore (Bangaladesh), Janan Xuseen Maxamed Irshaad, 10 sano xarig ah, hub

sharcidarro ah haysasho awgeed…Xamarna burcadda ayaa madaafiic haysata.

Hoobiyeyaashii, sida horay loo soo xusay, C/raxmaan C/shakuur 'Aswad' habaaska ka buuxiyey midkood wuxuu diley 2 wiil ilma Cali Gacal iyo hooyadood.
G/sare C/llaahi Yuusuf (Gaashaandhigga SSDF) oo ka hadlay midaynta beelaha Bari, Nugaal, Mudug, Sool, Sanaag, iwm. Waxa aan la garanayn, meeshii uu ka hadli lahaa beelaha ama Soomaalida degaannadaas ku nool waxa uu u adeegsadey erayga "Daarood", mise maanta, 1992ka, isaga ayaa dhabta u dhow? BBC

Beenin hadalkii uu BBC-da (shalay) ka sii daayey Wasiirka Waxbarashada ee Dawladda kmg Ibraahim Shiikh Maxamed 'Afgooye' ee ahaa in MFC laga qaaday xilkii guddoomiyennimada Ururka. RM/K
Martiqaadka Boutrus Ghali: UMA, J.Carabta, Mu'tamarka Islaamka, CMM & MFC.
Magacyada SSDF, Boosaaso, Kismaayo, Gaalkacyo, iwm. Waxay hortii ku jiri jireen meelaha " la xoraynayo" ee maxaa maanta isbeddeley?. ***
6.2.92
MFC shaqo dib u heshiisiineed ku hawllan oo aan yeeli karin martiqaadka Dr. Boutros-Ghaali, oggolse inuu wakiillo u dirsado (3 qof)…ama

"beryo dib ugu dhiga." Diidmo?
(Focus 21:30)
Siday 2dii ergey u tageen shalay B. Warner (W) iyo David Bassiouni (K) iyo manta, dagaalladii ugu kharaaraa baa ka socda Isbitaalka Banaadir agtiisa iyo meelo kale.
Hermaann Cohen, kaaliyaha Xoghayaha Dibadda xagga Afrika: (Dagaallada Soomaaliya waa belo aan la'arag oo qabyaaladi abuurtay. Qarannimo ma ay jirto maanta).
Cohen ayuu ahaa siyaasigii codka Maraykanka ku diidey Goosashada Woqooyi, markii uu socdey shirkii Jabbuuti. ***
07.02.92
5 tii dhinac (UMA, J.Carabta, Mu'tamarka Islaamka, CMM iyo MFC ee uu Boutros-Ghali ku martiqaaday New York, way wada yeeleen-sida la sheegay-MFC oo sheegay inuu Wakiillo dirsanayo mooyee. R-K-S
Soomaali (Qaxooti) in adduunka laga nacay la ogsoon, in dhac loo geysto waa laga war qabaa; muuqaalkooda iyo magacyadooda in la kahsaday cidina ma mooga. Hadda heer cusub bay arrintu gaartey. Sida uu xalay BBCda noogu sheegay Axmed Max'ed Cabdi oo ka soo hadlayey Sweden: laba Soomaali ah oo la xabbadeeyey oo
mid sakaraad yahay oo ah niman si sharci ah u deggan oo shaqaysta oo midkood 10 sano joogey. Waxaa dhacday in 2 xisbi oo doorasho u

tartamayaa ay dacaayaddooda ku saleeyaan wax ka sheegga qaxootiga si ay dadkooda cod iyo taageero uga helaan!!
Weliba Sweden iyo Scandnavia oo dhan waxaa loo haystey in uu qaxootigu ku yar yahay oo ay soo dhoweyn wanaagsan helaan!!
05.02.92
Weriyaha Raadiyaha oo soo koobaya khudbaddi uu MFC ka akhriyey wakiilka Boutros-Ghali hortiisa wuxuu sheegay in Jabhadaha loo baahan yahay in ay dhisaan Dawlad loo dhan yahay ay yihiin USC, SDM, SPM, SSNM, SNM iyo SSDF. Iyada oo lala yaabban yahay waxa meesha keenay SSDF oo ahayd Jabhad "Xujeysan" ayuu Raadiyuhu shalay, markii uu isla warkii tebinayey Jabhadahaan xusnaa wuxuu ku daray SNF… kolkaas baa la iska aammusay. RM/K
Kulanka NewYork (Jaamacadda Carabta., Ururka Midnimada Africa, Mu'tamarka Islaamka., CMM, , Boutros-Ghali iyo MFC oo aan la hubin. Arbaco, 12.2.92
Qaxooti baabba: Feerfeer Mustaxiil….Dirirdhabe (Xamar ka baxsasho). Awaare (xeryo) reer Woqooyi: bil cunno la'aan ah iyo dhac.
Kenya, 1000 baa so gasha maalintii, waa kuwa uu dhacaankii ka dhammaaday oo Xamar ka yimaada (Hadda Kenya inta joogtaa waa isku 140 kun..) BBC ***
Waxaa la maqlay qaraxyo ka dhacay Caabudwaaq oo sababay 60meeyo dhaawac iyo

dhimasho isugu jira, iyo boqollaal guri oo gubtey. Ka fooniye Boosaaso ***

08.02.92

MFC casumid Jabhado (SNM, SPM, SDM, SSNM, SSDF iyo SNF.3 xubnood soo dirsasho:

1. Markhaati ka noqosho xabbad-joojinta
2. Wakiilladaas oo taga Gobollada ay dagaalladu ka jiraan oo heshiisiiya.
3. Ururro wadatashi: dhismo Dawladeed, iwm
4. Ka tashi Ururradii iyo Dawladihii ka soo qaybgeli lahaa shirweynaha dibuheshiisiinta.

RM/K

Cumar Macallin, Madaxweyne ku-xigeenka 2aad oo Abuuja kula shiray Guddoomiyaha UMA, Madaxeynaha Nayjeeriya Babaangida.

Waraysi BBC ***

09.02.92 (Ax.)

Aniga iyo Axmed Daahir Cabdalle Geesood "Axmed Buraashad" Fooniye kula hadal iyo waraysad Maxamuud Aadan Dalab oo Kismaayo jooga.

(RM) oo ka tacsiyeynaya geeridii ku timid Allaha u naxariistee Ugaas Rafle Ugaas Xaashi Ugaas Faracadde oo ka dhacday Kaaraan. RM/K

MFC: "9 jeer baannu ku dhawaaqnay xabbad-joojin, haddana waa naga tii 10aad." RM/K

Ku eedayn MFC u yeeridda (martiqaadidda) Ururka SNF iyo ku tilmaamid inuu MSB la leeyahay gacansaar. RM/W

10.02.92
(RM) Baaqii isugu yeeridda Jabhadaha ee uu ku dhawaaqay MFC waxaa oggolaaday SSNM.
Hub culus dhicid.
86kaan maalmood, ma ay jirto maalin uusan hub cusli ka dhacayn dhinac uun magaalada ka mid ah.
(T) 11.02.92
U ambabixid New York, wafdi uu hoggaminayo (3qof) Gudd. kmg ee USC Maxamed Qanyare Afrax Shirka nabad-raadinta Soomaalida....
12.02.92
Ceelka Xaaji Cali oo saf xun loogu jiro baa waxaa ku dhacay hoobiye: dhowr dhimasho iyo dhaawac badan....
Bilowga wada hadalladii N.Y iyo weerarkii ugu xumaa ee Kaaraan lagu qaaday... Cisalley, Max'ed Amiin (xogh.Dibadda SPM?): wuxuu sheegay in "qalalaasaha Kismaayo ay abuurayaan Wasiirradii MSB oo ay ka mid yihiin Gabyow, Tarrax, Bile iyo Morgan-. Dad ay afduubeen bay xaafad ku haystaan.. Waa yaab. Waa kuwa Axmed Cumar Jees ka so horjeeda..."
BBC R-K-S

Xubnaha Wafdiga Madaxweynaha kmg CMM:
Max'ed Qanyare Afrax, Xus. Cali Shiddo iyo Awees Xaaji Yuusuf
Xubnaha Wafdiga Guddoomiyaha USC MFC:
Cismaan Xasan Cali 'Caato', Shiikh Cabdi-Nuur iyo Maxamed Xasan Cawaale. ***

13.2.92 (Kh)
C/raxmaan Tuur oo Berbera ka hadlaya: ....
"Dagaalkii ma uusan dhammaan...
Ciidammadaan iyo kuwa kaleba waxaannu geynaynnaa xudduudka Bari, Nugaal (Garoowe)". BBC R-K-S
Qabsasho Ceelcadde (20: 00) iyo Cisalley.
Baadigoob in la qabto CMM iyo xulafadiisa;weerar bilowday 12kii bishan, guul.
Waxaa sheegay Xoghayaha Gaashaandhigga C/Naasir Serjito. RM/K
Ciidammadii la marin habaabiyey oo na soo weeraray waxaa ku dhacay jab iyo halaag. RM/W
Laanqayrta Cas: ka bixid Isbitaalka Keysaley, 44 baa jiiftey, 4,000-na guryaha baa lagu daaweynayey . Shaqaalihii gargaarka waxaa eryey kooxda weerarka ah. BBC
15.02.92 14:00
Ummadaha Midoobey heshiis xabbad-joojin ah ayaa waxaa ku kala saxiixday Ergadii USC iyo tii Manifesto...xabbad-joojintu waxay ka bilaabanaysaa markii ay ergooyinku soo noqdaan." RM/K
(RM) 16:45
Goobihii dagaalka iyo hubkii laga furtay ciidammada weerarka ah: 2 taangi oo la gubey, 2 Baroon, iwm-waxaa la tusay wakiillo ka socdey warfaafinta (saxaafadda) Qaranka iyo kuwo shisheeyaba...Tusid meyd badan.. R-K-S

Urur cusub Soomaali National Democratic Union (SNDU): Guddoomiye Cali Ismaaciil Cabdigiir (Nayroobi)
C/qaadir Xuseen Abuukar (Boston) Baantuu Jareer: 75% waxsoosaarku annaga ayuu ahaa…80% dhibaatadu annaga ayay nagu dhacday.Dhac iyo boob.Magdhow ha nala siiyo. Waxaannu arji dacwo ah u gudbinney Madaxweyne Bush, Boutros-Ghali, UMA iyo Mu'tamarka Islaamka. BBC
Weriyeyaal shisheeye ayaa waxaa la geeyey Goobaha dagaalka (Kaaraan). Weerareyaasha oo jabay ayaa hub badan, taangiyo, ka cararay… meydad badan.CMM oo gurigiisa kula kulmay weriyeyaal: Hortii, RM/K
wuxuu sheegay in CMM laga qabsaday guriga, Gegida Dayuuradaha ee Cisalley, Isbitaalka Keysaley iyo meelo kale. Wararkaas oo aan waxba ka jirin. Weriye Siciid Bakar Mukhtaar

BBC, RM/K

Khudbaddii CMM: oggol nabadda (heshiiska) ku eedayn MFC dagaal uu u abbuuray, si uu u carqaladeeyo waanwaanta N.York.. Been ku dagaalgelin in "cid" la gumaadi doono haddii ayan dagaallamin...dadku waa walaalo….

RM/W

Ergadii (WFP, UNICEF) oo "Isbaarro cir" (cirgooyo) la degi waayey gegida dayuuradaha ee Cisallay. Dorraad bay iska noqdeen.

Qormada Afraad

19.02.92

"Biyo la'aan. Cabasho. Cidda kaydka Shidaalka haysa baa diiddey...Waa Falalkii MSB kuwo ka xun. Cabashadu waa Ururrada Haweenka ee USC, SDM iyo SSNM." Ururrada kale sida SSDF, SPM (Gabyow) cod cabasho iyo mid taageero toona ma ay leh. RM/K

Yaa u xilsaaran?

Mujaahid Muuse Shiikh Maxamed, Guddoomiye, C/llaahi Weheliye Fiidow (ku-xigeen), C/llaahi Cali Afrax, Cabdi Salaad Khayrre, Tawane Axmed Iyo Cismaan Nuur Cilmi. Waxaa ku arrin ah Gegida Dayuuradaha oo iyadana isla maalintaas Guddi USC loo magaacabay oo kala ah Cismaan Afraxow, SiciidSalaad Cilmi, Max'ed Cabdi Max'ed, Cali Samey, Cumar Nuur Cilmi iyo Cismaan Nuur Subeer. Guddiga Dekedda loo magaacaabay. Eeg MIDNIMO Daily News Trs. 191, 9ka Jan. 92

***

YAABKA BIYAHA KAYDKA SHIDAALKA

RM (K): Wuxuu sheegay in bishii Jannaayo 1992ka dhexdeeda loo xilsaaray Guddi uu Guddoomiyaha USC magacaabay, qaybintuna ay caadi noqonayso.

RM (K): (30.1.92): Afhayeen USC: maamul xumo iyo kuwa ilaaliya oo iyagu saxiixda xaashiyo ay siday doonaan ugu qaataan.Guddigii yaa warkiis haya?

RM (K): **19.02.92 (06:30)**: Kuwo aan xilkas ahayn baa shidaalkii biyaha diidey…waa falal ka xun kuwii MSB.
RM (W**): 19.02.92 (13:45):** Shidaalka ceelasha si caadi ah baa kaydka looga qaadaa ee waxaa dhacda burcadda oo ku dagaalgasha.
Maanta (19.2.92) oo ay labada Raadiyaba sidaas u dayriyeen ayay galabta, biyihii muddada dheer la la'aa yimaadeen. Arrintu waa "Nin Ilaah lehow ha quusan".
Xarunta Ururka Midnimada Afrika waxaa tegey Madaxweyne k-x 2aad Cumar Macallin Maxamuud isaga oo ku sii adkaynaya keenista ciidammo Nabad Ilaalineed. BBC ***
CMM waxa uu la kulmay ergada UMA ee uu hoggaaminayo Sarreey Gaas IKE OMAR NWACHUKWU, Wasiirka Arrimaha Dibadda ee Nayjeeriya oo qoraal uga sida Guddoomiyaha UMA Ibraahim Babangida, Madaxweynaha Nayjeeriya. Is-afgarad buuxa. RM/W ***
(Shir Jaraa'id): keenista Ciidammo Nabad Ilaalineed oo Sarreeye Gaas Nwachukwu ugu muuqata mid macquul ah siiba kuwo Afrikan ah. BBC ***
Shir FAO (Roma), waxaa ka warramay Maxamed C/raxmaan Shiikh Ibraahim. Dal cilmi baaristii sanooyinka soo taxnayd ay ka wada baabba'day… Aqoonyahanno Soomaaliyeed oo isku deyaya xag deegaan, dhaqaale, beero, bad,

xoolo…cuskadyo quluud u yeelan kara
Hey'adaha Caalamiga ah, iwm. BBC
Dr Yuusuf Maxamed (Laasqoray): Waxaa noo yimaada dad ka soo qaxay Xamar, Kismaayo, Liboy, iyo meelo kale oo daacuun calooleed dartiis ay ka dhammaadeen cusbadii iyo brotiinkii… ***

21.02.92

Shirkii Jaraa'id oo ka danbeeyey kulankii uu ergada UMA la yeeshay; MFC hadalkiisii waxaa ka mid ahaa:
"Burcad baa Shidaalka haysata (biyo la'aanta)...Waa kaydka Shidaalka, haddii loo baahdana xoog ayaannu Isticmaaalaynnaa. RM/K
Xaashiyo u kala socda CMM iyo MFC oo ku saabsan xabbad-joojin, iwm oo ay saxiixeen soddon ka mid ah odayaasha Kongreska Maraykanka.Dawladda kmg ahi way soo dhoweysay. RM/W
Ergadii Eretereyga talooyinkooda waxaa ka mid ahaa in Xamar la keeno ciidammo nabad ilaalineed oo ka tirsan Afrikada Bari, Asmarana diyaar bay u tahay. CMM wuu oggolaaday.
BBC (xalay) dood: Dhammaadka habka keli-talinta iyo bilowga Dimoqraaddiyadda…waxaa la isku raacay in ay habboon tahay in Xamar la keeno ciidammo Afrikan ah siiba kuwo Muslin ah… RM/W
CMM oo la kulmay 9 xubnood oo ka kala socdey WFP & UNICEF. Waxay ka wada hadleen sidii

kaalmada loogu qaybin lahaa dadka tabaalaysan…
Baahida loo qabo marinno dagaalka ka reebban oo gargaarka la mariyo. RM/W
Shirkii Jaraa'id ee MFC oo ka hadlay isugu yeeridda Jabhadaha. Wuxuu yiri: waa 3 tallaabo oo kala horreeya.

a) Dhaqangelinta xabbad-joojinta.

b) Heshiisiinta dhinacyada USC iyo

c) Isugu yeeridda Ururrada." RM/K ***

24.02.92
Si aan taxnayn ayuu hub u dhacdhacayaa …Boqolkan maalmood maalin uusan uun meel ka dhacayn ma ayan jirin. Labada dhinacba farsamo dagaal way ka maran yihiin…90% nafaqadarro hayso carruurta iyo dadka waaweynba. Cabsi in haddii uu roob da'o uu wasakhda daacuun calooleed ka kaco.
Weriye BBC TV (oo joogey maalintii Cisalley la isku dayey…Dagaalka ayuu ku dhexjirey: Ciidanka MFC oo xabbado badan iska ridaya ayaa dhinacyo ka soo weeraray.Qolo waliba inta ay weerar qaaddo bay soo noqotaa iyada oo luudaysa.
Bisha Cas (Ogeysiis) oo sheegtay in ay xirtay xafiiskeedii Xamar ee farriimaha: kuwoodii kale ee Dalka ku yiil (Boosaaso, Kismaayo, Garoowe, Libooye, iwm) sidoodii ayay u shaqaynayaan.
BBC

Berbera oo ay ciidammada Nabadsugiddu boobeen kaydkii Hey'adaha Gargaarka.Waa kumanyaal tan...xabbado (hub) dhacaya ayaa la maqlayey.Waxaa weheliya xasilloonidarro iyo C/raxmaan Tuur oo Wasiirradii Jamhuuriyadda Soomaali Land qaar eryey. Focus & BBC

Wafdigii ugu cuslaa (20 xubnood: Ummadaha Midoobey, Ururka Midnimada Afrika, Jaamacadda Carabta & Mu'tamarka Islaamka) oo Xamar imaanaya toddobaadkan.Waxay soo marayaan Addis-Ababa, shirka UMA: Nabadraadin. Focus on Afrika ***

25.02.92

CMM oo dhanbaal hambalyo u diray U-adeegaha 2da Xaram.Waa sannadguuradii 10aad ee Caleemao saarka (Boqridda). RM/W

"Dagaallada Xamar ma aha kuwo beelo u dhexeeya. Waxaa abuuraya kuwo doonaya in ay soo celiyaan kelitalisnimadii (Talis qoys). "Sidaas waxaa u fasiray Qareen Shiikh Cali Maxamuud Xasan, xubin Guddiga Fulinta, USC. RM/W

Addis-Ababa: Shirkii Wasiirrada Arrimaha Dibadda ee UMA iyo feerkii dhexmaray xubin ka mid ah wafdigii Dawladda kmg ah ee uu hoggaaminayey Wasiiru Dawlo Cabdullaahi Shiikh Ismaaciil. Labadii isu gacanqaadday oo Golaha laga saaray...

Jabbuuti-diid ka tirsan Safaaradda Soomaaliya ee Addis-Ababa. Waxaa la xusuustay arrimihii horay uga dhacay Abuu Dabey, Aadan

Sandheere iyo Xuseen Bullaale, Bruxelles. Aadan Cumar Dayib Xoghayaha II (Wagardhac) iyo Max'ed Axmed Tiifow (Abgaal).. (Faadumo Isaaq Biixi vs ? Xafiiska Somali Airline ee Keenya… ***

26.02.92

Shir uu Golaha Wasiirradu yeeshay waxaa la isku raacay dhaqangelinta Go'aankii Golaha Amniga ee ku saabsanaa xabbad-joojinta; waa go'aanka uu tirsigiisu ahaa 733. RM/W

Waraysi: Hoggaamiyaha ergadii uu New York u dirsaday garabka MFC ee USC Cismaan Xasan Cali 'Caato'. Xabbad-Joojintii way hirgashay 90%, waxaa ilaaliya Jabhadaha ay ka mid yihiin SSDF, SNF, SPM USP, SDM. BBC

Haddii wafdiga kuwa ismagacaabay loo oggolaado kursiga UMA, taasi waxay wax u dhimi karaysaa waanwaanta nabadraadinta ee hadda dadaalka loogu jiro. RM/K

Koox hubaysan oo isu ekaysiinaysa kuwa ku jira dagaal gobannimaddoon oo si u jilaysa hannaankii halyeyada aflaamta ayaa xaafadda lagu sheegay… dhiillo baa abuurantay: Maxay caawa samayn doonaan? Fiidkii bay waxay u dhaceen guri ay deggan tahay islaan keligeed ah, curyaanna ah oo 80 jir ah … Islaantu waa reer-khalaf oo waxaa la yiraahdaa Cawrala Bulxan. Faallo uma baahna..

27.02.92

Rabshada laga dhexridey Shirka UMA ee Addis-

Ababa waxaa abuuray koox ka socotey Manifesto iyo kuwo ka amar qaadanaya keligitaliyihii MSB. RM/K

Bilowgii qalalaasaha wuxuu ku tilmaamay qas ay abuurtay kooxda MFC; kaddibse waxaa muuqatay in ay arrintu ka socotey Buurdhuubo. Waxa kale ee uu sheegay in kaddib markii qaswadayaashii laga saaray shirka uu wafdiga Dawladda kmg ahi hawlihiisii caadi u wato.

RM/W/ ***

28.2.92

Kulan Wasiirka Arrimaha Dibadda ee Masar Camru Muusa iyo dhiggiisa (kmg) Dr Maxamed CaliXaamud. Camru Muusa oo soo dhoweeyey fikradda ah in Soomaaliya la keeno ciidamm Nabad-ilaalineed. RM/W ***

UMA waxay shalay go'aan ku gaartey in kursiga Soomaaliya uu bannaanaado taniyo inta laga dhisayo Dawlad loo dhan yahay. RM/K

Hubkii ugu xumaa ayaa maanta dhacaya, berrina sida ay werisey BBC-du waxaa la filayaa Xamar imaatinka wufuuddii Nabadraadinta (Ummadaha Midoobey., UMA, Mu'tamarka Islaamka, Jaamacadda Carabta).

(MSF): Isaaq oo Xamar ka qaxay. 70 baabuur ayaa socod qallafsan kaddib Burco tegey. Tiro baa wehelisey, u badan Dhulbahante oo Laascaanood u socota. BBC

Ergadii la sugayey (Ummadaha Midoobey, Jaamacadda Carabta, UMA iyo Mu'tamarka Islaamka) baa timid.
CMM wuxuu oggolaaday dhammaan dadaalka loogu jiro xabbad joojinta wuxuuna si culus u codsaday keenista Ciidammo Nabad-ilaalineed.
MFC ayaa heshiiskii jebiyey qalalaasena ka wada Shabeellada Hoose iyo Jubbada Hoose. Ergada waxaa la tusay meelihii xabbad-joojinta kaddib uu Caydiid soo weeraray sida Isbitaalka Keysaley.
Yididiilo fiican oo la qabaa waa haddii ay dhinacyadu is-afgartaan. Khubaradu waxay darsayaan Arrimaha xabbad-joojinta iyo hub ururinta, iyo guud ahaan, xasilinta iyo nabadaynta Dalka. RM/W
MFC wuxuu ergadii kula kulmay Villa Baydhaba. Waxay ka wada hadleen arrimaha xabbad-joojinta iyo Ciidammo nabad ilaalineed oo uu isagu diiddan yahay .Wax Dawlad ahi in ayan Dalka ka jirin bay ergadu caddaysay, buu yiri. RM/K
Shiikh Banaaney (Shabeellada Hoose) waxaa ku kulmay MFC (USC), Axmed Cumar Jees (SPM), Maxed Nuur Caliyow (SDM) iyo Cabdi Isaaq Warsame (SSNM)…. Eedayn 'Manifesto' iyo taageero baaqii MFC ee uu isagu isugu yeerayey Jabhadaha xaq u dirirka ah. Oggolaansho xabbad-joojintii N. York. RM/K

Baaq: la dagaallan kuwa ka shaqeeya isku dhaca beelaha, rasaasta iyo hubkana u kala gudbiya. 'Xorriya' Waa Wargeys ka soo baxa Hargeysa. Kaddib maqnaan badan soo noqosashadii C/raxmaan Tuur oo eryey 5 Wasiir, 2 iskood ayay isaga tageen iyo kuwo dibadda isaga maqan. Dawladdii uu Burco ka dhisay waxaa ka haray 3 Wasiir oo keli ah. 27.2.92 BBC Abuu Dabey

Magaalada dhexdeeda ayaa hub culus la isku garaacayaa waxaana ku wacan shixnad kaalmo ah oo ka soo degtey Gegida Dayuuradaha.Waa war ay guud ahaan bixiyeen Hey'adaha Gargaarku. ***

Orgi baa xerada laga xaday 19kii bishan ...Mooryaan 'deris' ah baa xadday oo qalatay. Qaar baa tuugadii laga diley (tuugo kale, dagaal-qabiil? Lama oga), saddex baa caloosha laga qabtay, 2 way sakaraaddey oo Isbitaalka ayaa loola cararay. Kii haray ayaa hooyadiis u sheegay inuusan calool-xanuunku ka horrayn "hilibka orgiga aannu ka xadnay Islaan Faqash ah ..."Islaantii wiilka haray dhashay baa habeen hore guriga nagu soo garaacday iyada oo sidda shilin 30,000 oo leh, 'ha la iscafiyo', qabtana in fayoobida wiilkeedu ay nagu xiran tahay.. Heshiis 'Soomaali' baa dhacay...Hooyadan oo ah qof nabadda jecel waxa la yiraahdaa Xaddiyo Gurey (Sacad), orgigana waxaa la oran jirey 'geeso-laab'. Islaanta faqashta ahina waa

Faadumo Khaliif(Aun), afadii Yaasiin Cismaan Keenadiid(Aun).
Haddii dhacdadan lagu baahin lahaa Raadiyeyaasha dhowrkii neef ee orgigan weheliyey oo hadda la bililiqaystay way badbaadi lahaayeen.
Kamboodiya culayska la saaray: 22 Kun ciidan, 2 bilyan Doollar kharaj…, Doorasho xor ah oo la qabanqaabiyo, hubka oo la ururiyo, iyo Hey'ado Maamul oo la dhiso.Waxaa dhismay Maamulka kmg ee Ummadaha Midoobay. BBC ***
01.03.92
Saraakiisha Dawladda kmg iyo kuwa ergada oo soo booqday aagagga dagaalka.
Qado-Sharaf uu Madaxweynaha kmg ahi ku soo dhoweeyey hoggaamiyaha Ergada James Johna iyo xubnaha kale. RM/W
Seynab Xaaji Baraako, madaxa Ururka Haweenka ayaa Guddiga Caalamiga ah u gudbisey qoraal lagu taageerayo xabbad-joojinta iyo keenista Ciidammo Nabad-Ilaalimeed. RM/W
Lixdii Urur ee Jabbuuti oo iyaguna qoraal u gudbiyey Guddiga Caalamiga ah. Janan Maxamed Nuur Galaal oo tilmaanno ka bixiyey afartii "hoggaamiye" ee ku kulantay Shiikh Banaaney (Shabeellaha Hoose). RM/W
MFC oo shir ay albaabbadu u xiran yihiin kula kulmay Guddiga Caalamiga ah (Villa Baydhaba). Faahfaahin la'aan, waxaa la taxay oo keli ah magacyada ka-qaybgaleyaasha. RM/K

02.03.92

Guddiga Nabadraadintu maanta ayuu Xamar ku soo noqonayaa, si saxiixa xabbad-joojinta loo gunaanado. James Johna oo lala xiriiray waxaa mooddaa in la isku afgartay keenista ciidammo Nabad-Ilaalineed. VOA 06:00-Africa Service

Wadahadalladii maanta la gunaanadi lahaa, berri bay u dhaceen waxaana ku wacan codsi ka yimid MFC. BBC 07:00

RM (W) iyo RM (K) labaduba maanta wararkoodii (13:45 &14:00) way ka aammuseen wadahadalladii ay beryahaan la lahaayeen Guddiga caalamiga ah.

Hoggaamiyeyaasha ergadu waa wada kaaliyeyaal sida kan Ummadaha Midoobey ama ku-xigeenno: James Johna (Ummadaha Midoobay), Mahdi Mustafaa (Jaamacdda Carabta), Shiikh Ibraahim Bakar (Mu'tamarka Islaamka.) iyo…(UMA).

Wadahadalladu waa Xamar (maalintii), hoyashaduna waa Nayroobi. Xamartii martigelinteedu taariikhiga ahayd, taniyo Ibn Battuta, qarnigii 14aad, burcad ayaa 'rug aboodi' ka dhigtay. Waa aan fogeyn waa laga caroon lahaa ergo meel kale seexasho u aadeysa, maantase waxaaba lala yaabban yahay geesinnimadooda, haddiiba ay ku dhaceen in ay maalin yimaadaan! ***

Afhayeen USC oo sheegay in James Johna waraysi uu la yeeshay Network Africa (BBC) uu ku sheegay in uu la kulmayo MSB, uuna taladaas ka helay MFC.

"Waxay muujinaysaa, sida ay isugu xiran yihiin labada nabaddiid. RM/W ***

03.03.92

Wararkii duhurnimo, RM (W) iyo RM (K) labaduba waa ka shib arrimaha Ergada caalamiga ah. Xubno ku biiray (maanta) Ummadaha Midoobey:

1. 8 Jamhuuriyadood oo hortii ka tirsanaa Midowga Soofiyeeti. (Waxaa harsan Georgia.)
2. Jamhuuriyadda S.Marino

Kursigii Midowga Soofiyeeti ee hore waxaa ku fariistay Ruusia (J. Federaal)

CADAADO: Guddi isdhexgal iyo Nabaddoon ah (180 xubnood) baa ku kulmay Cadaado.Waxay ka kala yimaadeen Boosaaso, Garoowe, Gaalkacyo, Caabudwaaq, Bandiiradley, Gellinsoor, Dhuusomarreeb iyo Ceelbuur. Shirka oo furmay 1dii bishan weli wuu socdaa. RM/k

CMM iyo MFC way wada saxiixeen. CMM baa hor saxiixay; ergadii oo weli la joogta ayaa gurigii lagu saxiixay agtiisa waxaa ku dhacay laba madfac. Argaggaxii martida. Qaraxii madaafiicda waxaa duubay oo BBC-da ka sii daayey weriyeyaashii Ergada la socdey. MFC oo laga wararystay: "Waxba kama aan ogi, cidnana amar ma aanan siin." ***

04.03.92

Saxiixii xabbad-joojinta ee shalay waxaa xigey

hub culus oo maanta dhacaya.
8da Maarso (Maalinta Haweenka Adduunka) oo xuskeeda loo soo hormariyey Ramadaanka awgiis, ayaa waxaa ka hadashay Guddoomiyaha Ururka Haweenka Soomaaliyeed Dr. Seynab Xaaji Baraako. RM/W
CMM iyo MFC labaduba, fadliga Ramadaanka awgiis nabad ayay Ummadda ugu duceeyeen. (*Ayaan wanaag, dad kale oo duceeyeyna wuu jirey.Qoraha.*)
Axmed Cumar Jees (Guddoomiyaha SPM) heshiiskii Mustaxiil oo taagan, Morgan iyo " Haraadigii" oo Jubbada Hoose laga sifaynayo. Waa barnaamijka MFC iyo kuwa raacsan. RM/K
a) War cad: Xoghayaha Warfaafinta ee Ururka USC: Manifesto oo jebisey heshiiskii xabbad-joojinta. Markab cunto (gargaar) sida bay duqeeyeen oo Dekedda ka cararay. Dagaallo bay ku soo qaadeen Dekeddii hore, Baarlamaankii hore. Dhibaato iyo dhimasho. RM/K
b) Afhayeenka Wasaaradda Warfaafinta iyo Hiddaha: Eedaynta kore waa been ay fallaagadu dhoodhoobayso oo aan sal iyo raad lahayn. RM/W
Jaamac Rabiile Good oo iska casiley jagadii Wasiirnimo (Qorshaynta iyo Horumarinta): Kartidarro, midayn la'aanta ciidammada, xasilin la'aanta Dalka (J. Soomaaliland); iyo, iyada oo wax lagu maamulayo habkii keli-taliskii la ridey. Maahmaah: "Ummuli illow dhowaa" BBC

05.03.92
Maanta ceelkii (dhuumo) biyo ayuu keenay, harraad dheer kaddib.Ma kooxihii marna boobka ku heshiinayey marna isku laynayey baa hanuunsamey mise Shiikh Cabdullaahi Macallin ayaa dadaalkiisii kordhiyey oo waxmagaradkii qanciyey? Bilow Ramadaan iyo biyo waa saadaal naallo leh. Shirkii Cadaado wuxuu ku dhammaaday heshiis adag…isu furid Boosaaso iyo Gobollada Dhexe.Waxay xurgufi u dhexeysey SSDF iyo beel ka tirsan USC, SSDF ayaase waxay qabanqaabinaysaa Shir Gaalkacyo lagu qabanayo dhowaan.
(Wargeyska Xog'ogaal 5.3.92 Trs 1113)

Saaka, ayaa markab babbinayey calanka Ummadaha Midoobey oo wadey kaalmo waxaa madaafiic ku ridey fallaagada, markii uu Dekedda ku soo xiran lahaa.
Werin: Sarkaal ka tirsan Ciidammada Dawladda
RM/W

Labo maalmood kaddib ansixinta heshiiskii xabbad-joojinta, markab sidey gargaar (calanka Ummadaha Midoobey) ayaa kolkii uu dhigan lahaa Dekedda Muqdisho, madaafiic loogu godley.600 ton (sarreen) iyo wixii kale ee uu sidey Mombaasa buu kula noqday. BBC
Macaluul iyo darxumo. Dad dhammaaday oo aan marar badan wax loo qaban karin oo u

badan haween iyo carruur.Waa Qaxooti Xamar ka cararay.
Dadka Xamar ka qaxay oo Kismaayo tegey waxaa ka mid ahaa kuwo dhaawac ah iyo gabdho la faraxumeeyey.
Werin Hey'adaha Caalamiga BBC
Dhaliil: Xamar waa Degmo ka mid ah Soomaaliya. James Johna iyo Ergadiisa waxay ahayd inay dhammaan mas'uuliyiinta Dalka la tashadaan ee ayan isku koobin 2da dhinac ee Xamar ku diriraya...Waa heerkii Kamboodiya, Ciidammo Nabad Ilaalineed waa lagama maarmaan. Maxaa Soomaali oo dhan loola tashan waayey? Ciidammo iyo Maamul Ummadaha Midoobey oo 2 sano ah ayaa ku habboonaan lahaa. Max'ed Abshir Wolde Afhayeen (London) SSDF BBC-Focus, 21.30 ***
06.03.92
Barnaamijkiisii fiidnimo wuxuu uga warramay sida uu dadweynuhu ugu dabbaaldegayo xabbad joojinta; sida waddoyin bilo kala xirnaa ay isugu furmeen; farxadda wejiyada ka muuqanaysa waa isu qulqulidda walaalo kala maqnaa. RM/W
07.03.92
RM (W) Kolkii uu shalay ka faalloonayey bannaanbaxyada nabadeed ee dadweynaha, waxba kama uusan sheegin dhinaca ka soo horjeeda, oo ay ku tilmaami jireen "FALLAAGO".
RM (K) Isaguna, warkiisii maanta waxba kama

uusan sheegin dhinacii uu ku tilmaami jirey "MANIFESTO". Hufnaantaan waxaa jebiyey oo keli ah barnaamij ka horreeyey warkaan oo weriye Raadiyaha Koofure uu ka sheegay mid hortii u qaxay Kaaraan oo yiri: "Dhinaca Woqooyi waxaa la isku beerdulucsadaa qabiil."

Khudbadii MFC (Ramadaan) oo tusaaleynaysey qiimaha nabadda, xasilloonida, walaalnimada, derisnimada…erayo "colaadeed" baa la sugayey; kol la la'yahay oo la isdhuganayo oo la iska yahay " ma isbeddel nabadeed baa" ayaa waxaa yeeray labo eray oo aan dhegaha ku cusbayn: Waa "Sulux-Manifesto." RM/K
Xabbad-Joojintii baa waxaa jebisey kooxda Caydiid ka amar qaadata oo waxay weerareen Tawfiiq (Yaaqshiid). RM/W
Isla Raadiyahan Woqooyi, barnaamijkiisa bandhigga oo ka hadlayey markabkii kaalmaha sidey oo Dekadda laga eryey (xabbado), waxaa ku wacnaa, buu yiri: "Fallaagada' Caydiid".

Dadweynaha oo si nabadeed oo qurux badan isu dhexmaraya ayaa wuxuu hadba ku turaanturroonayaa erayo duluc wanaagsan leh ayse colaaddu ujeeddo-habaabisay ama isku dayday inay u yeesho ujeeddo 'dhinac', sida " Manifesto" iyo " Sulux".
Dhinaca kale, laba eray baa laga laallaadaa: mid ujeeddadiisa dhabta ah ee taariikhiga ahi waa

dad ku kaca oo la dagaallama hab siyaasadeed oo meel ka dhisan "ereyguna sheegi maayo inay gardarro ku dirirayaan iyo in kale, midka kale waa "dad leh hooso farsamo", ayse hadda colaaddu u yeeshay ujeeddo iyo duurxul dhinac…labadaan danbe waa " Fallaago iyo Garaashley".
CADAADO: Warar weli kutirikuteen ahi waxay leeyihiin burcad nabaddiid ah ayaa dhexda ku weerartay baabuurtii Gaalkacyo ka timid oo Cadaado u soo socotey, halkaasna nin baa ku dhintay, labana way ku dhaawacmeen (dhaawac fudud) saddexdubana waxay ka tirsanaayeen maxaabbiis dagaallo lagu qabtay oo Cadaado lagu sii deyn lahaa.
Wararkaan kore oo Cadaado ku saabsani waa run oo waxaa noo xaqiijiyey Max'ud Dhalaweyn oo markii meydka iyo dhaawaca Cadaado la keenay halkaas joogey.
Arrin kale oo weli kutirikuteen ahi waxay sheegaysaa, in kolkii uu shirku dhammaaday, qoladii Gaalkacyo u noqonaysay isla meelihii ay burcaddii ku weerartay oo halkaas ku dishey laba nin, baabuurna ku dhacday..
08.03.92
Saamays xabbad-joojineed.Waddooyinka oo la qulqulayo.. farxadda waxaa hadba ciiryaamo ku gamaamadaya kolka la xusuusto in "arrintii" dagaalkaba dhalisay ay sideedii qodxo u leedahay; sansaankaas nabadeed ayaannu ka

qaybqaadannay oo u helnay kansho aannu aniga iyo Faadumo Khaliif iyo Warsan Yaasiin oo qun iyo Bronkiite xumi hayaan u geynno Dr. Diedonne Bajunaki (Burundi). Afada takhtarku aad bay u yaabtay kolkii aan aqoon waayey nin guriga la joogey; ninkaas wuxuu noqday adeer (reer Xamar ah) oo la yiraahdo Yaasiin Xaaji Cismaan Sharmaarke: Run ahaan, Yaasiin sanooyin aad u badan ayaannan arag ee inuu 'jiro' waan ogaa. Yaasiin ma aha Yaasiinkii lahaa fikradda SYL lagu aasaasay ee waa walaalkiis reer Xamar (bahreer- Xamar) isku magacna yihiin. "Na badbaadiyeey Allow-Waa bishii barakaysnayde". Waa heestii labaad ee Axmed Naaji Sacad uu dareenkiisa waddaninnimo ku soo gudbinayo. Heestii hore wuxuu ka soo diray Sanca.Tanna? Qaahira?. BBC ***

09.03.92

Weerar iyo boob: Kaydka shidaalka.Haamo daldaloolin.Fadeexad, dulli, liidasho.Geeri badan. ***

10.03.92

Ra'iisul Wasaare ku-xigeenka ahna Wasiirka Arrimaha dibadda, Dr Maxamed Cali Xaamud iyo wafdigii uu hoggaaminayey oo Kuwait booqday .Waxay la kulmeen Ra'isul Wasaare ku-xigeenka ahna Wasiirka Arrimaha Dibadda Al-Shiikh Saalim Assabaax."Kaalmo, xabbad joojin.Midnimada Soomaaliyeed waa Muqaddas."

Waxaa goobjooge ka ahaa Danjiraha Soomaaliya Kuwait u fadhiya C/qaadir Shiikh Amiin. RM /W

Fadeexadda Shidaalka ku eedayn MFC. Raadiye Muqdisho (K) weli waa ka shib arrinta.
Waxaa laga warsugayaa saacadaha wararka ee muhiimka ah 06:00, 14:00 iyo 20:00.
BBC-du way ka faallootay fadeexadda kaydka shidaalka oo ay 30 geerida ku sheegtay. Dad baa boqollaal ka hadlaya. RM/W
James Johna: ku heshiin 40 ciidan (askari) ee Ummadaha Midoobey iyo ergo farsamo oo dhan 10 qof (Jaamacadda Carabta, Ururka Midnimada Afrika, Mu'tamarka Islaamka) iyo tiro rayid aqoon ciidan leh oo aan la xaddidin.
MFC wuxuu ku adkaystay in askartaasi ayan labbis ciidan qaadan, loose malaynayo in Golaha Ammniga oo arrintan ansixin loogu gudbinayo, dhammaadka toddobaadkan uu yeelayo. BBC
Hargeysa: Nabadgelyo la'aan baa waxaa Jamhuuriyadda Soomaaliland uga baxay kooxihii Jarmalka ahaa oo hayey arrimo caafimaad iyo miino-bixin.
Madaxa Takhaatiirta oo ka hadlayey Kolon (Jarmalka): "Sharci la'aan, qofkii denbi gala oo ayan cidina danaynayn.Burcadnimo sida dhacii bakhaarrada ee Berbera.
Isku maalin ayaa la xaday 3 baabuur, mid takhaatiirta ayaa lahayd, mid miino-bixiyeyaasha, midna

'Madaxweyne'C/raxmaanTuur.Warku wuxuu intaas ku daray in qalabka miino-bixinta loo diri doono Angola. BBC

11.03.92

Takhtar Jabbuuti lagu waraystay (GERMAN EMERGENCY DOCTORS): siday uga baxeen dalka Jamhuuriyadda-Soomaaliland (Hargeysa, Berbera), Dawlad la'aan iyo qolooyin hubaysan, ciidammo wax dhacaya (Berbera). (Focus)

Buulo-Xaawo (C/llaahi Xaaji oo waraysanaya Guddoomiyaha Degmada Xaaji Yuusuf Muuse Cali): 12-13000 qaxooti Xamar ka yimid; Hawiye iyo Raxanweyn ka soo qaxay Qoryooley, Diinsoor, Waajid, Xuddur, iwm.

Qaxootigaas waxaa lagu soo dhoweeyey nabad iyo faro maran.'Laba-qaawani isma qaaddo". Hey'adaha caalamiga ah waxaa laga hayaa oo keli ah ballammo. BBC

Abaar xun oo ay dad iyo duunyo ku le'deen: Wajeer, Mooyaale, Gaarisa, Mandheera, iwm. Mudane laga soo doortay Mandheera, Max'ed Nuur, baa 'waawarey!' caalami ah ku jira. BBC

Waxaa Kamboodiya tegey Ciidammada Ummadaha Midoobey iyo saraakiil. Afarta Urur oo iska soo horjeedda iyo Ummadaha Midoobay ayaa ku heshiiyey qorshaha guud ee hawsha:

1. Hub ururinta iyo xaqiijinta Nabadgelyada.
2. Soo celinta iyo dejinta qaxootiga
3. Ilaalin doorasho dimuqraaddi ah BBC

MFC iyo AHLU-SUNNA WA-AL-JAMAACA. Ururka cusub ayuu si buuxda ugu hambalyeeyay. Madaxda Ururku waxay ka codsadeen MFC in uu u noqdo Guddoomiye, wuuse ka cudurdaartey xilalka badan ee uu hayo awgood; kolkaas ayay ka codsadeen inuu u noqdo Guddoomiye-sharaf. RM/K

BBC-da oo London ku waraysatay C/shakuur Faarax oo Boosaaso ka soo noqday:

1. Xasillooni iyo abuurid Boolis (bilow) 30, Garoowe, Qardho iyo Caabudwaaq, tobantoban magaalooyinka kale.
2. Heshiis ganacsi oo ay kala saxiixdeen Wakiillada Boosaaso, Islaan Maxamed iyo kuwa Woqooyi (Jamhuuriyadda Soomaali Land). Baabuurro aad u badan oo reer Woqooyi oo Boosaaso laga rarayo, loona rarayo Isdhaafsi.
3. Aqoonyahannadii iyo maamulayaashii qaxootiga ahaa shaqooyin caadi ah bay heleen.
4. 4000 qaxooti reer Xamar (gibilcad, iwm) oo farsamooyin kala duwan qabanaya sida tolliinka dharka, iwm. BBC ***

13.03.92

Boutros-Ghali oo Golaha Amniga soo hordhigay talo ah in Soomaaliya loo diro 20 sarkaal oo (baaris) kaddib warbixin ka keena suuraggelinta qaybinta kaalmada (Muqdisho, Kismaayo, Berbera) iyo inta ciidan loo baahan yahay. BBC

Jamhuuriyadda Soomaaliland: Ciidammada

CALAN CAS ee Korneyl Dhegaweyne oo ay weheliyaan Wasiirro iyo Saraakiil iyo kuwa 'Madaxweyne' C/raxmaan Tuur ayaa Hargeysa iyo Berbera dhexdooda dagaal isku hor fadhiya.Kuwa hore waxay haystaan 2 taangi, kuwa danbena 4.
C/raxmaan Tuur oo diiddan shirweyne Qaran oo la qabto. In uu meesha ka baxayo baa xoog leh. C/raxmaan Tuur wuxuu doonayaa ciidan Qaran oo hal qoys ah ...C/raxmaan Tuur ma uu tegi karo Berbera...
Weriye ka tirsan Wakaaladda Enter Press oo U warramay BBC ***
14.03.92
Habeen hore iyo roobkii lagu nastay oo laga dhaansaday.Biyo la'aantu waa shil weligiis jirey, waxaase la rajo dhigay kolkii kaydka shidaalka la boobay, haamihiina la daldalooliyey. ***

Shidaalkii deeqda lagu keenay (Gubiddii kaydka Shidaalka) ayaa waxaa lala fadhiyaa suuqyada.Halkaas baa waxaa ka iibsada hey'adaha caalamiga oo qaarkood ay keenistiisaba ku lug lahaayeen, si ay arrimaha gargaarka u fuliyaan. Dulqaadkooda waxa ku wacan waa la garan karaa...oo cid mas'uul ah oo loo caroon karo ayaan jirin. ***
15.03.92
United Nations Transitional Administration (UNTAD) oo Kamboodiya laga dhisay.Waxay la

shaqaynaysaa Supreme National Council (SNC) oo uu Guddoomiye ka yahay Prince Norodom Sihanouk (2 sano). ***

Jaamac Maxamed Axmed oo 40 sano London deggan wuxuu yiri: "Waxaan ka baxaa guriga gadaashiisa si aanan deriska ula kulmin oo ayan iigu oran 'ma aad aragtay barnaamijkii Tv-ga ee ku saabsanaa Soomaaliya. BBC ***

17.03.92

"Kismaayo baannu isku maalin qax ku tagnay aniga iyo Maxamed Siyaad Barre. Jannaayo 1deedii ayuu MSB Bankiga xiray (1991ka). Xamar waxaan uga imid 25 guri oo wada burburay. Kismaayo nuskeed ma aan lihi, guryase waan ku leeyahay...kuwo waxaa ku jira Hey'adaha Samafalka, ijaarkana waxaan ugu deeqay dadka masaakiinta ah. Lacag badan ma aan haysto mase fara marni.Baabuurro si loo dayacay baa Keenya ii joogtey.Waxaan ku dhashay Kismaayo.. BBC

Waraysi uu C/llaahi Xaaji Nayroobi Kula yeeshay Xaaji Ibraahim Uunlaaye ***

18.03.92

Wakiilka UMA, Wasiirka Arrimaha Dibadda ee Nayjeeriya ayaa si kulul u dhaliilay quursiga Afrika loo muujiyey, haddii la is barbardhigo dadaalka loo galay Yugoslavia (ciidan 20,000) iyo Kamboodiya (ciidan 20,000) iyo sida Soomaaliya loo fududaysnayo.Wakiilka UMA waa Janan Aayas Inuuwaatuu. BBC ***

19.03.92

MSF: 60,000 oo qof baa god qarkii saaran (macaluul, jirro). Badankoodu waxay ka qaxeen dagaallada Xamar.Baahi gargaar geyn. Meeshu waa KISMAAYO. BBC

David Bassiouni wuxuu Cali Mahdi Maxamed u dhiibay qoraal uu u soo diray Boutros-Ghali: Guddi farsamo oo Xamar imanaya Isniinta (23.3.92), 16 xubnood (Ummadaha Midoobay, Jaamacadda Carabta, Ururka Midnimada Afrika iyo Mu'tamarka Islaamka). Waxay Xamar joogayaan 4 maalmood kaddibna waxay Golaha Ammaanka u soo gudbinayaan warbixin ku saabsan inta ciidan loo baahan yahay. RM/W

Afhayeen Wasaaradda Arrimaha Gudaha: Kooxda MFC waxay abaabulaysaa in ay soo weeraraan waddada xiriirisa Dekedda, Gegida Dayuuradaha iyo Kaydka Shidaalka Dhexe. RM/W

***

20.03.92

Jamce, Ramadaan iyo biyo la'aan. Arrintu ma ay cusba waxaase niyad-jabkii sii kordhiyey gubiddii Kaydka Shidaalka loo geystey 9.3.92. Dareenka dadweynaha ku sheekaysanaya waddooyinka, basaska iyo meelaha lagu kulmo oo dhan waa caalwaa, quus. ***

21.03.92

Laanqayrta Cas: Dad ka qaxay dagaallada Xamar iyo Jubbada Hoose ayaa meelo badan si xun ugu tabaalaysan. BBC ***

Shir looga falaanqoonayey nabadaynta iyo is-afgaradka dhinacayada bulshada ayaa waxaa ku kulmay haweenka USC, SSNM, SDM iyo SPM.Waxaa goobjoog ka ahaa marwada Guddoomiyaha USC, Khadiijo Siciid Gurxan.
RM/K

Madaxweynaha kmg ah CMM ayaa wuxuu la kulmay safiirrada Masar (Fatxi Xasan) iyo Ururuka Xoraynta Falastiin (Kamaal Qasaas).. Nabadda iyo kaalmaynta Soomaaliya ayay wadahadalladu ku saabsanaayeen. RM/W ***

22.03.92

Feysal Cali Waraabe, London kase yimid Finland: " Jamhuuriyadda Soomaliland dagaal xun baa lagu hayaa, markii hawlo laga fulin lahaa Berbera, qalalaase ayaa laga ridey; markii Dawladaha Ingiriiska, Faransiiska, Jarmalka ay qarka u saarnaayeen in ay Jamhuuriyadda aqoonsadaan, waxaa la ridey dagaalkii Burco.Cidda sidaas xun Jamhuuriyadda Soomaaliland ula diriraysaa waa Manifesto oo doonaysa inay Woqooyina sidii Koofur u baabbi'iso". RM/K/BBC

Cismaan Xasan Cali 'Caato', xubin Golaha Dhexe ee USC oo ka soo noqday New York (warbixin): "waxaannu la kulannay mas'uuliyiin Maraykan ah oo uu ka mid yahay Herman Cohen iyo kuwo Ingiriis ah. Is-afgarad". "Waxaannu wada hadallo la soo yeelannay wakiillada SNM, SPM

iyo SNF (Inj.Cismaan Jaamac Cali, Cumar Xaaji Masalle, Shire Suudi iyo kuwo kale)."
Ergada Cali Mahdi Max'ed waxay qoraal ku weyddiisteen in Ciidammo Dalka la keeno, kumase ayan guuleysan oo Maraykanku ma oggola in Ciidammo Soomaaliya loo diro.Waxaa tixgelin helay talooyinkii USCda." RM/K

23.03.92

Madaxweynaha kmg ah CMM oo la kulmay ergadii Ummadaha Midoobay: hubinta heshiiskii xabbad-Joojinta, ciidammo keenista iyo arrimaha qaybinta gargaarka. CMM oo ku adkeeyey baahida loo qabo ciidammo xasiliya Xamar, dadka rayidka ah hubka ka ururiya, burcadda ka hortaga.Ergadu waxay ka koobnaayeen 16 xubnood, 4 maalmood ayayna Xamar joogeen, kaddib Kismaayo iyo Berbera bay aadeen. RM/W

Guddoomiyaha USC, MFC oo la kulmay ergada Ummadaha Midoobay iyo 3da Urur Goboleed (Jaamacadda Carabta, Ururka Midnimada Afrika iyo Mu'tamarka Islaamka).Wuxuu kala hadlay sida ugu habboon ee loo sii dhaqangelinayo xabbad-joojinta iyo arrimaha qaybinta kaalmooyinka. RM/K ***

24.03.92

CMM wuxuu ugu baaqay ciidammada la soo xulay. "Ururka Geeridiid" dadaal iyo daacadnimo.Taliyuhu waa G/Dhexe Axmed

Xasan Maxamuud Faarax. Xil: la dagaallanka burcadda, iwm. RM/W

Saldhigga Afar-irdood (Shir lagula dagaallamayo burcadda). Ka qaybgal Xamarweyne iyo Xamar-jajab. Goobjooge Guddoomiyaha nabadgelyada ee Xamarweyne G/sare Xuseen Weheliye. RM/K

Dilkii wadaha baabuurka Ergada Ummadaha Midoobay oo ka dhacay dhinaca Koofure. Cudurdaar: "Waa burcad".CMM oo la kulmay Madaxa Ergada Robert Chalenger (Kanada). BBC

Kulan Guddiyo farsamo: dhinaca Ergada (khubaro iyo saraakiil ciidan) madax G/Sare Michel …?dhinaca kale (Sarreeye Gaas Axmed Sahal Cali 'Ciriiri',Taliyaha Xoogga Dalka, Max'ed Nuur Wardheere, Wasiir kuxigeenka Gaashaandhigga, Dr Awees Xaaji Yuusuf, Dr Max'ed Axmed Xabbad). RM/W

'Afur' lagu xusayey, waddanigii weynaa Cabdullaahi Ciise Max'uud (SYL), sannad-guuradii 4aad ee geeridiisa.Tilmaamihiisii oo ay xog'ogaal badni wax ka taataabteen sida Ottavio, C/raxmaan Aswad, Cali Siciid, iwm. RM/K ***

25.03.92

CMM wuxuu la kulmay ergay gaar ah oo ka socda Boutros-Ghali, mudane Maxamed Sahnuun oo u dhashay Jazaa'ir. Guubaabo iyo ku sii adkayn xabbad-joojinta. RM/W ***

26.03.92

Labada Hey'adood ee Xuquuqda Benii-aadamka iyo Africa Watch. Soomaaliya: 14,000 geeri iyo 27,000 dhaawac. BBC

Laanqayrta Cas: Waxay sheegtay in hal malyuun oo qof ay macaluul god qarkiis la saaran yihiin (Xamar). BBC

'Xamar Amar kama jiro.' Argaggax iyo maskax-farad, yar iyo weyn dadka Xamar deggan. BBC

Cirmareen Soofiyeeti (reer Kasakistan) wuxuu hawada ku maqnaa 313 maalmood. Soo noqosho iyo dhakafaar: Wuxuu la kulmay Midowga Soofiyeeti oo burburay, shuyuuciyaddii oo baabba'day, M. Gorbashov oo iscasilay.

Go'aanno Guddiga Fulinta (GMS): dibudhisidda iyo dib u hawlgelinta Hey'adaha Garsoorka. RM/K

La kulmid duq Cammuudi ah: Sidii Boosaaso loogu soo dhoweeyey kuwii doonayey Yemen iyo sida socdaalka loogu fududeeyey, inkasta oo 3 doonyood mid ka mid ahayd ay caaridey oo tobaneeyo qof ku dhinteen; sida wacan ee Boosaaso loo dejiyey (qalin iyo dahab-shub, kharkhaanley, farsamo Aliindi, Saacado, Raadiye -Tv, Cunto(macmacaan), farshaxan oo dhan. Dawrka weyn ee uu dejinta ka qaatay Xasan Abshir Faarax oo u xilsaaran arrimaha ' reer Xamarka'...4 kun iyo dheeraad baa shaqo siiba xirfad ku meelayn lagu hayaa.

Madaxa reer Xamarka Shariif Saadaat ayaa Masaajidka Marwaas kaga dhawaaqay Bari u qaxidda. ***

27.03.92

BERBERA- Laanqayrta Cas waxay sheegtay in wadahoodii Berbera lagu diley (toogasho), baabuurkiina la dhacay. BBC

C/llaahi Xaaji oo Nayroobi ku waraystay Xaaji Ibraahim Uunlaaye: Dhisid Isbitaalka Indhaha (Afgooye). Keligiis ayaa kharajka bixinayey: 24000 oo Indhaha ka jirran ayaa isdiiwaan-geliyey si loo daaweeyo dagaalladii sokeeye ka hor. Waxaase dhacay in ay mooryaani bililiqaysatay, gurigiina burburisay. Wuxuu kaloo dhisay Isbitaallo kale, dhawr Masaajid iyo Dugsiyo. ***

28.3.92

22 maalmood baa ka soo wareegtey boobkii iyo gubiddii kaydka Shidaalka.Hortiiba, ceelashu way shidaal la'aayeen, rajo 'caato' ah ayaase la iska qabey oo ah: "Armay mar uun ceelasha shidaal siiyaan". Kolkii ay rajadaasi xirantay ayaa hadda waxa la leeyahay motoorradii ceelasha ayaa qabiil-qabiil loo qaybsaday." ***

29.3.92

Yuusuf Ibraahim 'Abuu-raas': wuxuu ku taliyey in la dhiso Maamullo Goboleed sida kan Boosaaso, la isuna raacsiiyo sidatan:
Hiiraan-Sh.Dhexe iyo Banaadir;
Bay, Bakool iyo Gedo.

Sh.Hoose, Jubb.Dhexe iyo Jubb.Hoose. BBC
SAXIIX Shalay (Sabti)
Ergada Caalamiga ah iyo CMM iyo MFC waxay kala saxiixdeen heshiis Dalka lagu keenayo ciidammo 50 (konton) ah, Dekedda iyo Gegida Dayuuradahana ay mid walba ilaaliyaan Guddi isku dhaf ah (9 xubnood, dhinaciiba Saddex). Muuse Shiikh Maxamed Weli(Sucuudi) Waxay aniga ila tahay.
30.03.92
Abwaan Sangub iyo qaxii uu ka bilaabay Buulo-xuubey taniyo Xeryaha Kenya. "Carruurtii oo uusan qaar ka warhayn taniyo waagaas."
Bilowgii dagaalka waxaan u haystey dagaal dhexmaraya mucaaradka iyo Taliskii Siyaad, kaddib waxaan arkay inuu "qaab" kale leeyahay waana aan qaxay.
Dagaallada Xamar: "Yaab! Marka uu dadkiisa oo dhan gumaado, miyuu adduunweynaha ku jeesanayaa, isaga oo leh: "Waxaan ahay madax, dadkaygiina waan dhammeeyey ee i amaahiya, dad aan xukumo!" ***
31.03.92
Booqasho Kaaraan (Siciid Cismaan, C/raxmaan C/shakuur'Aswad', Cilmi Xasan Yuusuf 'Gasaawe' iyo Axmed Daahir C/lle Geesood 'Buraashad'.Kolkii aannu Hotel Towfiiq gudubnay, Suuq-Bacaad agtiisa ayaa isbaarro (Jidgooyo) naloo dhigtay. Annaga oo qiilqiil ku jirna ayaa waxaa yimid kooxda la dagaallanka

burcadda (2 baroon), kolkaas ayay burcaddii kala carartay. Haddiiba waannu soo noqonnay wax dhibaato ahna lama aannaan kulmin.Baabuurta la joojinayo waxaa laga baarayey hub iyo saanad. ***

01.04.92

Berbera iyo meelo kale waxaa ka socdey dagaallo culus.Ergadii Caalamiga ahayd way ku degi weydey: xabbad meel walba ka dhacaysa awgeed, shaqaalihii gargaarkuna wuu qaxay.
BBC

Janan Maxamed Abshir Muuse oo ballan la lahaa Ergada Ummadaha Midoobey, Jaamacadda Carabta, Ururka Midowga Afrika & Mu'tamarka Islaamka kulana kulmay Jabbuuti.Waxay Ka wada hadleen sidii Boosaaso gargaar loo gaarsiin lahaa. M.A.M waa Guddoomiyaha kmg ee SSDF.
BBC

Godey (Itoobiyada Koofure) oo lagu diley mid ka mid ah madaxda Hey'adaha Samafalka. Waxay joojiyeen gargaar shaqaalohoodiina Dalka ayuu ka baxay. BBC ***

02.04.92

Finland. Dhibaato qaxooti: wax aan horey u dhicin: 2 Soomaali ah oo isdishey.Toddobaadka dhow waxaa laga hadli doonaa Soomaali dhimatay oo loo waayey meel lagu aaso. BBC

03.04.92

Dagaallo xunxun ayaa ka dhacaya Shiikh iyo Berbera. BBC

Maanta waa u IID Soomaali aan badnayn oo aannu ku jirno, sida Afgaanistaan, Dalalka Khaliijka, Iiraan, iwm.

04.04.92

RM Woqooyi iyo kan Koofure waxay isku raaceen in maanta, ay tahay Ciiddii Soonfureed.Waxaa laga baqayey in Ramadaanka loo yeelo laba "garab". RM/W ***

05.04.92

Bannaanbax aad u ballaaran oo lagu qabtay '4ta Jardiino' Ka-qaybgal labada dhinac. Qoode weyn oo lagu marayo waddooyinka. 2da Raadiyaba way sheegeen. ***

TAIWAN

06.04.92

Laba doonyood oo kalluumaysi baa waxaa qabtay Ilaalada Xeebaha ee Maamulka Boosaaso (SSDF).Waxaa laga leeyahay Taiwan.Sharcidarro bay ku kalluumaysanayeen. In la maxkamadeeyo bay sugayaan.Waxaa saarnaa 33 baxri ah. BBC ***

07.04.92

Xalay waxaan ku hoyanney oo martinay xigtada Kaaraan.Mooryaantii ugu da'da yarayd oo aannu Xamar ku aragnay ayaa sii socodkii iyo soo noqoshadiiba halis gelisey basaskii aannu saarnayn.Waxa aannu u bogney waxay ahayd arkidda xalay Degmada (Kaaraan) markii daar dheer laga fiiriyo ay meel waliba (meelo aad u badan) ifayso (motoorro).Motoorro ayan burcad weerarayn waa arrin Xamartii waayahan danbe ku cusub.

Ergadii caalamiga ahayd:

XAMAR :waxay la kulmeen CMM & MFC.Xabbad-Joojin wanaag u eg.
HARGEYSA:Hortii waxay ku degi waayeen Berbera. Hadda Hargeysa ayay waxay kula kulmeen C/raxmaan Axmed Cali "Tuur", 'Madaxweynaha Jamhuuriyadda Somaaliland.
KISMAAYO:Janan Gabyow iyo Janan Morgan. Gabyow oo ah Guddoomiyaha SPM.
NAYROOBI: waxay la kulmeem wiil uu MSB dhalay C/llaahi (SNF) oo ahaan jirey Wasiir ku-xigeenka Caafimaadka.Badanaa waxaa laga hadlay arrimaha gargaarka. ***

Afhayeen USC: Beenin war Focus on Africa oo sheegtay in MFC abaabulayo ciidammo weerar. Wararkaas oo laga xigtey la-hayste Siciid Bakar Mukhtaar oo ay Manifesto ku adeegato. RM/K ***

08.04.92

Siciid Cismaan Keenadiid, C/raxmaan C/shakuur 'Aswad', Cilmi Xasan Yuusuf 'Gaasaawe' iyo Axmed-Daahir Cabdulle Geesood 'Buraashad' oo ka soo noqday Woqooyiga Xamar. Bakaaraha Bakhaarka Nuur Ciise Cabdi. Magaca Bakhaarku waa DALSAN 2. ***

Danta laga lahaa booqashada Woqooyi-Xamar waxay ahayd dayuurad u helidda Aswad Nayroobi.

09.04.92
Ammaan iyo bogaadin waxaa mudan ciidammada SSDF sida ay u ilaalinayaan xeebaha Dalka... RM/W
Feysal Cali Waraabe (Finland), haddase jooga London: Waxaa la waayey meel lagu aaso Soomaalida. Kurdiyiintu dhawr jeer bay xabaalaha diideen.Dawladdu waxay kula talisay dhul iibsasho. Lacag? Meyd ayaa mar dhexdeer ah 5 maalmood ku jirey qaboojiye.
Warayste C/llaahi Xaaji. BBC ***
10.04.92
Madaafiicdii 2da dhinac waa laga raystay, waxaase tarmay boobkii iyo bililiqadii...guryo, masaajiddo, iwm.waxaa lagu hayaa fara-kulul...Gaari-dameer ay jiingado saaran yihiin waa muuqaal joogto ah...
PARIS (Aqoon-isweydaarsi). Kulan dad iyo fikrado kala duwan. "Maxaa dhaliyey dhibaa-tooyinka Soomaaliyeed?". Waxyaalaha la yiri, sida uu sheegay Siciid Faarax (Yare) oo ka qaybgalay, waxaa ka mid ahaa: "Soomaalidu waa yey waalan..." Siciid fikradahaas wuu diiddan yahay oo wuxuu qabaa in dhiskii suubbanaa iyo samo-ka-tashigii lagu yiqiin bulshada Soomaaliyeed ay siyaasaddii MSB baas u noqotay oo xididda u siibtey.
BBC 8dii ama 9kii bishan. ***
11.04.92
Ascaartii cuntada (bur, bariis, iwm) oo cirka isku

shareertay. Maalin dhoweyd quraarad saliid ah tuug la cararay baa la toogtey (dhimey). Kan wax aan wixiisa ahayn baa lagu diley, intee baase waxooda lagu diley? ***

12.04.92

CMM oo xusay Sannadguuradii 32aad ee ciidammada Xoogga Dalka Soomaaliyeed.

RM/W

MFC oo xusay Sannadguuradii 32aad ee ciidammada Xoogga Dalka Soomaaliyeed.

Afhayeen USC: "...10kii bishan waxaa Ballidoogle (Gegida Dayuuradaha) iyo Wanleweyn soo weeraray ciidammo ka amarqaata Maxamed Siyaad Barre."

RM/K ***

CMM iyo madaxa Ergada gargaarka oo kulmay. Is-afgarad. Wada-shaqayn. RM/W ***

1. Madaxweyne Siciid Maxamed Joohaar (Jasiiradaha Comore) oo hawada Soomaaliya lalaya ayaa mahad iyo salaan u soo diray Madaxweynaha kmg CMM.

2. Guddi 3 geesood ah (Ummadaha Midoobey David Bassiouni iyo wakiillada 2da dhinac oo wada shaqaynta isku afgaratay.Waa shir ay labada dhinac is-agfariistaan kii u horreeyey.. David Bassiouni: Markabka u soo horreeyaa waa tijaabo xagga Dekadda iyo Maamulkeeda ...haddii ay hagaagto waxaa xigaya xiriir kaalmo ah. Waxaa lagu shiray dhismaha Ummadaha Midoobay ee Degmada Kaaraan. RM/K ***

Ceerigaabo (Jamhuuriyadda Somaliland) oo laga afduubay dayuurad yar oo ay leedahay Laanqayrta CAS... Jabbuuti bay ku degtey. Wadahadallo. BBC ***

(Radio Jabbuti-Fiid): Dayuuradda waxaa lahaa Ururka Ingiriiska ee Save the Children. 5 dhallinyaro hubaysan ah baa afduubtay. ***

14.04.92

Waxay isu dhiibeen Dawladda Jabbuuti, codsigoodaanna waa laga oggolaaday:

- Inaan Soomaaliya lagu celin.
- Inaan Jabbuuti lagu xirin.
- In la siiyo aqoonsi qaxootinnimo.

Waxay ka soo baxsadeen dhibaatada dagaallada qabaa'ilka ee Jamhuuriyadda Soomaaliland. BBC

***

15.04.92

Afhayeenka ergada (Ummadaha Midoobey): CMM & MFC baa markii ugu horreeyey is-hor fariistay oo heshiis wada saxiixay (Nabadda Dekedda, qaybinta kaalmada, iwm.) ***

16.04.92

Beenin BBC-dii shalay: Warkii ahaa in CMM iyo MFC ay is-hor fariisteen oo wada saxiixeen heshiis ku saabsan Nabadgelyada Dekedda, qaybint kaalmada, iwm.waa mid aan sal iyo raad lahayn. RM/W

Baaq: Awdal, Sanaag iyo Sool. Garaad C/qani Garaad Jaamac oo ka mid ahaa maqaawiirta saddexdaas Gobol: Maskaxdu waa inay wax

maamushaa ee aan xabbadda lala tashan…Baaqu wuxuu u jeedaa Soomaaliya dhammaanteed, Koofur & Woqooyi, gaar ahaanse Berbara.
Waraysi BBC (Jabbuuti) ***
17.04.92
Camera-man Tv oo MSB ku waraystay Hotel Baydhabo.. "Xamar ayaan u socdaa, xal kamadanbays ahna arrimaha Soomaaliyeed waa laga gaarayaa. BBC
18.04.92
Laba markab oo gargaar sida oo shalay ku kala xirtay Cadale iyo Warshiikh (1000 ton kiiba); mid Laanqayrta Cas shidaal u keenayna wuu noqday. RM/W ***
19.4.92
Yuusuf Axmed Muxyaddiin, Guddoomiyaha Degaanka Wanleweyn wuxuu sheegay in ciidammada MSB ay noqdeen wax la diley iyo wax la qabtay. R-K-S RM(K) ***
20.04.92
Xamar oo shidan (burcad, roob la'aan, kaalmo dibadeed la'aan) ayaa waxaa gobollo kale shiday weerarrada SNM, USC (MFC), SPM (ACJ), SDM (CNC) iyo SNF (MSB)…Ummad marna la leeyahay macaluul bay u dhimanaysaa, marna dagaal bay ku dhimanaysaa.
21.04.92
Haddii aad doonaysid inaad garatid barnaamijyada siyaasadeed iyo mabaadii'da ka danbaysa, xusuuso oraahda ah: " War dhafoor

buu ku yaal" oo waxaa kugu filan inaad eegto "
dhafoorrada" Caasimadda oo bilo ka hor la oran
jirey ' Xamar Cadde', shisheeyuhuna uu u yiqiin
' luulkii' Badweynta Hindiya. ***

22.04.92

Waraysi Aadan Nuur Cabdulle 'Gabyow', Gudd.
SPM oo Axaddii ka yimid Kismaayo haddana
jooga Nayroobi:

- Col ka soo dusey dhinaca Sablaale (Baraawe)
- Caabbin (jebin) …firxadkoodii waxaa lagu sheegayaa …aagga Marka.
- Ciidammadayada waxaa hoggaaminaya Janan Morgan (SPM).

CMM: Wuxuu ugu baaqay lixdii Urur ee
Jabbuuti in ay wadajir uga hortagaan MSB oo ay
Dalka ka saaraan ama soo qabtaan. RM./W

(London Waraysi)

C/qani Maxamed Guure oo ka soo noqday Bari,
Nugaal, Mudug iyo Galguduud:

- Kaalmo yar bay helaan.3 markab oo kala tagtay Hobyo, Garacad, Eyl; mid kale Boosaaso ayuu tegay.
- Nabad iyo Ganacsi wanaagsan bay ku jiraan.Cadaado ayaa xarun ganacsi u noqotay beelaha SSDF & USC. BBC ***

23.04.92

Waraysi (C/llaahi Xaaji-BBC: S)

Xuseen Dhimbil (USC, garabka MFC-Nayroobi).MSB waa laga qabsaday Wanleweyn, Ballidoogle. Buurhakaba ayaa la sii dhaafinayaa..
Max'uud Khaliif Shire (Guddoomiye ku-xigeenka SNF(Nairobi):
Wanleweyn, iwm. waxaa haysta ciidamm.SNF, waxayna halkaas u qabsadeen dadweynaha ku nool oo ka codsaday inay ka badbaadiyaan dhaca, iwm ee lagu hayey. ***
Boosaaso: Cismaan Abshir Cigaal oo London ku soo noqday, bilana ku maqnaa Gobollada ay maamusho SSDF:
- Jabhad midaysan
- 15.5.92da waxaa Garoowe lagu qaban doonaa shirweyne lagu dooranayo Guddoomiyaha Ururka.
- Malaha waxaa tartamaya Maxamed Abshir Muuse, C/llaahi Yuusuf Axmed.
Ujeeddada Jabhadda: Midaynta Soomaaliya. BBC 24.04.92
Hoggaanka Sare ee USC:
Baydhabo iyo Buurdhuubo oo laga sifeeyey ciidammadii MSB. RM/K
In la sameeyo abaabul wada jir ah si looga hortago ciidammada MSB. RM/W ***
(Boosaaso)
Cismaan Abshir Cigaal:
- Ururkii wadaaddada ee Dekadda maamulayey waa laga qaaday xilkaas.
- Dakhligii Dekadda bay hub ku iibsadeen.

- Dagaal oo dhammi waa u xaaraan, mana ay oggola in ay ka qaybqaataan difaaca Gobollada. SSDF ma ay oggolaan karto mowqifkoodaas.
- Gabadhii ka tirsanayd Hey'adaha Samafalka ee la diley waxaa ka danbeeyey 3 inan oo wadaaddada ka tirsan, magacyadoodana waa la hayaa. Si aan qarsoodi ahayn bay masaajiddada ka yiraahdaan, "Gaalada waannu laynaynnaa..."

BBC ***

25.04.92

Golaha Ammaanka oo ansixiyey diridda 50kii ilaaliye ee xabbad-joojinta.Waxaa kale oo ay mabda'ahaan oggolaadeen taladii Boutros Ghali (500 Askari, hubaysan, gaariyo gaashaaman) oo saldhig ka dhigta Dekedda Xamar...wuxuuse Goluhu gartay in , horta hore, lagala tashado 2da dhinac oo is-haya.Go'aanku waa shalay. BBC ***

26.04.92

Wargeysyo...

Jab iyo Firxad ciidammadii MSB. Hub culus iyo saanad badan ayaa laga furtyay.MSB iyo Maxamuud Xaashi Gaanni oo dhaawac ah ayaa la baadigoobayaa. RM/K

SHIR JARAA'ID (Cabdinaasir Axmed Aadan 'Serjito')

Waxyaalaha laga qabtay ee uu MSB ka cararay waxaa ka mid ah: baabuurkiisii, ushiisii, koofiyaddiisii, dawankiisii (gambaleelkiisii). Waxaa dagaalka loogu jiraa in la soo qabto.
QARAN (Tvs. 14)

Waxaa USC iyo SDM loogu hambalyeyn codsiga ay Hey'adaha Gargaarka u soo jeediyeen si ay kaalmo ula soo gaaraan Gobollada Bay, Bakool iyo Gedo. Dawladda kmg ah waxay wafdi u diraysaa Baydhabo. RM/W

BBC-da oo soo xiganaysa RM (K) oo sheegtay in ciidammada MFC ay dagaal kula jiraan kuwa MSB.Xaqiijin madaxbannaan lama hayo. BBC ***

27.04.92

Axmed Cumar Jees oo hambalyo diirran u soo diray hoggaanka sare ee USC iyo SDM, guushii ay ka gaareen la dagaallanka Ciidammada MSB. RM/K

(RM) **Go'aanno**

Shirkii caadiga ahaa ee Dawladda kmg:

1. U bogaadin dadweynaha yeeliddii uu yeelay baaqii ka hor-tagga MSB.
2. Baaqa lixdii Urur loo jeediyey waxaa ka jawaabay haddiiba USC & SDM.
3. Dirid Wafdi Dawladda ka socda oo booqda meelihii laga saaray ciidammada MSB.
4. Gargaar caalami ah u weyddiin goobaha (3)

Ku mahadin Golaha Ammaanka soo diridda 5tii boqol (500) ee ilaaliye.

SSDF waxay ku baaqday in Soomaaliya loo maamulo sida Kamboodiya.

Waxaa loo magacaabay Dr. Maxamed Sahnuun (Jasaa'ir), Ergeyga gaarka ah oo Ummadaha Midoobay Soomaaliya u qaabbilsan. BBC ***

28.04.92
Beled-Xaawo iyo Garbahaarrey oo la qabtay iyo MSB oo baadigoob loogu jiro. RM/K ***
29.04.92
Baabuurro Summadda Soomaaliya leh ayaa laga soo bililiqaystay Mandheera.Weerarkaas Ciidammada MFC 2 ayaa kaga dhimatay. Naag reer Kenya ahina way ku dhimatay (?) BBC
Shir Arrimaha Wasiirrada Dibadda (Qahira) ee Jaamacadda Carabta. Dawladda kmg ah waxaa uga qaybgelaya Dr. Xaamud. RM/W
MSB waxaa lagu sheegay Wajeer, halkaas oo uu saraakiil sare kula kulmayo.
Laanqayrta Cas: Markab kaalmo sida oo ku soo xirtay JASIIRA. ***
30.04.92
Bilow dhiibid xaashiyo (10 sheeko Kaftandhable) si loo garaaco.Hawsha garaacidda waxaa qoorta u ritey saaxiib Cumar Max'ed Cabdi "Cumar Shariif" (Naynaas kale: Daacad.). Magaca Kmg ah ee buuggu waa: CARTAN (Kaftandhable). ***

(Boosaaso)
Afhayeenka Ururka SSDF ee London: Maxamed Shiikh Cismaan:
- Dakhliga Dekadda Ururka Wadaaddada: 20%.
- Intii xilka (maamulka) Dekadda laga qaaday waa la yareeyey (15%).

- Dekadda maamulkeeda waxaa lagu wareejiyey odayaal uu madax u ahaa (Janan) Cismaan Fatiig oo hadda iscasiley.
- Naagtii Hey'adda Samafalka, Ururkayaga Diineed ma uusan dilin.
- "Maamul 'ku-sheegga' Boosaaso" BBC

01.05.92

Mandheera ku kulmid MFC iyo mas'uuliyiin Keenya ka socota. Xiriir Deris wanaag, ballanqaad dhowrista heshiisyada Caalamiga ah.

RM/(K

G/sare sare Abshir Kaahiye Faarax, Guddoomiyaha Gobolka Bay (Baydhaba) RM/K

SUUQA IIBINTA CARRUURTA

Saldhig weyn oo laga dhoofiyo carruurta la soo xado ayaa wuxuu ku yaal agaggaarka Carwada Taleex. Carruuruhu waxay u badan yihiin Bay iyo Bakool, Jubbada Dhexe iyo Jubbada Hoose. Waaliddiin tabaalaysan ayaa carruurta looga qaadaa in la quudinayo, kaddibna waa laga inkiraa, la haddidaa. Ciidan aad u xoog badan oo ay isku daafacaan bay leeyihiin.

Waxaa kale oo ay ilmaha ka wataan waddooyinka iyo jidgooyooyinka ICRC; ilmo ay da'doodu u dhexayso hal sano iyo afar sano, kuwaas oo aan waxba ka garanayn waalid iyo wax kasta oo kale.

Qoys degganaa Madiina ayaa waxay waayeen wiil yar oo ay dhaleen oo lagu magacaabo

C/llaahi Maxamed. Kol danbe ayay ogaadeen in wiilkooda iyo wiilal badan oo kale ay ku xeraysan yihiin xarun ku taal Taleex. Hooyo iyo Aabbe waxaa la isugu daray diidmo iyo cagajugleyn. Kaddib, awoodda keli ah ee shaqaynaysa ayay adeegsadeen oo ay wiilkooda ku heleen: awood beeleed.
Wargeyska Al-ISLAM, Caddadkiisa 91aad
Sannadka 2aad, 21.8.92 ***
12.11.92
Ibraahim Muuse Cawaale.Kumuu ahaa? Labo sano ku dhowaad kol lagu soo jirey dhac, dil, kufsi, iwm. oo la illaawey, erayo sida sharci, iwm. ayaa waxaa iskood u abaabuley Maxkamd Islaami ah Degmooyinka Wadajir
iyo Dharkaynley. Eedeysanihii ugu horreeyey ee lagu caddeeyo denbiga ah "xatooyo" oo gacanta midig la gooyey waa Ibraahim. Dad badan ayaa u riyaaqay, dad badan oo kalena waxay ugu muuqatay gacan uun "teedii gashay." RM/W
Xukun aan dhicin, dhicise karey!
Oday xaafadda aad looga yaqaan ayaa baabuur laga xaday. Tuuggii baabuurka xaday ayaa Maxkamadda Islaamiga ah saaran. Dad badan ayaa maxkamadda horteeda tuunsan oo xukunka sugaya.
Waxaa soo baxay tuuggii oo gacanta midig la gooyey oo hadlaya oo leh: „Eega ninka gadaashayda soo socda". Waxaa soo muuqday

odaygii ku soo dacwooday in baabuur laga xaday oo, isagana, gacanta midig la gooyey... Baabuurka ayaa bililiqo ahaa!!!

Go'aan Trs. 794 (Golaha Ammaanka)
Operation Restore Hope (O.R.H.)
Hawlgalka Rajo soo celinta
- Faraggelin Ciidammo Shisheeye-
Go'aan: 01.12.92 (ansixin 03.12.92) ***
03.12.92
Boutros-Ghali oo isla maanta ka yiri shirkii Addis Ababa:
"Waa go'aan taariikhi ah oo lagu badbaadinayo Ummadda Soomaaliyeed, xoojinayana Hey'adda Ummadaha Midoobey.
08.12.92
CMM oo la kulmay Danjiraha Maraynkanka Robert Oakley.
Berri (Arbaca) Ciidammo soo degid iyo qabasho Gegida Dayuuradaha iyo Dekedda. Bilow soo degid saqda dhexe. RM/W
9ka Urur ee ku shirsan Addis Ababa waxay taageereen Ciidammada Soomaaliya loo soo diray.
MFC oo la kulmay Danjiraha Maraykanka uguna sheegay arrimaha sidii CMM oo kale. RM/K
9ka Urur, 3 waa reer Woqooyi (SDA, USP, USF): Taageerid go'aanka Hey'addaUmmadaha Midoobey.Waxaa la go'aamiyey in midnimada Soomaaliyeed ay muqaddas tahay. ***

10.12.92
(Ogeysiis Degdeg ah)
Danjiraha Maraykanka oo berri CMM & MFC ku kulansiin doona (Safaaradda Maraykanka) iyo saaddambe (Sabti) markab uu leeyahay Faransiisku dushiisa. RM//W
Cismat Kitaani oo martiqaadka Boutros-Ghali gaarsiiyey CMM & MFC.Waa shirka Addis Ababa, 4.1.93 oo ku saabsan dibuheshiisiin.
Qaxooti Soomaali (Rooma). Hotelkii oo gubtey (300 qof). Dabdemis demin iyo Booliska oo soo noqosho u diidey.Dhaxan iyo baraf.
Vatican tegid iyo dib u soo celin iyo codsigooda u gudbin Dawladda Talyaaniga. Ku ag jiifey Colosseo oo la gubey (aabbe Talyaani ah). Qaxootigaas, jiifsasho (xaarxaarasho) hoy laga guurey.
Talyaanigii, Hey'adaha samafalka ka tirsanaa ee Koofurta Xamar lagu xiray xusuustiisii baa dad badan u muuqatay. Waase arrimo ayan waxba ka dhexayn oo ku eg Fashistada Talyaaniga, sida Naasiga Jarmalka, iwm.Talyaanigaas waa la sii daayey oo waxaa la yiri: "Ismaandhaaf bay ahayd" BBC ***
Cirku, taniyo arbacadii waa guux dayuuradeed, dhulkuna waa sheeko 'maraykan'.
C/raxmaan Axmed Cali 'Tuur': Woqooyi xasilloon sheegid (beelo is-afgarasho) faraggelin ciidan waxaannu u qaadanaynnaa, Koofur ku darmid nalaku sandullaynayo.

Geeri Kow!
2 dhimasho iyo 6 dhaawac. Xabbadayn baabuur jidxirkii ku joogsan waayey.Waa foreign Legicn (Legione Straniera) Faransiis ***

11.12.92 **Heshiiskii CMM & MFC**
Kulansiin Maraynka
1.Colaad Joojin iyo midnimo USC
2. Joojin dacaayad 3. Isu furid Xamar
4. Xoogagga hubaysan gelid xeryahooda, 24 saac gudahood.
5. Kulmid, 24 saac gudahood, guddigii heshiisiinta U.S.C.
6 Baaq (Dibuheshiisiineed).
7. Ku mahadin beesha caalamka. Kaalmo iyo Dibuheshiisiin. ***

07.05.91
Inj. Cismaan Jaamac Cali oo Xamar yimid:

SNM	waa	USC	
USC	waa	SNM	RM/W

08.08.91

CMM	waa	MFC
MFC	waa	CMM

11.12.92 = CMM iyo MFC (Heshiisiin) ***

12.12.92
Saddex baabuur oo hubaysan ayaa hubka darandoorriga u dhaca ku ridey 2 dayuuradood 'kuwa qummaatiga u kaca.' Dayuuradihii Gantaalo ayay haddiiba baabuurtii ku burburiyeen.Tiro dhimasho iyo dhaawac lama sheegin. VOA, BBC

Waraysi Prof. Siciid Shiikh Samatar:
- Shirqool ayaan ka baxsaday; dabbaabad Maraykan ah ayaa la igu geeyey Gegida Dayuuradaha.
- Farax? Dadkii neef baa ka soo kuddey …Soomaali iyo xiisaheed.
- Habar dhacday: Soomaaliya? Waa haweeney uu ninkeedii gabay oo cid waliba xodxodanayso.
- Dadka? Waxay u eg yihiin dad ay maalin dhan dadqalato eryoonaysay.
Maqaalladayda ayaa sidii MSB, waxaa diiddan damaaciga. ***

16.12.92
14kii bisha (isniin) gabar (Km.4) dhagax ayaa lagu garaacay iyada oo ka timid dhinaca Askarta Faransiiska? Dhillaysi ku eedayn? Ma takhtar baa caddeeyey in loo tegey? Soomaalidu waa dadka keli ah oo meel fog ka garan kara arrimahaas.Wargeyska Xog'ogaal (15.12.92) magac: Layla Xasan Siddiiq
Iska soo dabadhac shilalkii taxnaa ee Kismaayo.Arbacadii (9.12.92) warjeefka odayaasha, iwm waxaa Nayroobi ka sheegay Max'ed Xaaji Aadan (xusuus: Xirsi Magan, Eyl).
18.12.92
(CMM & MFC oo mar 2aad lagu kulansiiyey Safaaradda Maraykanka). RM/W & RM /K
Qodobka 4aad fulintiisa: Guddi isku dhaf ah iyo Maraykanka (Goobjoog): Berri (19.12.92) hubka culus (tekniko) waa in magaalada laga saaraa. ***

19.12.92
Afhayeen SSDF (Nairobi): 600-1000 ayaa lagu xasuuqay Kismaayo.
Siddeedda Jabhadood (Urur) oo canbaareeyey xasuuqaas. RM (W)
CMM oo u dhoofay (martiqaadkii Madaxweynaha kmg ee Itoobiya) Addis-Ababa.
RM (W) (T) 20.12.92

Kulan Cismat Kittani iyo MFC.
MFC: Codsi in dib loogu dhigo shirka Addis-Ababa (4.12.92).. "Wadahadallo u socda USC iyo Ururrada (kale) oo Guddiyadooda fulintu tashanayaan....
Mr. Robert Oakley: "La kulmi maayo Maxamed Siciid Morgan oo ku wacan xasuuqii dadkiisa... Wakiilladiisa ayaan la kulmayaa. Marineska ayaa shalay nin ka soo xabbadeeyey baabuur tekniko ah (Barlamaankii hore agtiisa) xabbado ku ridey. Baabuurkii buu ku baxsaday. Lama oga: dhimasho? Dhaawac? BBC ***
Warside (Maalinle) trs.1aad ayay soo saareen shalay ciidammo Isbahaystay: Maraykan iyo kuwa kale. Magaca 'Rajo' waa codka Hawlgalka Rajo soo celinta (H.R.C.)

BBC: 08:00 (Vs Krishtaamaynta) (I) 21.12.92
Ururrada Islaamiga ee Asalraaca ah (Bannaanbaxyo Tahraan & Khartuum). Dr. Turaaabi (Suudaan) hoggaamiye. Suurtoobid

weerarid ciidammada Ummadaha Midoobey.
Waxaa la waraysanayey Ujoogaha (weriye) Bariga Dhexe ee Times: Yaa ugu dhow madaxda Soomaalida?. Kan Suudaan aadka ugu dhowi waa MFC. Gabadhii la qaawiyey kama foga arrinta.
Radio Rajo (Mowjadda Dhexe 148/0 maalin walba 12:30 pm iyo 6 pm.
(12:30 iyo 06: 00)
Harkii dhegeysad (12:30-13:00) Radio Rajo.

Codka Itoobiya sixid warkii shalay: Qofka uu Meles Zenawi la kulmay ma uusan ahayn MFC ee wuxuu ahaa CMM.
Ciidammada Faranasiiska oo diley 3 burcad hubaysan ah …Ciidammo Maraykan ah oo soo gurmadey iyo burcaddii oo kala carartay.
Saaka (11:15) CMM ayaa ka soo degay, Gegida Dayuuradaha ee Cisalley kaddib booqashooyin uu ku soo kala bixiyey Itoobiya iyo Eritreeya.
- Isa soo afgarasho   Baaq nabadeed
- Canbaaraynn xasuuqii Kismaayo (250 qof),
- iyo dagaallada Gobollada Dhexe, kuwaas oo fogeynaya arrimaha Nabadda.

Robert Oakley oo si kulul u beeninaya Time (New York) oo qoray in uu yiri: “lama arko wax hawl ah oo aan ku leeyahay qabaa’ilka islaynaya.”

1. MFC oo saaka u lalay Addis-Ababa,
2. CMM-na saaka ayuu ka soo noqday Addis-Ababa iyo Asmara. BBC ***

22.12.92

Boutros-Ghali: waa in dalka oo dhan hubka laga ururiyaa inta ayan ciidammadu soo noqon.
Washington: Sifayn marimmada iyo xarumaha deeqaha.Hawlgal ku kooban meelaha gaajada loogu dhimanayo.
Boutros-Ghali, maanta ayuu Golaha Ammaanka hor dhigayaa taladiisa.
VOA: Wakaaladdan oo sheegtay bilaabashada dhow ee barnaamij AF Soomaali ah, Ax. 27.12.92

Radio Rajo:
26,000 (galaan) biyaha badda oo la sifeeyo (cusbada oo laga miiro). Halkii galaan 4,6 Litir (UK), 3,7 Litir (US).
Kulan CMM iyo Robert Oakley- sidii loo fulin lahaa 7dii qodob; ciidammo Dalka oo dhan la keeno. RM/W ***

Caweysin (21:40)
Habeen hore cid aannu deris nahay ayaa la weeraray.Burcad hubaysan.Qayladoodii dheerayd bay ka carareen…inta ay murmeen, iyada oo la maqlayo: "War xabbad ku aammusi" iyo "ka baxsad..."
Caweysinkan annaga ayaa nalaku garaacay…waana nalaka tegey.Waxa keli ah ee

dhiillada na geliyey waxay ahayd saacadda danbe oo aan waayadan ahayn saacad booqasho, iyo weerarro badan oo noo horreeyey.

- Yaab kale waa deris nagu yiri: "Waxaa jira guryo la tira kobo"
- F.G = Ciidammada isbahaystay ayaa burcadda ka hor joogsadey deeqihii ay dhici jireen, hubkii ay wax ku dhici jireenna lagama qaadin.Meesha hubka lala aadayo si fudud ayaa loo garan karaa…

Hadal ay toddobaadkan Nayroobi ka soo saareen Ujoogayaasha Isbahaysatada Dimuqraaddiga ee Soomaaliya (DAS): Robert Oakley ha la beddelo … karti la'aan awgeed. Ma Morgan la hadli maayadiisii baa isgensi dhalisay? Ma kartidarro dhab ah baa jirta? Mise, labaduba way isbiirsadeen? BBC ***

23.12.92

Miino waddada Baardheere: dhimasho nin Maraykan ah iyo dhaawac 3 (saddex) mid culus yahay. <u>Waa dhimashadii ugu horreysay ee Ciidammada Isbahaystay</u>.Qulqul hakasho iyo miinooyin gurid.Faransiis baa wehesha. ***

25.12.92

Tv-ga Maraykanka xalay waraysi Maxamed Siciid Morgan; waxa uu iska daafacay eedihii uu u soo jeediyey Robert Oakley.

Aroor (VOA):

Baydhabo ayay ku iideen Ciidammada Masiixiyiinta; dhafar bay u ahayd Askarta

Maraykanka iyo Faransiiska. MFC oo ka soo noqday Itoobiya iyo Eretereeye halkaas oo uu kula soo kulmay xubno ka tirsan SSDF iyo SNF, aanse madax ahayn. RM/K

24.12.92

Waraysi: Isterliin Cabdi Cariif oo eedaynaysa maskaxda jaban ee masabbidday Leyla Xasan iyo sidii xumayd (hubsiino la'aan) ee loola dhaqmay. BBC ***

28.12.92

CMM iyo MFC oo ka wada qaybgalay bannaanbax nabadeed (Beerta Daraawiishta), Weliyow Cadde. Waxaa si xun u aloosan colaadda Murusade & Habargidir.Ilaalo xaafadeed. Ciidammada Isbahaysatadu waxay qabsadeen Beledweyne oo ah meeshii ugu danbaysey (Xamar, Ballidoogle, Baydhabo, Baardheere, Kismaayo, Xuddur, Jalalaqsi, B/weyne). ***

29.12.92

8-9-10 (iyo 11kii Dis). Xasuuqii Kismaayo. Diblomaasiyiin (Xamar): Xasuuq 200 Harti ah. Time (NewYork) oo ka xigtey Robert Oakley: "Waannu u sheegnay Jees in aannu ognahay oo aannaan illaawi doonin." (Ka sifayn Hartiga Kismaayo inta ayan imaannin Ciidammada Maraykanka iyo kuwa ay wataan). ***

30.12.92

Unified Task Force: waa magac Cusub. BBC

Maxamed Abshir Wolde:

Hortii Ciidammada Shisheeye waa looga digay halista soo foodsaari karta Hartiga Kismaayood—Haddeer Maraykanka oo jooga ayaa la laynayaa.. ***
31.12.92
Imaatin George Bush—Dayuurado-Xambaare (Tripoli) dushiisa ayuu Ciidammadiisa kula iidey sannadka cusub.Booqasho Baydhabo…2 maalmood joogis.
Mooska ayuu ku soo saxiixayaa Arms Reduction Treaty (Start2 Treaty). Dhimis 10ka sano oo soo aaddan 2/3 hubka halista ah.

(**Dilid) Sean Deveoux**
British Relief Worker, Kismaayo (madaxa UNICEF), waaya arag ka soo shaqeeyey Saybeeriya. 28 jir.Ka soo noqosho fasax ciiddiisa Nayroobi.Wuxuu ahaa kii ay wakaaladaha wararku ka xigteen xasuuqii Hartiga.
UNICEF: sii xumaashaha nabadgelyada: xabbadayn iyo dhac baabuurro badan inta ay isbahaysatadu Joogto.
03.01.93
CMM & MFC oo u kala anbabaxay Addis-Ababa. Shirku wuxuu furmayaa berri.
RM/W, K, BBC
Ku bannaanbixid Boutros-Ghali: Dhagaxtuur. Shir jaraa'id ayuu ku qaban waayey xarunta Ummadaha Midoobay, kaddib wuxuu la kulmay

weriyeyaasha: "Waa nabaddiid, mucaarad ku ah dibuheshiisiinta..." Ku eedayn dhinac ahaansho.
04.01.93
Ciidammada Beljam (Kismaayo) oo helay 17 qof xabaashood.Waa xasuuqii Kismaayo. Baaqa Ururradu ku eedaynayeen Axmed Cumar Jees waxay ku sheegeen taariikhda 14kii Dis.1992.Gumaad (qorshe.)Dis. 8-14. BBC
Waxaa furmay shirkii Ururrada (Addis-Ababa): Afar Urur (SSDF, USP, SNF, SPM) waxay go'aansadeen in ay shirka ka baxayaan haddii aan shirka loo oggolaan SNDU, SANU iyo SDR (Gabooyaha) iyo SAMO.
05.01.93
Ururka kore waa loo oggolaaday ka qaybgalka, sida uu sheegay CabdullaahiYuusuf Axmed 'Yey'. BBC
Guddi denbi baaris ah ayaa Ameerika ka soo socda.Yool: Ciddii ka danbeysey dilka 17kii meyd ee ay ciidammada Beljam ka heleen duleedka Gegida Dayuuradaha ee Kismaayo...iyo Sarkaal Ingiriis ah oo madax ka ahaa UNICEF.Hey'addani shaqaleheedii kale way ka qaadatay Kismaayo. VOA Radio Rajo

Banbax dadweyne: Balcad iyo tuulooyinka la xiriira: qoraallo, looxyo, iwm.Khudbooyinka mas'uuliyiinta degaanka iyo G/Sare oo ka tirsan ciidammada Talyaaniga. Sacab lagu taageereerayo Ciidammada Ummadaha Midoobay. RM/W

Sarkaalku waa kii uga warramay wakaaladaha wararka xasuuqii Hartiga ee Kismaayo.

Robert Oakley: Waxaannu yaraynaynnaa (6.2.93) awoodda qabqableyaasha dagaalka: Tusaale: (Baydhabo)- Guddi Degaan oo ballaaran oo ka kooban, odayaal, culimmo, kuwo ka tirsanaan jirey axsaab…oo ka madaxbannaan qabqableyaasha. VOA (Aroor)

Marines: burcadda ayay hubka ka dhigeen, midna ka dileen (Istaadio Muqdisho). VOA/A.S

Burcadda oo shalay dishey Cali Ibraahim Mursal, turjumaan u shaqeeynayay Wakaaladaha wararka ee Maraykanka middood. (AP)VOA

Kismaayo: Banbax lagu canbaareynayey dilkii Sean Deveoux (madaxa UNICEF).Bannaanbaxa waxaa ka qayb qaatay 200 qof.

Weerarkii cirka iyo dhulka ee ay ciidammada Maraykanku ku qaadeen saldhig (xero) lagu ururiyey hub aad u farabadan ee uu ka taliyo MFC: burbur, dhimasho, qabasho iyo wadasho 11 dabley ah. Warka guud (Raadiyeyaal: Rajo, RM (W), RM (K), BBC, iwm.

14kii Urur oo gaarey heshiis hordhac ah…5ta Maarso kulan dibuheshiisiineed. Waxaa heshiiyey oo midoobey labadii garab ee SDM.

Ka hor shirka:
- Xabbad joojin - Dacaayad joojin
- Hub ururin (xasilin) - Diyaarin golaha shirka.
Ibraahim Meygaag Samatar (SNM) oo shirka ka hadlay; buuq iyo shilal siyaasadeed baa dhacay…"SNM oo keli ah u hadal."

Heshiis hordhac ah Addis-Ababa (4-8 Jan. 93)
1. Bisha Maarso 15keeda waxaa lagu shirayaa Addis-Ababa.
2. Xabbad Joojin iyo ururin (dalka oo dhan) hubka, kan culus iyo kan fududba.
3. Joojin isdacaayadaynta.
4. Diyaarin ajendada Shirweynaha Qaran.
Boutros-Ghali: 'Ammaan iyo u rajayn libin'.
Saxiixa14ka. RM/W
Addis-Ababa: Waxaa midoobay labadii garab ee SDM (Dr Mayow iyo G/sare Maxamed Nuur Caliyow).
SNM ku ekaan goobjoognimo.

Raadiyahan oo sheegay in uu beryahan ka aammusnaa Shirka Addis-Ababa ayaa bandhig - giisa ku sheegay qodobbadii heshiiska. RM/K
Aroor hore taniyo galabta, dagaal iyo hub jaad kasta ah ayaa waxaa isu adeegsadey Murusade iyo Habargidir
Shirkii Addis-Ababa weli way ka maqan yihiin madaxda Ururradu. Ka shaqayn qodobbada hordhaca u ah shirka Maarso 15, 1993.

11.01.93

Mudaneyaashii Koongreska oo markii ay ka soo noqdeen Baydhaba Xamar lagu xabbadeeyey. Jaliilad ku qarxatay fariisin Maraykan. Waxyeello la'aan. Waxaa loo malaynayaa aargudasho la xiriirta xeradii la weeraray 7.1.93

VOA AS & kale

Gebagabadii hub ururinta ee Bakaaraha waxaa ka qayb qaatay Ciidammada Maraykanka: taangiyo, dayuurado.

Qaybdiid oo ka soo noqday Gobollada Dhexe oo sheegay in haraagii Siyaad (SSDF, SNF) ay burbur xun gaysteen, haddase dib loo celiyey.

RM/K

12.01.93

Maxamed Abshir Wolde oo Nayroobi ka warramay: Weerar shan dhinac ah. Yool: Galkacyo oo la qabsado inta uu shirku socdo baa la islahaa.

BBC-Aroor:

Xalay iyo saaka: Weerarkii ay maxaysatadii ka timid Woqooyi ku soo qaadday Barxadda Elman Electronic (Wardhiigley), Hotel Florence, Xamar Bila dib baa loo celiyey. RM/K

Addis-Ababa:

- Heshiiskii lama saxiixin oo MFC baa diiddan in ay Ummadaha Midoobay hubka urursheen.

VOA (AS).

- MFC: Mudnaan gaar ah waa in nala siiyo oo waxaannu nahay ciidammadii MSB dalka ka saaray. BBC

Dr. Cabdi Aadan (Wasiir ku-xigeen Caafimaadka)..haddii aydinnaan heshiis gaarin Addis Ababa ka aad bixi maysaan.Waxaa joogey C/majiid Xuseen, Faadumo Qaasim, Axmed Naaji iyo Max'ed Siciid Gacaliye. Martiqaad bay ahayd.

Waraysi Wargeyska Rajo: Aadan C/lle Cismaan:

- Anigu waxaan ahay Hawiye siddeeddayda ilmood Daarood baa dhalay.
- Ciidammo keenista waxaa diiddan tuugada iyo burcadda.
- Waa in aydinnaan dhegta u dhigin hoggaamiyeyaasha qabaa'ilka isku diraya, kala qaybinaya si ay danohooda gaarka ah u gaaraan.

Gebagabadii Bakaaraha ee shalay waxay ahayd hawlgalkii ugu weynaa ee hub ururinta, taniyo maanta: 7(toddoba) baabuur oo hub ah ayaa laga raray (7:30-14:00). R. RAJO

13.01.93

Hal 'marine' ah oo lagu diley Gegida Dayuuradaha agteeda. VOA, iwm

Max'ed Abshir Muuse: ka qabsasho 15 tekniko, shanna gubid… Eeg dorraad Qaybdiid. Addis Ababa: Tixgelin Jabhadihii MSB, dalka ka saaray "Aqoonsi gaar ah." Maxamed Abshir Muuse:

Maxaa eryiddii ka danbeeyey? Dad mee.. Halaag baa ka danbeeyey. BBC(shalay)
14.01.93
Shalay askari Maraykan ah ayaa garab laga dhaawacay, Istaadiyada Muqdisho.
a) Ciidammada Maraykanka oo diley nin Soomaali ah oo askar hub baaraysa ula baxay buntukh. VOA, BBC.
b). Wuxuu ahaa nin ka mid ah Ilaalada Raadiyaha oo lagu magacaabo Maxamed Abshir Maxamuud…isaga oo hurda ayay Maraykanku gurigiisa ugu galeen oo ku dileen. RM/W

Unitaf waxay gacanta ku dhigtay hubkii ugu badnaa-taniyo maanta- (kun tan) oo jaad kasta leh, Galbeedka Xamar, Km 12 xagga Afgooye kaydkii ugu weynaa waxaa lahaa Ciidammada MFC.Wuxuu kaydku ku qarsoonaa 9 god iyo qolal kore.Waxaa farta ugu fiiqay burcad baabuur dhacaysey oo ay meesha ku kala eryeen iyo Soomaali kale… VOA, BBC, R.Rajo

R.Rajo: Ciidammada Talyaaniga iyo kuwa Botiswana oo hub qabtay.
Xalay fiidkii Xamar: Bowdoqaawis? Hawlgal? 'Bulallayr'.
16.01.93
Shalay waxaa la qabtay hubkii ugu badnaa taniyo maanta.Hal malyuun oo rasaas ah iyo hub. Waa km. 50: koox tuugo ah ayaa qaad

sharciddarro ah soo degsatey… dayuuradihii way carareen. 6 maalmood ayaa dusha laga ilaalinayey.. Burcaddii waa la sii daayey.

VOA, BBC, R.Rajo, kale

Xamar dibaddeeda Unitaf waxay ku dishey 6 burcad ah, 6 kalena way dhaawacday. 6da qaar ayaan burcad ahayn ee ay burcaddu ku gabbanaysey. VOA, R.Rajo, kale

Afhayeen Madaxtooyada CMM:
U jeedin Ummadaha Midoobay iyo Maraykanka baaq ah in ay baaraan arrinta km. 50 oo soo bandhigaan, cambaareeyaan ciddii ka danbaysey, oo jebisey go'aankii Golaha Ammaanka ee ku saabsanaa cunaqabataynta Soomaaliya (xagga hubka) iyo heshiiskii ay shalaydan Addis-Ababa ku gaareen 14ka Urur.

RM (W)

18.10.93
Shirkii Addis-Ababa.: Waxba ka soo bixi mayaan sida kii Jabbuuti oo aan markiiba idiinku sheegay waa hal bacad lagu lisay:
- Niman awood iyo boob u malabsanaya,
- Niman aan daacad ahayn.
- Ku dayasho (doonyo) xukun-boobkii MSB.

Waxaa keli ah ee la sugaaba waa Maraykan ama Ummadaha Midoobay oo 6 bilood ama sannad kaddib ka quusta oo xeebahaas shishe isaga xereeya oo markaas, isugu yeera Soomaali si dhab ah arrimahooda uga tashata.

Prof. Siciid Sh. Samatar BBC (Waraysi)

19.01.93

Dhowr iyo labaatan xubnood oo ka wakiil ah 14kii Urur (Addis-Ababa) oo Cadan Dawladda (2da Xisbiba) marti u ah: Wadatashi. Hoggaamiye Janan Maxamed Abshir Muuse, Afhayeen: Idriis Xasan Diiriye BBC

15.01.93

Heshiiskii Addis-Ababa (Ururro)

1. Me'd Ramadaan Arbow SAMO
2. Me'd Faarax C/llaahi SDA
3. Cabdi Muuse Mayow SDM
4. G/Sare Me'd Nuur Caliyow SDM Midoobey
5. Janan Cumar Xaaji Me'ed SNF
6. Dr. Me'd Raajis Me'd SNU
7. G/Sare Axmed Cumar Jees SPM
8. Janan Aadan C/llaahi Nuur (Gabyow) SPM
9. Jan. Me'd Abshir Muuse SSDF
10. G/S. Cabdi Warsame Isaaq SSNM
11. Janan Me'd Faarax Caydiid USC
12. Me'd Qanyare Afrax USC
13. C/raxmaan Ducaale Cali USF
14. Me'd Cabdi Xaashi USP
15. Cali Ismaaciil Cabdigiir SNDU

21.1.93

Weriye shiine ah oo tagsi ku jira ayaa la dhaawacay, wadihiina wuu dhintay.

BBC & Codka Itoobiya

MFC (shir Jaraa'id): - Ajendada Shirka iyo cidda ka qayb qaadanaysa looma war hayn (SNA).
- Ururro (la kulmid) aan la ogeyn cid ay ka

socdaan …waa shakhsiyaad dibadda ku nool.
- Tanaasulaad badan ayaannu samaynnay; waxaannu la fariisannay kuwo denbi ka galay dadka iyo dalka.
- Nabad iyo midnimo jeclaan. RM/K

Haraadi uu hoggaaminayo Maxamed Siciid Xirsi Morgan oo soo weeraray Degmooyin ka tirsan Afmadow iyo Qooqaani: Burbur, dhac, dil…Waxaa Kismaayo ka sheegay ku-xigeenka SPM Axmed Xaashi Maxamuud. RM/K

22.01.93

Dhacdooyinka waaweyni waa Ururka Gabooyaha ayaa qabsaday Dhoobley. SNF waxay weerartay Matabaan, sidaas darteed, kulankii 7da la isugu iman lahaa wuu burburay.
BBC

23.01.93

Soomaalidii ayaa kala wareegtay Dawladda Dhexe ee Itoobiya maamulka Gobollada 5aad. (Soonka), M/weyne C/llaahi Maxmed Sacad, 110 xubnood (Guddiga Fulinta 19 xubnood).
Go'aannada waxaa ka mid ah qaadashada Af-soomaaliga. Codka Itoobiya

24.01.93

Kismaayo oo qasan.Xabbado, dhagax (tuuryo), dhaawac 5 Beljam iyo 4 Soomaali ah.1 Beljam iyo10 MSF (takhaatiirta aan xudduudka lahayn) ayaa ka baxay Dalka, nabadgelyo la'aan awgeed.
BBC

27.1.93 Boosaaso:
Bannaanbax lagu taageerayo weerarkii ay Unitaf ku qaadday Maxamed Siciid Xirsi Morgan oo jebiyey heshiiskii xabbad-joojinta ee lagu gaareyAddis Ababa.Ka werin Afhayeenka UNOSOM Faaruuq Mawlaawi. RM/K

29.01.93
MFC oo ku wareejiyey Hey'adda ICRC 387 xirane (Ciidammo ka haray kuwii MSB). Goobjoogayaal Safiirro: Fatxi Maxamed Xasan (Masar), Robert Oakley, Ujoogayaal UNOSOM, Safaarado kale...Waxaa magacooda ku hadlay (mahadnaq) sarkaal sare Xuseen Ciise Faarax. Wuxuu shirkaani ka dhacay xaruntii hore ee Denbi Baarista. RM (K), R. Rajo, iwm (Abriil 1991kii baa la qabtay)

30.1.93 Radio Rajo:
Kismaayo Nabadgelyo la'aan. Tuuryo, xabbado...Robert Oakley oo odayaasha beelaha Kismaayo kula shiray. Morgan eedaynta Oakley waa iska joogto, goor kasta, meel kasta.

Wasiirka Warfaafinta Dr. Xuseen Shiikh Kaddare oo beeniyey BBC-da oo sheegtay in Dawladda kmg ahi ayan ka talin Madiina iyo Maka (Ex Dharkaynley).
Waxay la xiriirtaa booqashadii uu Cali Mahdi ku tegey oo loo ekaysiiyey meelo uu ka taliyo MFC. Bermuuda: Hawl-wadaag, Waaberi, X-jajab iyo Hodan. RM/W

2.2.93
SNA (War Cad):
Jebin xabbad-joojintii haraagii MSB, SNF & SSDF; dhinac kalena Morgan & Gabyow...sidaas awgeed, ka qaybgelid la'aan shirkii 7da ee Xamar ka bilaaban lahaa.Wuxuu bilaaban lahaa shalay, 1da. RM/K
Dibucelin Morgan oo dekedda Kismaayo u soo dhowaadey.Hal tekniko ah ayaa laga burburiyey. Raadiye Rajo.
VOA (AS): Ciidammada Jees iyo kuwa Morgan oo diriraya iyo kuwa Unitaf oo cirka ka duqay-naya. 15 meyd oon la aqoon dhinacooda. BBC
03.02.93
Al-Itixaad baa haysta oo go'doomiyey Buuloxaawo, Luuq iyo Doolow. Waxaa ka warramay Axmed Faarax Ducaale iyo qolo Ingiriis (Xaqiiqo raadis) oo laga horjoogsadey gelidda Buuloxaawo. BBC
04.02.93
Guddoomiyaha SNA Jubbada Hoose Mudane Cabdi Dubbad oo aan ruuxiisa iyo raadkiisa midna la hayn kaddib dagaallo ku diran Ciidammada Morgan. QARAN 03.02.93

Xasuuqii Kismaayo: 14 meyd oo xabaalo laga soo saaray oo la diley Disember.Mas'uuliyiinta Maraykanka: warbixinta waxaa loo gudbin Ummadaha Midoobay iyo Aqalka Cad.
Afhayeen Unitaf, G/le sare Fred Peck:

Arrinta garsoorka ma aannu lihin. Qaran 3.2.93

Maraynkanku wuxuu sheegay in uu helay hub aad u badan oo ku aasnaa Istaadiyaha agteeda oo uu lahaa Cismaan Caato oo isbahaysi la leh MFC. BBC

7.02.93

Rajo (Raadiye iyo Wargeys):

Morgan waxaa loo isticmaalay xoog la mid ah kii, bil ka hor lagu muquuniyey Cali Mahdi Maxamed iyo Maxamed Faarax Caydiid.

XamarWeyne (Shir)

8.02.93 (Unitaf iyo Odayo)

- Cuntada qaybtayada ah waxaa qaata kuwo aan reer Xamarba ahayn,
- Dad qaxay iyo dad joogaba guryahoodii waxaa deggan dad kale.

10.02.93

Wafdi sharci ah (Jees):

Unitaf waxeedu waa addoonsi;si gaar ah ayay u faraggelisaa arrimaha SNA.Waa xadgudub aan loo dulqaadan karin. RM/K

Gumeysi nacayb…

16.02.93

La-tashi dad aan waxba ahayn (Duubab sida Suldaammo, Wabarro, Malaakhyo).Diidmo Unitaf… RM/K

17.02.93

R. Rajo: Eedayn Jees. Nabaddiid Kismaayo. VOA

Robert Oakley: Baalasha ayaannu ka rifaynnaa

qabqableyaasha dagaalka, sida shimbiraha. BBC 22.02.93

Kismaayo (Afhayeen MSF : Jees vs Morgan: kan danbe ayaa gacan sarreeya. BBC 23.02.93

Kismaayo oo gacanta u gashay Ciidammada Morgan. Jees iyo taageerayaashiisa oo isku urursanaya magaalada dibaddeeda. Bilow dagaal: 1da Ramadaan iyo qabashadii Kismaayo. Xiriddii Shaydaanka. BBC

MFC: Hambalyo Ramadaan

- Xabbad-joojintii oo la jebiyey. Xasuuqii Kismaayo, mas'uuliyiin SNA.Guddoomiye Gobol Cali Dubbad.
- Unitaf waa in lagu beddelaa ciidammo dhexdhexaad ah oo lagu kalsoonaan karo.Bililiqaysiga khayraadka.
- Rajo, iwm.oo ku diran SNA.' RM/K

Amar looga baxayo Kismaayo saqdadhexe, khamiista. VOA/Arbaca

9 (sagaal) 14ka Urur ka mid ah ayaa keenay qoraallo iyo qalab ciidan.

Qaar ayaa dhimman. Raadiye Rajo.

Bannaanbax ka soo horjeeda Unitaf iyo UNOSOM oo loo xagliyey taageeridda Morgan (Kismaayo), MSB. Xaashiyo la daadiyey...Waa been, haddii aan laga bixin qalalaasahana waxaa ka dhalan dhimasho badan, dhaawac, gargaar

yaraada, ganacsi joogsada. Koox yar baa ka danbaysa.
Bannaanbax carruur iyo haween. MFC baa ugu baaqay, taageerayaal uu ku sheegay SNF, jidgooyo, dhagaxtuur iwm. Dhimasho, dhaawac, boob…arrinta Kismaayo. RM/W
Xasan Cumar Hoorri (Nayroobi), afhayeenka Morgan: Kacdoon Dadweyne, gardarrooyin loo adkaysan waayey kaddib waxaa soo galay ciidan. Xasan Dhimbil wuxuu ku eedeeyey Unitaf in ay dhuumaaalaysi ku soo galeen.
BBC (Waraysiyo)
15.03.93
Waxaa furmay Shirkii Addis-Ababa II.
27.3.93
Golaha Ammaanka oo xalay isku raacay in Soomaaliya loo diro ciidan 28 kun ah iyo 3,000 hawlwadeenno rayid ah.Waa ciidankii ugu badnaa taariikhda Ummadaha Midoobey, waana markii ugu horreysey ee loo diro Ciidan dal aan dawlad lahayn.
28.03.93
Xiriddii iyo heshiiskii Addis-II. Hortii, waxaa loogu talaggalay fadhi soconaya 5 maalmood .Waa jiitan.Waxaa cadaadis ahaa Go'aankii Golaha Ammaanka, shirkii deeqbixiyeyaasha (11-13.3.93) oo wax kasta ku xiray xasilloonida Dalka oo isaguna ka dhacay isla Addis-Ababa. Xubin cusub ayaa ku biirtay Ummadaha Midoobay, taasoo ah Macedonia, xubintii 181aad

12.04.93:
Bannaanbax SAMO, waa kii jaadkiisa ugu horreeyey ee ayan Dawladi ka danbayn muddo 20 iyo dheeraad sano ah.
Safaaradda Masar, oo si xun loo bililiqaystay.
Bannaanbax iyo rabshado (25.2.93).
4.5.93
UN replace UNITAF (sannadka hore waxaa ku baxay $ 1.5 million)
9.05.93
Toddobaadkan: Doorashooyinkii Xasan Guuleed (60% helid: tartamayaal wada Ciise ah); Max'ed IbraahimCigaal 99%? Janan Maxamed Jaamac Qaalib (BBC): Dad aan codbixinta xaq u lahayn oo dibadda joogey baa u codeeyey intay qolka shirarka galeen kolkii ay caro uga baxeen la-tartamayaashii rasmiga ahaa sida Tuur, Carte…
12.05.93
Xubin 182aad Ummadaha Midoobey Ereterea (24.5.93); Xubintii 52aad UMA (27.5.93).
30.05.93
Maalinta 3aad Shirka Nabadaynta Gobollada Dhexe iyo Jubbada Hoose. Doodo. " Iska daaya Gaalkacyo aniga ayaa lehda." "Gacmaha isqabsada oo wada dega." Waxaa sidaa u hadlayey G/le sare Cilmi Axmed Sharmaarke, Xawaadle. Waa Gaalkacyo oo ka mid noqotay degaammada aan cid leh la aqoon!
Shirkii Nabadaynta Gobollada Dhexe iyo Jubbada Hoose wuxuu ku dhammaaday heshiis

ku kooban Gobolka Mudug labadiisa dhinac.Waxaa saxiixay Guddoomiyeyeaasha USC/SNA Max'ed Faarax Caydiid iyo SNDU Cali Ismaaciil Cabdigiir iyo Guddoomiyaha Guddiga Difaaca iyo Arrimaha Degdegga ah C/llaahi Yuusuf Axmed.

Waa heshiis ka kooban 15 qodob. Tusaale Qodobka 9aad: in ciidammada maleeshiyada ah ee hubaysan la kala fogeeyo masaafo 70 km. ah iyada oo barta laga ambaqaadayaa tahay magaalo madaxda Gobolka ee Gaalkacyo, lana kala geynayo:
- b) SNA/USC-Wargalo- Dowgaab
- c) SSDF- Buuryaqab - d) SNDU – Galdogob.
Eeg Beeldeeq 5.6.93-Muqdisho
Waxaa ii suuraggashay in aan Boosaaso kula kulmo, 13-02-08dii Axmed Ciise Islaan oo ahaa Isimkii hoggaaminayey Ergada Mudug(Woqooyi Bari). Waxaan weyddiiyey: " ma waxaa la garan waayey cidda ay Gaalkacyo degaanka u tahay?"A.C.Islaan wuxuu yiri: "saddex maalmood ayuu shirku socon waayey oo waxaa caqabad ku noqotay fikradda Shiikh Maxamed Iimaan oo ahayd, Daaroodku waa Carab ee magaalada Gaalkacyo ha ka guuro; Gaallada iyo Bantuda ay meesha ka kiciyeen waa dadkayaga". Maalin danbe, Caydiid ayaa gurigiisa qado noogu sameeyey. Kolkii la qadeeyey ayuu ciidankiisii faray in haddeer Shiikh Maxamed Iimaan halka loogu keeno. Kolkii la hor keenay ayuu wuxuu ku yiri:

'adiga oo Nayroobi u dhoofaya in aad ka qaybgashid shirkii 'Xiiranayaasha'ayaad u baaqatay in aad shirkan fashilisid.' Saacaddan wixii ka danbeeyey, hawlaha shirku si caadi ah ayay u socdeen. Shiikh Maxamed Iimaan waxaa loo arkayey in uu ahaa taageere Cali Mahdi Maxamed. Caydiid wuxuu xiiranayaasha u yiqiin ganacsatada iyo aqoonyahannada Habargidir ee dibadda ku nool oo isaga ka soo horjeeda.

16.6.93

Heshiiskii Gobollada Dhexe

Waraysi: Axmed Ciise Islaan oo jooga Jabbuuti. Axmed wuxuu sheegay:

- In uusan shirku ahayn mid siyaasadeed ee uu ahaa mid beeleed.
- In uu isagu ergada Mudug (Woqooyi Bari) hoggaaminayey.
- In Cabdullaahi Yuusuf iyo Caydiid ay uun goobjoogeyaal ahaadaan oo keli ah.
- In aannu ka maarannay Maxamed Abshir Muuse, Guddoomiyaha SSDF kolkii ay Guddoomiyaha SNA isla garan waayeen habka shirka loo furayo. BBC ***

Toddobaadkan Guddoomiyaha SSDF Max'ed Abshir iyo Guddoomiyaha Guddiga Difaaca iyo Arrimaha Degdegga ah ee SSDF oo u kala anbabaxay Kismaayo iyo Gaalkacayo iyaga oo u kala marti ahaa UNOSOM iyo SNA/USC.

20.06.93

Taniyo Shalay waxaa gaadiid la'aan awgeed weli

Xamar ugu xayirnaa ergadii SNDU oo weli ku jirtey martigelintii USC-SNA.Dhibaatooyin.Waxaa isbiirsaday martigeliyeyaashii oo uu dagaal ku furmay iyo UNOSOM oo hortiiba martigelinteeda la diidey.Waa 47 qof. Waxaa hadda la leeyahay qalqaalo xagga Nayroobi laga farsameeyey ayay ku dhoofayaan
29.05.93
(Boosaaso)
Arrin culus: burcad kalluumaysi.Tobaneeyo markab.2 doonyood baa la qabtay. Waxaa la dilay naakhuude Baakistaani ah,19 baxrida ahna waxaa lagu xiray takhtado hoostood(Dekedda), xilligii kulaylaha (khariif).

Waxay xirnaayeen 40-meeyo maalmood. Greenpeace oo qaylodhaan kaddib soo diraysa markab. Doonyo (bedemmo) uu hub ku rakiban yahay baa xeebaha, intii tabar ah wareegaya. Maraakiibta sharci darrada ku kalluumaysanaya, kolkii ay doonyahani u dhowaadaan waxay ku furaan biyo kulul.Waawareyda! SSDF oo caalamka ku jeeddaa waa joogto.

BBC ***

Qormada Shanaad

Waa markii ugu horreysay oo ciidammo loo diro dal aan Dawlad lahayn.
Golaha Ammaanka Trs. 837
(GO'AAN)

Waa UNOSOM oo, awood loo siiyey ' tallaabo ka qaadidda ciddii ka danbeysey dhacdadii (5.6.93) lagu diley 23kii Baakistaaniyiinta ahaa (Ciidammada Nabad Ilaalinta). Arrinta Soomaalidii ku dhimatay waa mid aan meesha ool...Tol iyo talo la'aan.

12.06.93

Weerar Ciidammada UNOSOM (04:00). Bartilmaameedyo: Raadiye Muqdisho, Warlaliska, Warshadda Sigaarka & Tarraqa iyo 2 xero kaydad hub culus (USC-SNA). Hawlgalka waxaa ka qaybqaatay dayuuradaha dagaalka (Ac-130 iyo kuwa qummaatiga u kaca COBRA).

13.06.93

Bannaanbaxyo taageerayaasha MFC iyo dhimasho badan (20? 34?) oo ka dhacday km 4 (taageerayaal ku diran Baakistaaniyiin).Gelindanbe (xalay) duqayn cirka oo daran: Xarunta madaxda USC/SNA, Garaashka, iwm.

14.06.93

Weerarkii 3aad (mir): isla xarumihii hore iyo meelo kale.Banbaxyo ay taageerayaasha Jananku weerarrada ku diiddan yihiin.

15.06.93
Caawa waa weerar la'aan…waxaase magaalada iltiray sawaxan elektroonig ah iyo if 'bulallayr'. Bannaanbaxa SNA waa joogto.Waa isku goorteedii iyo habeennimo (gelindanbe). Weerar la'aantaa waxaa loo qaatay sansaan nabadeed.

17.06.93
Weerar (mir 1:30) 4 saac oo duqayn ah, kaddib, qabsasho Xarunta MFC. Istaadiyo Banaadir waxaa isugu yimid dad gaaraya 40,000 (afartankun) oo taageeraya hawgallada UNOSOM. Baanisooyin badan: Dr Xuseen Shiikh Axmed Kaddare, Dr Daahir Nuur Cigaal oo ku hadlay magaca 11ka Urur, iyo kuwo kale. Harkii, intii ka danbeysey waxay ahayd xasillooni iyo xabbado dhaca la'aan.

18.06.93
"Hawlgalkii Ciidammadu guul buu ku dhammaaday; waxaa la wiiqay awooddii ciidan iyo qalab inkasta oo aan gacanta lagu dhigin.Waa maxkamadayn ay habkeeda tilmaami doonto Hey'adda Ummadaha Midoobay" (Bill Clinton 17.6.93).
Shalay kulan la-taliyaha wakiilka Xoghayaha Guud Jonathan Howe. Wuxuu la kulmay wakiillada 11ka Urur. Is-afgarasho iyo isu bogaadin. Waxaa afkooda ku hadlay Xuseen Ceelaabe Faahiye. RM/W

Kapungo T. Leonard (UNOSOM) oo ugu baaqay MFC in uu isdhiibo.Habsami sharci ayaa lagula dhaqmayaa; taageerayaashiisana ha faro in ay hubka si nabad ah isaga dhiibaan. Raadiye Maanta

Dhimasho 4 (Marooko) iyo 1 Baakistaani ah …iyo 40 dhaawac. R.Maanta

23kii la diley (Baakistaaniyiin) waxaa weheliyey 56 dhaawac; 11 way curyaameen
Taliyaha Ciidammada Baakistaan, Janan Ekraanul-Xasan: "Waannu naqaan meesha uu MFC ku dhuumanayo ee waxaannu dooneynnaa qabasho ayan cidina wax ku noqon." (18.06.93)

Admiral Jonathan Howe: Waannu u war la'nahay meel uu ku dhuumanayo. (18.06.93)
Bannaanbax ballaaran (Fagaaraha 1da Luuliyo) waxaa isugu yimid taageerayaasha MFC. Rabshado la'aan. Sida kuwii ka horreeyey, wuxuu ka soo horjeedey UNOSOM.
20.06.93
Waxaa la sheegay (Maanta? Shalay?) Bannaanbax aad u ballaaran oo ka dhacay Degmooyinka Maka (Dharkeynley) iyo Madiina…waxaa lagu taageerayey hawlgallada UNOSOM. Tiro banbaxayaal: 30,000. RM/W

Waxaa la sheegay garyaqaanno u yimid arrinta maxkamdaynta MFC.

Waxaa la sheegay in mid ka mid ahaa Bakistaaniyiintii dhaawacantay uu dhaawicii u geeriyoodey.
Hawlgallo UNOSOM oo cuskan go'aannadii tirsiyo 814 iyo 837 iyo xeerarkii Ummadaha Midoobay u degsanaa qodobkooda 7aad.
21.06.93
Raadiye Maanta: sheegis imaatin 4 markab oo sida 4500 'marines' xeebta Xamar.
Waa ciidammo berri-biyood ah.
Bannaanbax ballaaran oo lagu taageerayo UNOSOM: Barxadda Hodan ee xaafadda Siigaale.Waa isku Godka Bermuuda oo koobaya Hodan, Waabberi, Hawl-Wadaag iyo Xamar-Jabjab. RM/W
22.06.93
Admiral Jonathan Howe oo la shiray wakiillada 11ka Urur, Cali Mahdi iyo Ururrada Haweenka.
Galabnimadii la kulmid koox ka socota Koofurta Muqdisho, waxaa ka mid ahaa C/qaasim Salaad Xasan, Aw Xasan Shiikh Ibraahim, Xuseen Axmed Shuqul, Maxamed Ibraahim Liiqliiqato iyo kuwo kale. Wakiilka Gaarka ah ee Xoghyaha Guud (WGXG) oo u faahfaahiyey Barnaamijka shirka Addis-Ababa.
Eeg 'Maanta' 22.6.93 Trs 41
Meel walba "Hambalyo" la isku xusuusinayo sannadka cusub ee Hijriyada 1414ka.

Banbaxyo lagu taageerayo hawlgallada UNOSOM II ayaa waxay ka dhaceen Boosaaso, Caabudwaaq, Jowhar, Cadale, Marka iyo meelo kale. RM/W

Kaddib 5tii bishan, ciidammadii dhulka ayaa magaalada ka baxay…sidaas ayaa hubkii loola soo baxay, suuqii hubka ee Cirtoogtana u soo noolaaday.

Xagga magacyada: Eeg Xog'Ogaal

22.6.93-Trs 520

Wararka Adduunka iyo MFC (saaka) 23.6.93 oo waraysi uu MFC siiyey weriye Yuusuf Xasan oo ka tirsan Qaybta Sawaaxiliga ee codka Maraykanka. Wuxuu sheegay in laga gardaran yahay, in loo baahan yahay Guddi Dhexdhexaad ah oo dhacdooyinka baara.Wuxuu caddeeyey in uusan isdhiibeyn.

Kulankii Admiral Jonathan Howe iyo Guddoomiyaha SSNM, isla markaasna ah Guddoomiye ku-xigeenka SNA

Cabdi Warsame Isaaq oo yiri: "Waxaannu Caydiid heshiis ku ahayn eryidda Maxamed Siyaad Barre. Dhacdooyinkii (rabshado) maalmahan iyo UNOSOM isku mowqif kama ahin." Warg.'Maanta'

UNOSOM waxay u ballanqaadday abaalmarin qofkii tilmaama meesha lagu qaban karo MFC ama soo qabta oo keena.

24.06.93
Martiqaadkii weynaa ee uu Xirsi Xaaji Jaamac ku dhigay gurigiisa u dhow Hotel Guuleed: Siyaasiyiin, Isimmo, aqoonyahanno Gobollo kala duwan u dhasahay. Falsami jiko oo aad u sarraysa.
Maanta maaweelada suuqu waa tallaabada siyaasadeed ee uu Cabdi Warsame Isaaq u qaaday xagga UNOSOM.
Dayuurado cirka ka soo firdhin xaashiyo ku saabsan qabashada MFC (abaalmarinta, masawirkiisa oo mar koofiyad qaba, marna madaxbannaan, meesha lala xiriirayo oo ah Xarunta Ciidammada UNOSOM albaabka 8aad),' Waa "rogaalceliska" Filimmadii Maraykanka..Wanted!!

Isbitaal aan nal lahayn, daawo warkeed daa…takhtarro faramaran …qofka jirran ayaa la yiraahdaa wax walba keenso. Sidaas waxaa ku warramay takhtarka Isbitaalka weyn ee Boosaaso. Fiiradii laga qabey maamulka Woqooyi Bari ayaa iscuntay.
(BBC-Weriye takhtarka waraysanaya)
25.6.93
"SNM ayaan Soomaaliland "ka mamnuucayaa, waa hadal aan la qaadan karain." Waa C/raxmaan Axmed Cali "Tuur" oo ka faalloonaya hadalkii uu Maxamed Xaaji Ibraahim Cigaal (Madaxweynaha cusub)

sheegay mamnuucidda uu ku reebay, muddo hal sano ah, axsaab oo dhan, tan iyo inta laga dejinayo sharciga ku saabasan. BBC (waraysi)
26.6.93
MFC: "Waxaa cusub oo wax lala yaabo ah qofkii denbiilaha ahaa (Admiral Howe) oo inuu xiro u raadinaya qof aan wax denbi ah gelin. Waa wax lagu qoslo: ah! ah!" BBC
oo xiganaysa waraysi uu siiyey NBC (?)- 03:30

Guddi uu hoggaaminayo Dr. T. Leonard Kapungo oo qaabbilsan siyaasadda UNOSOM oo la kulmay SDMSNA, kaddibna SDM, kaddib wadajir wakiillada Gobolka. Meeshu waa Baydhabo. Shir gunaanadku waa Buur Hakaba. Is-afgarad. Si la mid ah tan Baay ayaa waxay ka hirgashay Matabaan (Hiiraan) iyo Beledweyne.
Wargeyska 'Maanta'

28.06.93
Maraykan duqayn Xarunta Wardoonka (Intelligence Headquarter) ee Baqdaad. 23 gantaalood ka kala ridid markab fadhiya Badda Cas iyo mid ku sugan Khaliijka. Dhimasho rayid ah lix qof. Saddex (mise afar?) baan Xarunta haleelin.
Clinton: Waa iska celin…isku dayiddii dilka Madaxweynihii hore.Guud ahaan, argaggaxiso oo dhan waa u digniin.
Saddaam: Waa argagaxiso. Falka Maraykanka baa argaggaxiso ah.

"Hawlgalka UNOSOM ayaannu si buuxda u taageersannahay iyo fulin heshiiskii Addis-Ababa. Soomaaliya waxay soo martay labo ibtilo: MSB iyo MFC. Afhayeen SSDF
Maxamed Abshir Walde (London)

BBC-"Focus" 21:30 29.06.93

"Ururka Midnimada Afrika wuxuu gabay xilkiisii. 30 sano ayuu ka aammusay gumaadkii iyo caddaaladdarradii qaaradda gudeheeda ka dhacayey…si qumman wax ku wada.
Madaxa Amnesty International Qaahira, Shirka
UMA 29.6.93

01.07.93

Dayuuradaha UNOSOM waxay duqeeyeen Garaash uu leeyahay Cismaan Caato; waxay burburiyeen Konteenarro (hub iyo saanad).Waa shalay galab.Waa isla goobta- 48 saac hortood lagu diley 2 Baakistaaniyiin ah iyo 2 Soomaali ah. Meeshu waa agaggaarka Telefishanka: Xaafadda (Towfiiq), Degmo (Yaaqshiid).

BBC, VOA, iwm

02.07.93

Dagaallada Huriwaa.War sugan lama hayo.Dagaallanka UNOSOM iyo SNA. Ciidanka Talyaaniga: 3 Dhimasho ah iyo 14 Dhaawac.Xagga Soomaalida cid danaynaysaa ma ay jirto. Dhimasho iyo dhaawac badan …Taangiyo, Cobra, iwm.

03.07.93
Wafdiga T. Leonard Kapunga (Siyaasadda iyo sharciga) oo tegay Buula-Barde iyo Jalalaqsi. Hab doorasho xubno deegaan…is-afgarasho UNOSOM iyo Beelaha Deegaanka.
War saxaafadeed: Cabdi Warsame Isaaq, SSNM xubnaha Golaha Dhexe iyo Guddiga fulinta oo beeniyey hadalkii Guddoomiye ku-xigeenka oo sheegay in ay weli mid tahay siyaasadda SNA.
Cabdi Warsame Isaaq iyo UNOSOM… is-afgarasho cusub. (Eeg 23.6.93)
Afhayeen SNA:
MFC uma uusan baxsan Suudaan ee wuu joogaa. Waa war ay Idaacadda Itoobiya (Soomaali) ka xigatey shalay jabhadda SPLA.
06.06.93
UNOSOM oo ruqsaysay 3 gabdhood oo turjumaanno ahaa. Eedayn:
a) Middood waxa lagu eedeeyey ka qaybgal bannaanbax lagu taageerayo MFC;
b) Midda 2aad, waxaa lagu eedeeyey in ay raadinaysey magacyada dad u xiran UNOSOM;
c) Midda 3aad Xafiiska oo ay keentay taageerayaal MFC.
Gabdhuhu waxay sheegeen in eedaymahaas ayan waxba ka jirin.

Maraykanka oo ka hawlgalay dhinaca Gegida Dayuuradaha.Saacado ayay cir iyo dhulba

xirmeen.Waxaa uun la maqlayey guux dayuuradeed.
Bisha 3deedii iyo 4teedii waxaa la dhisay 2dii Gole ee ugu horreeyey, Baydhaba iyo Buurhakaba.
UNOSOM: Guddiga Kapunga wuxuu filayaa dhismaha 4 Degmo bishatan gudaheeda. RM/W
7.7.93
Wada xaajood Bruno Loi (Taliyaha Ciidammada Talyaaniga) iyo Odayaal: "keena denbiilayaashii diley 3da Talyaaniga, hubkana ha iska soo dhiibeen dableydiinnu, haddii kale waxaa la idinka qaadayaa tallaabo sharci ah." R.IBIS

MFC: Waxaa reebban in lala kulmo UNOSOM iyo ciddii ku lug leh…iska dhex saara Sulux-Manifesto oo Ummadaha Midoobey heshiis hoosaad la leh. Wargeysyada Maanta
08.07.93
Habeennimadii Axadda waxaa Boosaaso ka degay 2,000 mariinis (4 markab). Dan: gargaar caafimaad, waxbarasho, dibudhis, iwm. WWA

Waxaa guriga Xiirey Qaasim ku shiray wafdi ka socdey Kongareska Maraykanka ee uu hoggaaminayey Mr Harry Johnston iyo, Guddi ka socda beelaha Soomaaliyeed: ku mahadin Maraykanka, Bill Clinton. Ballanqaad taageero.Waxaa hadlay Xiirey Qaasim, Duuliye

Sare Cabdi Cismaan Faarax, Qareen Maxamuud Geelle iyo gabar... Xog'ogaal 8.7.93 Trs.534

Isgoyska Banaadir (shalay) dabley baa L/R4 ku dishey 6 qof, oo meydkoodii ku tuurtay agaggaarka Miisaanka dhuxusha.Waxaa ka mid ahaa garsoore Madaddaal (Kubbadda Cagta...). Waxay ahaayeen shaqaalaha wargeyska maanta ee UNOSOM. (qaybiyeyaasha wargeyska)
10.07.93
Siin abaalmarin 25 kun Dollar qofkii keena ama u horseeda qabashada MFC. WGXG
4 Norweyjiyaan ah iyo 3 Faransiis ah ayaa lagu dhaawacay XeryahaUNOSOM.
Wakiilka Gaarka ah ee Xogyaha Guud ee Ummadaha Midoobay ayaa Ciidammada ugu baaqay in ay xirtaan jubbado xabbad ma-karaan (bullet-proof) ah.
12.07.93
8 Dayuuradood oo ah kuwa qummaatiga u kaca ayaa duqeeyey guri ay ku shirayeen hawlwadeennada S.N.A:
Siyaasiyiin, ciidammo, weriyeyaal, iwm.Dhimasho iyo dhaawac badan. Dad ka caraysan weerarkii uu Maraykanku ku qaaday guriga Qaybdiid ayaa caradii kula dhacay 4 weriye (Kenya, Boqortooyada Midowdey iyo Jarmal) oo dilay. WWA

Shirkii nabadaynta (Gobollada Dhexe) oo bilaaban waayey: SNF oo doonaysa heshiis beeleed iyo SNA oo doonaysa "qaab" Jabhadeed.

RM/W

Goor 20:00 RM (K): "Codka Ummadda Soomaaliyeed"

Waraysi- BBC
"Heshiiskii Xamar ee Nabadaynta Gobollada Dhexe wuxuu ahaa mid beeleed ee ma ahayn mid dhexmaray Jabhado (SSDF, SNA, iyo SNDU)

C/llaahi Yuusuf Axmed. Eeg hadalkii Axmed Ciise Islaan

Murankii UNOSOM iyo Itaaliya.Sheekada la hayaa maanta waa duqayntii guriga Qaybdiid, Taliyaha Ciidammada Talyaaniga Janan Bruno Loi oo ku fallaagoobey UNOSOM.

Saddex maalmood kaddib imaatinkii 'mariiniska (Boosaaso), BBC waraysasho Boqor C/llaahi Boqor Muuse: soo dhoweyn, dhismo bilaabid, daaweyn ilko-indho, cayaaro (kubbadda Cagta), saaxiibtinnimo.
Toddobaadkan dhexdiisa, 4tii markab iyo badmaaxiintii (mariiniskii) ayaa ka baxay Boosaaso…Farsamoyaqaanno miyaa haray??

Waxaa kale oo la isku afgartay inay Gobolladan Woqooyi Bari wax kala qabtaan xagga nabadgelyada gudaha, tan xudduudka iyo tan ku saabsan Al-Itixaad iyo USC-SNA.
14.07.93
SSNM (shir-weyne) 2 maalmood 6-8 bishan. Ergooyin dhan 410, Go'aanno: Cabdi Warsame, Guddoomiye, Inj. C/llaahi Shiikh Xasan Jaamac, Guddoomiye ku-xigeen 1aad . Go'aammada la gaarey waxaa ka mid ahaa in SSNM ay ka baxday isbahaysiyadii siyaasadeed ee ay la lahayd SNA iyo SLA laga bilaabo 8da bishan....

Tallaabadii Cabdi Warsame Isaaq ee 23kii bishii hore, war saxaafadeed baa sheegay in Guddoomiye ku-xigeenkiisii Dr. C/kariim Sh. Yuusuf uu noqday Guddoomiye kmg, isbahaysigii SNA-na uu sidiisii yahay.
Eeg warka kore. Dr. C/kariim, Allaha u naxariistee, wuxuu ku geeriyoodey duqayntii UNOSOM ee guriga Qaybdiid (12.7.93).
Waxaa isaguna halkaas ku geeriyooday Dr. Maxamed Aadan Guuleed 'William', oo ahaa xubinGuddiga Fulinta SSNM.

Murankii Talyaaniga iyo UNOSOM oo looga xaajoonayo NewYork iyo Muqdisho.Isgooni yeelidda Talyaanigu waxay aad u caddaatay maalintii la duqeeyey Raadiye Muqdisho:

1. Waa kolka ay UNOSOM isku dayday (kumase ayan guuleysan) in ay Raadiyaha qabsato, sida ay yiraahdeen Talyaaniga iyo SNA.
2. Marti shisheeye oo badan oo lagu martiqaaday shirkii Nabadaynta Gobolka Mudug waxaa ka soo qaybgalay oo keli ah wakiillada Suudaan iyo Talyaaniga. Shirka waxaa marti-geliyey MFC.
3. Duqayntii (12.7.93) guriga Qaybdiid ayay 'fallaagannimada' Talyaanigu dibadda si qarax ah ugu soo baxday.

16.07.93
Xalay iyo habeen hore waxaa la xabbadeeyey Ciidammada Talyaaniga.Waa dhinaca Woqooyi (CMM) oo hortii xasilloonaa…siyaasadda Talyaaniga? War ku sug.
17.07.93
CMM oo dhaliilay Ciidammada Talyaaniga.
Wargeysyada Xamar

Baabuurro xamuul ah oo ka kala socda Woqooyi Galbeed, Gobollada Dhexe iyo kuwa Koofure, iyo weliba Itoobiya, ayaa har iyo habeen mara waddada (laamiga) isku xirta Gaalkacyo, Garoowe iyo Boosaaso. Waa nabad.Dad hubaysan aanse colaadi dhex ool.Kooxaha Kubbada Cagta ee Boosaaso waa 10(toban).Midda

Mariiniska waxaa looga badiyey 1-0.
Maanta 17.07.93 Trs62

Axmed Raage Cabdi waa caaqilka (Sacad, Saleemaan, Saruur, Cayr iyo Duduble).
18.07.93
Bannaanbax ballaaran oo laga akhriyey qoraal MFC.
19.07.93
Raadiye Maanta: Shirkii lagu duqeeyey hawlwadeennada USC (12.7.93) waxaa lagu doonayey in la is-hortaago shirarka beelaha Habargidir & Duduble…' Talyaaniga ayaa MFC uga digey tallaabooyin laga qaadi lahaa.

News Week BBC

23.07.93
CMM: Ciidammada Talyaanigu ha ka baxeen Soomaaliya haddii ayan fulineyn barnaamijka UNOSOM.
RM (W)
24.07.93
Gobollada Woqooyi Bari ayaa samaystay Raadiye madaxbannaan; Raadiyuhu wuxuu ku jiraa tijaabo, saldhiggiisuna waa Gaalkacyo.
28.07.93
Isbitaal Goobeed Ciidammada Pakistan waxaa maalin walba lagu daaweeyaa 400-500 qof (Gegida Dayuuradaha ee Muqdisho).
30.7.93
MFC oo faray taageerayaashiisa in ay

qunbulado isku xiraan oo isku qarxiyaan iyaga oo beegsanaya rugaha UNOSOM ee Maraykanka. VOA

31.07.93

Raadiyaha Woqooyi Bari ee Gaalkacyo tijaabadii wuu gudbey, maantana, wuxuu sii daayey Cayaar Kubbadda Cagta oo dhexmartay Gaalkacyo iyo Galdogob.

MFC: Wareegto uu soo saaray (28.7.93) wuxuu ku sheegay in uu la kulmayo UNOSOM haddii ay aqoonsato SNA iyo madaxdeeda.

04.08.93

Raadiye Maanta waxa uu sheegay in laga bilaabo 1da Agoosto maamulka rayidka ah ee Dekaddu uu ku dhaqaaqayo canshuur ururin.

Habeennimada 3.8.93, markii 2aad ayaa waxaa la weeraray Prof. Axmed Muumin Warfaa.

Raadiye Maanta

05.08.93

Hoggaamiyeyaasha beesha Saleemaan (USC-SNA) iyo Jonathan Howe waxay yeesheen kulan ay isku afgarteen.

Raadiye Maanta

08.08.93

4 Maraykan ah oo lagu diley waddada Madiina ee aadda Gegida Dayuuradaha.

10.08.93

Jonathan Howe iyo Janan Nuur Caddow Cali oo hoggaaminaya duqow dhan 47 xubnood

(Xawaadle) baa kulmay oo is-afgartay.

12.08.93

FURUQ

1977kii waxaa dunida laga ciribtiray furuqa.Ol'olaha ciribtiridda furuqu wuxuu Soomaaliya ka bilowday1967kii.

Qofkii ugu danbeeyey oo lagu arkay furuq wuxuu ahaa Soomaali. BBC

Jonathan Howe: Ciidammada iyo shaqaaluhu waxay ka kala socdaan 70 dal.

Burcad UNOSOM ka danbayso ayaa waxaa fariisimmo looga sameeyey waddada aadda Gobollada Dhexe iyo kuwa Koofureedba.Xamar way xeraysan tahay.

RM (K)

18.08.93

Maxamed Abshir Muuse: Niman sadaqadii masaakiinta dhacaya oo haddana isku sheegaya in ay jihaad ku jiraan waa hadal isburinaya oo wax laga xishoodo ah. RM/W

25.08.93

Toddobaadkan waxaa bilowday ol'ole (barnaamij) qashin cunto dhaafsasho ah.

Madax ka mid ah taageerayaasha MFC ayaa waxay ku eedeeyeen Xog'ogaal iyo Qaran (Wargeysyo) in ay Gumeysiga dabadhilifyo u yihiin. RM (K)

28.08.93

Odayaal Saleemaan ah iyo Wakiillo UNOSOM ayaa waxay ku ballansan yihiin Cadaado, 4ta Sept, si loo soo ansixiyo Golaha Degmo ee horay loo dhisay. Raadiye Maanta.

Lensane Koyute oo u geeyey Maxamed Ibraahim Cigaal, Hargeysa, nuqulka qaraar 814 (Golaha Ammaanka) kaas oo Soomaaliya hal dal ka dhigaya, Woqooyigana ula xiriiraya Gobol ahaan., wakiilna ugu fadhiyayo Hargeysa.

Xoghayaha Gaashaandhigga ee Walaayadaha Midoobey ee Ameerika:

1. Xasilin Koofurta Xamar.
2. Hub ka dhigid guud.
3. Dhisidda Boolis Qaran.

Haddii intaasi fusho Soomaaliya waannu ka bixi karaynnaa, haddii kale, waxaa bilaabanaya Dagaal dhexmara Qabqablayaasha iyo Ummadaha Midoobay ama Dagaal dhexmara Qabqablayaasha laftooda, taasoo ah ku noqoshada ba'ii hore. VOA

LES ASPIN Xoghayaha Gaashaandhigga

31.08.93

MFC: Waxa uu Ummadda u jeediyey bogaadin iyo duco xuska dhalashada Nebiga (NNK).

Isla munaasabaddan, wuxuu sheegay in uusan la kulmayn UNOSOM haddii aan la helin:

1. Guddi dhexdhexaad ah,

2. Xasuuqa oo la joojiyo;
3. Madaxda sare ee SNA oo la aqoonsado. RM/K

Waxaa aad looga faalloonayay beryahan, siiba Raadiyeyaasha UNOSOM, imaatinka dhow ee 400 (Rangers) oo si gaar ah u tababbaran. WWA

Dayuuradaha Qummaatiga u kaca iyo ranger's ayaa xargo ku degay guri ay ku jireen 8 ka mid ah shaqaalaha Samafalka ee UNOSOM. Guri maran oo isagana lagu degey baa meesha ku yiil.
- U digid Samafalka?
- Shaqaale iskood u degey meel ka baxsan heshiiskii!?
- Maxay ka heleen? VOA, WWA

Masaajidka "Casriga" ah ee uu furay Boqor Xasan oo ku kacay Kharash dhan $ 500m waa kan ugu weyn Kacbada kaddib. Farsamada ifka, iwm waa wada 'electronic'.

UNOSOM waxay abuur beereed siisay Gobollada Bari, Nugaal, Sool, Sanaag, Gedo iyo Jalalaqsi.

Bedel Bokassa oo xabsiga dalkiisa laga sii daayey (cafis)…iyo xiraneyaal badan. Madaxweynihii Jamhuuriyadda Bartamaha Afrika oo doorashadii 4aad galay ayaa sii daayey iyada oo uu weli dhimman yahay wareeggii 2aad ee doorashada. Waxyaalaha la isweyddiiyey waxaa ka mid ah: armuu Madaxweynuhu doonayaa in uu ku dhaawaco xasilloonida Dalka?. R-K-S

1.09.93

WFP: Soomaaliya waxay ka baxday heerkii quudinta. Waxay hadda u baahan tahay dibudhis, dibudejin, beero, iwm.57 baabuurro-rar iyo trailers (isjiidyo) waxay u wareejiyeen Ruwaanda. Cunno.Waa Hey'adda ugu weyn kuwa Ummadaha Midoobey. WWA

'Dhacii la arki jirey: 91 halaad 89 waxaa laga helay Beledweyne agtiisa, waxaana soo dhiciyay Ciidammada Talyaaniga oo dayuurado adeegsanaya.

03.09.93

Go'aan Golaha Ammaanka ee tirsigiisu yahay 814 midnimada Soomaaliya waa muqaddas. Go'aankaas ayuu Koyouta gaarsiiyey Maxamed Ibraahim Cigaal (Hargeysa) R.Maanta

05.09.93

Toddoba (7) Nayjeeriyaan ah ayaa la diley, 7 kale iyo 2 Baakistaaniyiin ahna waa la dhaawacay. Xabbad finiin ah ayaa dhaawacday diblomaasi Maraykan ah. Taliyaha Ciidammada Nayjeeriya: "Talyaanigu far ma uusan dhaqaajin, markii askartayada la laynayey."

Hal askari baa la la'yahay. Waa Nayjeeriyaan.

SNA: Annagu ma haynno.

11ka Urur waxay mar kale ku dhawaaqeen in ay taageersan yihiin UNOSOM.

10.09.93

Dagaalkii dhexmaray UNOSOM iyo SNA: 1 Bakistaani oo dhintay iyo 2 Baakistaaniyiin ah iyo 2 Maraykan ah oo la dhaawacay.Xagga Soomaalida waxaa ka dhintay 100. Waa dagaal culus oo 3 saac socdey (Shalay). VOA

Wakiillada UNOSOM oo booqday Goleyaaasha Degmooyinka Ceelbuur iyo Galhareeri.

R. Maanta

Galabta dayuurado iyo taangiyo ayaa si ba'an wax u xasuuqay; waxaa ka dhashay dadweynihii ku noolaa agaggaarka istaadiyaha oo barakacay.

RM/K

Shalay (Kh)

Dagaallo aad u culus ayaaXamar ku dhexmaray Habargidir & Xawaadle BBC

Taariikh: waxaa lagu heshiiyey 'multi racial Executive Council' oo tan iyo doorashada wax sii maamulaya. Koofur Afrika

11.9.93

Bu'aale iyo Saakow: waa diyaar xubnaha Golayaasha Degmo… maleeshiyada hubaysan waxaa lagu xereeyey 2 tuulo oo Woqooyi iyo Koofur tiiba Kismaayo u jirto 60km. R. Maanta

SAMO: waxaa madaxda UNOSOM la shiray 36 nabaddoon oo ka socda sagaalka Gobol ee webiyadu maraan?

(Hiiraan, Sh.Dh. Banaadir.Sh.H., Bay, Bakool, Gedo, Jubbada Dhexe, Jubbada Hoose.) Waa deegaammada ay ku nool yihiin taageerayaasha SAMO (Jareer weyn) waxay ka codsadeen UNOSOM in qaybinta kuraasta Goleyaasha Degmo ay ku salaysnaato baaxadda degaanka.

R.Maanta

Kulan dhexmaray Admiral Jonathan Howe iyo odayaasha Saleemaan: Iskaashi xagga nabadgelyada iyo dhismaha Goleyaasha Degmo.

R.Maanta

Weriye Raadiye Muqdisho oo booqday Gaalkacyo. Burbur. Dadka deggan waa 15,000 oo toddobaad walba soo kordhaya. Nolol bilow ah. Madaxa Raadiyuhu waa Xuseen Me'd Cali

R.Maanta

Khamiistii iyo Jimcihii 10.9.93, dagaallo ayaa dhexmaray Xawaadle iyo Habargidir.Waxaa la weeraray Land Cruiser: waxaa ku dhintay 5 Habargidir ah iyo dhaawac.Khamiistii ayaa Xawaadle wax loo geystey: dil, dhaawac, dhac baabuur. 5tu waxay u shaqaynayeen CNN-(TV Maraykan ah).

Dalalka Dhexdhexaadka ah NAN (Non Alligned Nations) tiradoodu, maanta waa 109 (8?). Ummadaha Midoobey kaddib waa Ururka ugu xubnaha badan.Ururkani wuxuu dhashay kontomeeyadii. Waxaa abuurtay baahi lagu dheellitirayo dagaalkii qaboobaa ee u dhexeeyay Maraykanka iyo Soofiyeetiga, maantase? BBC 12.09.93

Fariisimmada Huruwaa Ciidammada Talyaani

waa lagu soo dhoweeyey, kuwa Nayjeeriyaan-
kana waa loo diiday oo lagu weeraray!? Times
(London): Talyaanigu lacag uu ku nabadgalo
ayuu bixiyey. BBC

Cadaado iyo UNOSOM wax xiriir ah ma ayan
yeelan. 16ka magac oo ku jira khaanadda
Kapungo waa wada dabadhilifyo aan cidna ka
wakiil ahayn.Weliba waxaa ku jira mid reer miyi
ah!! Kuwo khilaaf abuuraya baa ka danbeeya.
(Qaran, Xog'Ogaal)

**Shir Wasiirrada Gaashaandhigga (Talyaaniga
iyo Amerika.) Fabio Fabbri iyo Les Aspin:
waxay isku afgarteen in kooxaha xoog lagu
xasiliyo kaddibna la wada hadalsiiyo. Fabio
Fabbri beenin in uu Talyaanigu laaluush siiyey
taageerayaasha MFC, si ayan ciidammadiisa u
toogan. The Time (London)**

Dagaal culus oo dhexmaray UNOSOM iyo
dableyda MFC. Isbitaal Banaadir dhinac baa
burburay. 3 Maraykan ah oo dhaawac fudud ah;
50 (konton dabley ahna waa la xirxiray oo lala
tegay. Waxaa fuliyey 200 oo ah
ciidammada Gurmadka iyo 6 (lix) dayuuradood.
Isgoyska Florence, Baakistaankii beddeli lahaa
Talyaaniga oo la hor-istaagey iskana noqday.
Murusade oo soo dhoweynayey iyo Habargidir
oo diiddanayd. Qaran Press ('ujeeddada')

14.09.93

Washington waxaa kale oo lagu saxiixay heshiis

dhexmaray Urdun & Israa'iil? Isxaaq Rabin oo booqasho ku tegay Marooko.Xiriir fiican. BBC

Qabasho 2 kornayl (SNA) oo ka mid ahaa 17kii lagala baxay, Guryaha 'Ruushka'.waa hawlgal 'Ugaarsasho'. BBC

37 qof oo dhintay iyo qolkii qalliinka oo burburay. Waxaa ku dhaawacmay 45.Waa shalay iyo Isbitaal Banaadir
iyo Rangers oo hub casri ah wata. RM/K

15.09.93

Hawlgalkii (Woqooyiga Muqdisho) oo lagu qabqabtay Janan Jilicow iyo Odayaal kale. Cudurdaar kaddib waa la sii wada daayey. BBC

Maxkamadda Racfaanka, tan Gobolka iyo tan Degmadu waxay ku soconayaan xeerkii 1962kii. R.M/W

Jimmy Carter:
Dalal ay Yemen ka mid tahay ayuu wuxuu MFC uga codsaday in ay magangelyo siyaasadeed siiyaan. (Haddii uu oggolaado). VOA-S

2 askari oo Talyaani ah ayaa lagu diley Xeebta Dekedda cusub iyaga oo jimicsanaya.

17.09.93

Admiral Jonathan Howe, wuxuu weyddiistey Ummadaha Midoobey ciidammo dheeri ah (5,000). VOA, wwa

Odayaal reer Kismaayo ah ayaa Afmadow ku dhexdhexaadiyey Bartire iyo Me'd Subeyr. R.Maanta

"Siyaasadda UNOSOM waa sideedii" Tv. N. York
21.09.93
Barqo: Rangers-kii ayaa guri Digfeer u dhow waxay ku qabteen Cismaan Xasan Cali "Cismaan Caato" iyo kontomeeyo kale. R. Maanta.
Afhayeen Faarooq Mowlaawi: 3 dhimasho iyo 7 dhaawac Baakistaaniyiin ah iyo baabuurkoodii oo la qarxiyey. Focus on Africa.
22.09.93
Waxaa furmay shirweynihii Hey'adda Ummadaha Midoobay. Waa kii 48aad.

Cabdi Xasan Cawaale Qaybdiid: Dhimashada oo 13 ah, 3 waa haween, 2na waa carruur. Baaq loo jeediyey Hey'adaha xuquuqda Benii-aadamka iyo dadyowga nabadda jecel oo ku saabsan arrinta xiraneyaasha UNOSOM.
Barlamaankii oo ku baabba'ay dagaalkii dhexmaray (Shalay) Yeltsin iyo Ruslan Khasbulatov. Ruslan Khasbulatov waxaa lagu beddelay Rutskai, Maxkamadda sare ee dastuurka ayaa gar siisay Barlamaanka (xubno 10 ka soo horjeeda 4).
23.09.93
Golaha Ammaanka oo dhamamaan isku raacay dardargelinta hawlaha UNOSOM, si loo helo Soomaaliya 'lugaheeda' ku taagan, ciidammaduna uga soo baxaan bisha Maarso 1995ka. WWA
Go'aan trs 836

24.09.93

Waxaa bilowday hawlaha maxkamadaha 27.9.93. Waxaa la maxkamadaynayaa 480 xirane. Waxaa dacwooyinka lagu qaadayaa Xabsiga Dhexe. Waa markii ugu horreysey maamulkii Siyaad kaddib.Waa ogeysiis UNOSOM. BBC/VOA

25.09.93

Waxaa la soo ridey dayuurad kuwa qummaatiga u kaca. 3 Maraykan ah ayaa ku dhintay. Dab baa qabsaday. Duuliyihii wuu dejiyey. Labo ayay u kala go'day.Baakistan iyo Meleesiya ayaa 2 dhaawac ah ka bixiyey.

Isla shilkan Soomaalida dhimatay waa 69, dhaawacuna waa 196, meeshuna waa Ceelgaab. Hal Baakistaani ayaa la dhaawacay. RM/K

Dhibaatooyinkii la soo sheegay in ay gaareen Jaamac Abshir Dhoorre (JaamacBaydhabo) oo goobta dagaalka ag degganaa way beenoobeen.

Qoryooley, asal ahaan, waxay 'Faradheer' ugu tagtay Jaf (-ta) (jiq, duur), jebiso, jeer iyo Jareer. Waa wixii ay dadka webigu ka yiraahdeen kuwa soo galootiga ah oo ku dagaallamaya.

26.09.93

"11 Gobol baannu ka talinnaa; Maraykanka annaga ayaa u yeerannay; Talyaanigu dalka ha ka baxo; Diinta iyo Qarannimada laga daafacayo oo keli ah Koofurta Xamar. Safaaradda Maraykan- ka (Addis Ababa) oo haweenaydii shaqadayda qaabbilsanayd ay diiddey in ay ila hadasho kolkii ay ogaatay in aan ahay

Habargidir: Waxaa la isku dayey in la dhacsiiyo in aan sulux ahay, waxbase ka tari weyday oo magaca ayaa takooran…War go'doonka ka baxa, Muslin iyo gaalaba!! Janan Me'd Nuur Galaal.
RM/W

29.09.93

Waxaan Bakaaraha agtooda kula kulmay Bashiir Cali Baajuun. Ka yimid Mombaasa, una socda Boosaaso in uu abuuro shirkad ganacsi.

Beledweyne: Tababbarkii xubnaha Goleyaasha Degmooyinka Ceeldheer, Ceelbuur iyo Cadaado 963 oo ka furmay Beledweyne.

'Xasuuqii Banaadir km 4': Baakistaaniyiinta waxaa ka dhintay 11, inta la arkay……. RM/K

Maxkamadihii oo furmay oo bilaabay hawlahoodii. (4 Boqol iyo dheeraad xirane). Kuwo diiddan ayaa xabbado ku ridey aan waxba noqon ………. RM/W

Xabbaduhu waxay dhaceen kolkii ay xafladdu dhammaatay oo 480 (garsooreyaal, iwm) la aadi lahaa xabsiga Dhexe. 70 daqiiqadood baa la dhabbacnaa.

30.09.93

Waxaa xaruntii hore ee Nabadsugidda ka furmay Shirweynihii Beelaha. Shir guddoomiye Xuseen Shiikh Axmed 'Kaddare'; 2 maalmood buu soconayaa. Bulshoweynta Soomaaliyeed iyo 12kii Urur; waxaa kale oo ka hadlay marti: Danjiraha Talyaaniga Mario Scialoia (?) iyo wakiilka UNOSOM u qaabilsan Woqooyiga Xamar. RM/W

Golaha Shirweynaha Ummadaha Midoobey iyo Wasiirka arrimaha Dibadda ee Talyaaniga Mario Andreata: waxaa la magacaabay siyaasi dhegsami weyn oo fura barnaamijyada dibuheshiisiinta, iwm ee UNOSOM" VOA, BBC…

Kol la isweyddiiyey sida xal loogu heli karo arrimaha dabadheeraaday ee murugsan ee Soomaaliya Arap Moi iyo Robert Mugabe waxay yiraahdeen: "Soomaali? An African Solution."
Network Africa

OAU (NewYork): Wasiirrada Arrimaha Dibadda oo go'aan ku soo saaray takoor ka qaadidda Koofurta Afrika. WWA

Quick Reaction Force:

Gurmad keli ah.Waa kolka uu degdeg yahay. Warku waa Christopher (Xoghayaha Arrimaha Dibadda ee Maraykanka), UNOSOM-na si ka duwan bay u adeegsatay … WWA

01.10.93

Warshadda Mareerrey oo la burburiyey oo qalabkeedii (malaayiin dollar) la bililiqaystay oo la iib geeyey…soddon kun oo qof oo la diley.Yaa arrimahaas ka mas'ul ah? Raadiyaha UNOSOM 'Maanta' wuxuu yiri: Cismaan Cali 'Caato'. Markaas ay eedeynayaan wuxuu ku jiraa xabsiga UNOSOM. Warar ay wakaaladaha wararku ka xigteen Prof. Ciise Maxamed Siyaad (xoghayaha arrimaha Dibadda ee USCSNA) waxaa ka mid

ahaa in haddii Cismaan Caato xabsiga laga sii daayo ay taasi wax ka tarayso debcinta xiisadda dhex taal labada dhinac. WWA
Baakistaani ku dhaawacmay weerarkii Isniinta (27.9.93) ayaa geeriyoodey. BBC
NewYork Times oo ka hadlay xaashi uu Boutros-Ghali u qoray Xoghayaha Arrimaha Dibadda Warren Christopher isaga oo uga digaya in haddii ay ciidammada Maraykanku ka baxaan Soomaaliya uu Dalku dib ugu noqonayo dagaalkii sokeeye iyo baabbi'ii weheshey. BBC 02.10.93
Aqalka Cad oo ugu deeqay Garsoorka, Booliska iyo xabsiyada gargaar dhan 27 milyan ($) :.
Cali Shiddo Cabdi wuxuu ka hadlay shirkii 7aadkan ee nabadda:
- UNOSOM sidii Afis ha looga faa'ideysto
- 'Doollar-qaate iyo waa ku dileynnaa baa iga hortimid...
- Yaan laga daalin u caqlicelinta walaaleheen...
- Midnimo waa muqaddas.

Maanta (barqo) geeridii Suldaan Cali Yaasiin Cali Keenadiid. Ina Cali Yaasiin maanta ayuu ka soo noqday Abuu Dabey. Keligiis baa wiilashii Xamar ka jooga.

Jonathan Howe iyo 12ka Urur waxay qabaan in UNOSOM haysato taageero dhan 98%.

03.10.93
Saaka miino ayaa ku qarxatay xaafadda Xaajirajab. Waxaa ku dhintay turjumaan Soomaali ah. Dhaawucu waa 3 Maraykan ah.

Stadio Cons: Bannaanbax 15 kun oo taageeraya UNOSOM iyo toddobaadkii nabadda. RM/W
Go'aan: Golaha Ammaanka oo go'aamiyey 2500 ciidan loo diro Ruwaanda (Chigali) VOA, wwa
07.10.93 **Angola:** Maalin walba waxaa gaajo ama dagaal ku dhinta kun (1,000) qof.
Soomaali: Hal milyan ayaa gaajo iyo dagaal ku dhimatay Boqollaal kun ayaannu badbaadinney. Geliddayadu waxay lahayd the right reason ka bixidduna waa in ay ahaato the right way.
B.Clinton.
Baabuur iyo wade qaraxyo xambaarsan, Safaaradda Maraykanka iyo dhimashadii 240 marines (Beyruut), 1983kii.
08.10.93
Bill Clinton: Qalab iyo 5,000(Shan kun oo hor leh) "….. Cidna la annu dagaallami maynno, ciddiise isku dayda in ay askartayada oo xilkeeda gudanaysa haddiddo, waa baabbi'inaynnaa. Ciidammo dheeri ah ayaannu dalal kale ka codsannay. Waxaannu ka soo baxaynnaa Soomaaliya 31ka Maarso 1994…. Let us finish the work we have started. Waxaa taageeray madaxa (Gudd.) mudanayaasha Xisbiga Jamhuuriga Bob (Robert Doll) WWA.

Cabsi iyo qax xaafadaha qaarkood, hortii "ka baxa Villa Soomaaliya iyo gaggaarkiisa....haddii kale waxaa la idiin qaadan burcadda taageerta MFC" BBC, wwa

Colaad xun oo dhextaal Maraykanka iyo Suudaan. Suudaan waxay tababbartaa maleeshiyada MFC isagoo taageero kalena ka haysta Iiraan iyo Ciraaq. Waxay Caydiid ku taageereen 1 saac oo Raadiye-TV-ga rasmiga ah ee Dawladda Ciraaq, si ay ugu fidiyaan dacaayaddooda. Weriyeyaal fiican oo ka shaqayn jirey Radiye Muqdisho oo USC ah ayaa Baqdaad la geeyey. BBC

"Robert Oakley waa aabbihii dhibaatooyinka maanta jira. Afhayeen SNA-RM/K

Arbaca, 6da Okt. 93, geeridii Maxamuud Cismaan Keenadiid (Mombaasa). Waxaa laga maqlay baafinta BBC oo ay tacsiyeynayaan C/llaahi Cismaan Keenadii, Muuse Axmed Khayr, Faadumo Yaasiin Cismaan, iyo kuwo kale. Waxaa lagu xusay duco iyo qur'aan tacshiirado dhexdood.

09.10.93

Afhayeen SNA:

- Qori caaraddis. - Oakley: aabbaha dhibaatada.
- Xasuuq carruur iyo haween. - Faraha ha kala baxeen siyaasadda gudaha RM/K

Waxaa ka horreeyey laba waraysi oo soo dhoweyn ahaa: Cabdi Xaaji Goobdoon (Xamar) iyo Nicolino Max'ed (Rooma).
Baaqii Bill Clinton oo la soo dhoweeyey iyo MFC oo xabbad-joojin ku dhawaaqay. RM/K
10.10.93
Bill Clinton: X-Joojin iskood uga timid oo wadahadal la'aan lagu oggolaaday. VOA
Kulankii ugu horreeyey ee Oakley iyo Howe.
Howe: Waxba kuma ay kala duwana siyaasaddii hore iyo tan maanta. BBC
Beryahan waxaa soo noolaatay sheeko la mid ah tii oraneysey "Juudaanka waxaa lagu daaweeyaa hilib dad (beer)" Waa hilibka Maraykanku wuxuu daawo u yahay neefta.
Waa hadaaq suuq. Suuq
11.10.93
Marooko, Kameruun iyo Nayjeeriya ayaa Afrika uga qaybgelaya cayaaraha (horyaalnimada kubbadda cagta) ee lagu qaban doono, 1994ka, Ameerika.Walaayadaha Midoobay ee Ameerika.
(W.M.A)
20ka Okt. Shir Addis Ababa. Qabanqaabin UMA (Guddoomiye Xusni Mubaarak iyo Boutros-Ghali oo la-tashi ugu tegaya Qaahira), kaddib, xal afrikaan ah. Ka qaybgal: Ururrada Caalamiga ah iyo hoggaamiyeyaasha Soomaaliyeed.

Nugaal kaddib, Golaha Gobol ee 2aad wuxuu noqon doonaa Bakool. Waxaa dhowaan u

anbabixi doona Admiral Howe, Kofi Annan (ku-xigeenka Xoghayaha Guud u qaabbilsan nabad ilaalinta iyo saraakiil ka tirsan UNOSOM.). Madashu waa Xuddur. Qaran Press.
(11.10.93)
Kulan 12ka Urur iyo Kofi Annan oo u xaqiijiyey in Go'aankii 837 ee Golaha Ammaanka ayan waxba iska beddelin. Waa isweyddiin habka fulinta ugu habboon.
18.10.93
Markabka dayuuradaha xambaara ee Abraham Lincoln oo Xamar yimid. Xalay iyo habeen hore qaraxyo iyo sharqan. " Meelo cidla ah iyo hub tijaabin dayuurado Maraykan" bay tiri UNOSOM. BBC
14-18 Okt. 93
Beelaha Hawiye (shir) Go'aanno:
- UNOSOM Dalka ku fidin
- Hub ururin - Gole Qaran dhisid
- Midnimo muqaddas ah.. - Buuq iyo diidmo xun oo lagu sameeyey Danjiraha Talyaaniga Mario Scialoia kaddib markii uu shirka ka hadlay oo aad loogu soo dhoweeyey wakiil ka socdey UNOSOM G/Le Dhexe McGovern. Dhib badan kaddib wuu hadlay.

La-haystihii Nayjeeriya Cumar Shantaali (Muslin) oo ka hadlay jirdil benii-aadannimada ka baxsan oo ay SNA ku samaysay.
Waxaa beeniyey (SNA) RM/K

370 qof oo ka kala wakiil ah:

1. Karanle	2. Gugundhabe
3. Mudullood	4. Habargidir
5. Xawaadle	6. Gaaljecel
7. Garre	8. Janbeel (Ujuuraan).
9. Silcis	10. Wadalaan
11. Xubeer	12. Me'd Gorgaate
13. Xaskul	14. Shiikhaal (Reer Aw Xasan).

RM/Wiyo R.Maanta

20.10.93
... haddii ay beelahaas Hawiye bannaanbax u yimaadaan Weliyow Cadde (Beerta Daraawiishta) Xabbad- Joojintii bay jebiyeen, waana dagaal sokeeye...Cali Me'd Cali (Ugaas Cali) Guddoomiyaha Guddiga Nabadaynta Xamar (SNA). RM/K
Baydhabo (Bay) oo laga dhisay Gole Gobol oo loo dabbaaldegayo, Raadiyeyaal iyo wargeysyo. J.Howe... (17.10.93)
MFC: Waxay SNA sii deysay duuliye Michel Durante iyo Cumar Shantaali...shuruud la'aan (14.10.93)
C/llaahi Jaamac Shuuriye (13.10.93), madaxa Golaha Khusuusiga ee Sool. Sool waa Gobol ka madaxbannaan Somaaliland (Waraysi Jabbuuti).
15.10.93 .... Ciid, waraysi Addis Ababa: Been ku sheegid Shuuriye.
Bakool: Dhismo heer Gobol. Kii 2aad (Nugaal 1aad). Goobjooge ku-xigeenka Xoghayaha Guud xagga nabad ilaalinta Cofi Annaan iyo madaxda

UNOSOM. Gabar xubin: Xaawa Mursal Cali. Xuddur (13.10.93).
1945 (FAO): la unkay 16.10.45. Maalinta Cuntada Adduunka. Roma.
Go'aan 12ka Urur: Cid kasta oo nabad lagala shiro (SNA, iwm.), waxaase reebban la shiridda MFC. RM/W ***
Qaybsiga dakhliga Dekedda Boosaaso: Weriye Wargeyska Maanta.
1. 22% Bari. 2. 10% Nugaal.
3. 10% Mudug. 4. 6% Galguduud.
5. 18% Nabadgelyada iyo Difaaca.
6. 09% Maamulka SSDF. 7. 10% Deymanka.
8. 5% Kaydka. 9. 10% kale.
22.10.93
Weliyow Cadde waxaa lagu qabtay bannaan baxii beelaha Hawiye. Isniinta 25.10.93, ciddii qalalaase la timaaddaa waa cid jebisey (xabbad-joojintii, 3dii Maarso, 1992kii), waana laga hor tegayaa. RM/W
Waxaa la sheegay in Boutros-Ghali booqasho ku imanayo magaalada Baydhaba isaga oo la kulmaya Ciidammada UNOSOM, kaddibna u duulaya Nayroobi.
Oakley iyo Middle East Airlines iyo State Department. Oakley baaris baa ku qalloocan. Maxaa kala haysta??
BURUNDI: Afgenbi kaddib, qax Hutu ciiddaas ah...waa xusuustii Abriil 1972kii, kolkaas oo ay Tutsigu laayeen Hutu 100, 000? 150,000? Dhan

200,000. La iskuma raacsana. Ridid Madaxweynihii ugu horreeyey ee la doortay oo Hutu ahaa dhawr bilood ka horna la diley?. Dhibaatada waxaa saldhig u ahaa dilkii madaxweyne Huutuu ahaa oo la oortay.Afgenbi wuxuu dhacay 21.10.1993-kh

23.10.93
Caaqil Axmed Raage Cabdi (Caaqilka Habargidir) oo afduub looga taxaabtay gurigiisa shalay. Qaran iyo Xog'ogaal
Axmed Raage (Cayr), Cali Shiddo Cabdi iyo Me'd Nuur Wardheere (Sacad) oo la afduubay.
24.10.93 Warg. Maanta, R.Maanta
24.10.93
"Bannaanbax nabadeed ee Hawiye (25.10.93) "
RM/W...
"Waa bannaanbax nabaddiid ah. Isu cagajugleyn". RM/K
Bannaanbax dagaal mise dabin siyaasadeed oo lagu muujinayo nabaddiidnimo dhinac?
26.10.93
Sidii ay uga digeen ayay u hor-istaageen taageerayaasha MFC: xabbado, dhimasho iyo dhaawac.
Bannaanbax nabadeed.14 beelood oo Hawiye ah. Weerarkii Nabaddiidka. Dad si nabad ah u marayey waddada Maka-Al-Mukarrama ayaa la dhaawacay. Dhaawacaas waxaa ka mida ahaa Janan Nuur Caddow, wiilkiisa (oo hadda lagu

daaweynayo Isbitaalka Roomaaniya ee
UNOSOM). Nuur Caddow waa duqa
(Guddoomiyaha) Xawaadle. R.Maanta
Jasiiradda Haiti kaddib waxaa wararka
Soomaaliya qariyey dhacdooyinka Burundi....
27.10.93
UNOSOM: Qabaa'ilka diriraya ma aannu
dhexgelaynno, Hub ururin maynno, fariisimmo
iyo ilaalo waddooyin
kuma aannu jirno, iwm.
Robert Oakley
Boutros-Ghali: 15ka Nofeembar-ta soo socota iyo
Golaha Ammaanka: sidee iyo maxay wax ku
maamuli doonaan Ummadaha Midoobey ee
Soomaaliya?

Xamar xabbado ayaa ka dhacaya (dhaawac iyo
dhimasho) laga soo bilaabo (bannaanbaxii)
25ka...xabbadjoojintii
SNA, ma waxay ahayd mid u dhexaysa oo keli
ah UNOSOM & SNA?

Robert Oakley iyo siyaasaddii cusbayd ee
Maraykanku meeye?

Waxaa la dhisay Gobolkii 4aad. Waa Galgaduud
kaddib Nugaal, Bakool, Bay. Golayaasha
Degmooyinka ee Gobolka Galguduud waa:
Cadaado, Ceelbuur, Galhareeri, Balanballe,
Caabudwaaq iyo Ceeldheer.

Jonathan Howe oo la shiray wakiillada (Marreexaan, Murusade, Habargidir iyo Abgaal) ka qaybgelid : Ceelbuur ku qabasho.

R.M., Wargeysyo

UNOSOM: Nabd Ilaalin? (Peace Keeping)
Nabadayn? (Peace Making)
Nabad dhalin? (Peace Enforcement)
Dagaal xun oo hub culus la isu adeegsanayo (26.10.93) oo dhexmaray qolo Gadabuursi ah iyo mid ah Habarawal.
Dhul iyo beero ayaa ku wacan
Weriye Nuuraddiin Samatar (Hargeysa) BBC
Dhexdhexaadinta Dalalka Geeska Afrika waxaa soo dhoweeyey Nicolino M'ed (Roma-SNA)

BBC (Waraysi)

'Waa in shirkaas ay Ummadaha Midoobey gacanta ku hayaan'.
Guddoomiye Janan Cumar Xaaji Masalle (Ku hadlaya magaca 12ka Urur) BBC (Waraysi)
'Meel kasta iyo cid kasta oo qabanqaabisa waannu ka qaybgaleynnaa....'
Maxamuud Xaaji C/raxm.'Labamadax'
Afhayeen SNDU (Nayroobi) BBC
Dalalka Geeska: Waa dadaal dadaal dhaafay haddii ay wax ka qabtaan 'heshiisiinta Soomaalida', markii ay qaarkood, sanooyin badan dadkooda heshiisiin waayeen oo layn ku hayeen... Suudaan iyo Jabbuuti oo dhib siyaasadeed oo aad u badani uu haysto.

Dawlad Itoobiyaan ah oo aan haysan taageerada Oroomo, Amxaaro iyo Soomaali, lug keli ah bay ku taagan tahay. Keenya oo ku sii hafanaysa dagaallada qabaa'illka.
Cumar Al-Bashiir oo Koofurtiisa afgaran waayey, oo Jabhadaha Soomaaliyeed heshiisiinaya, Xasan Guuleed oo qaxootiga Cafarta wax ka qaban waayey oo kuwa Soomaaliyeed ka talinaya...
29.10.93
Meles Zenawi oo u qoray Golaha Ammaanka:
- Sii jideyn heshiiskii 15ka Urur ee Addis Ababa
- UNOSOM iyo Dalalka Gobolka oo ka wada qaybqaata dibuheshiisiinta. - Guddi baara dilkii Baakistaaniyiinta (June 5. 93).
30.10.93
Raadiye la furi doono bilowga 1994ka. Mawjadda dhexe: gaarsiisan Soomaali iyo deriska. Ku kacay 2.5 malyuun. RM
Dhismo Gobolka Hiiraan (28.10.93), Admiral Howe oo B/weyne ku sugan. RM/W
Dhismo Gobolkii 6aad (Gedo).Dabbaaldeg Garbahaarrey. RM/W
Dil 18 Maraykan ah, dhaawac fara badan dayuurado la soo ridey, 3dii Okt. 93ka, duuliye Mike Durante oo la afduubay…Jabkaas waxaa dusha u ritey Sarkaalkii Ciidammada Hoggaminayey : William GRESHAN.
Qaran.30.10.93

01.11.93

Xamar imaatin Robert Oakley. Ciidammada oo xoog baaxad weyn ku maray magaalada iyaga oo u socda saldhiggooda cusub oo la yiri waxaa lagu magacaabaa Victory Base .Hiilweyne??

02.11.93

Nabadaynta Beelaha Hawiye: culayska Ugaas C/qaadir Ug.Xaashi Ug. Faracadde (Murusade) RM/W

03.11.93

Maraykanka oo sheegay degid saldhig (Victory Base) Woqooyiga Muqdisho. AP-Network News

Dagaal hub culus la isu adeegsadey oo ka dhex dhacay beelaha wada dega Gabiley. Dhul daaqsin iyo beeraba leh. Waxaa BBC-da uga warramay Cabdi Ismaaciil Kaahin (SDA).

05.11.93

Preferential Trade Area (PTA) (1982): Bartamaha, Koofurta iyo Bariga (16 dal); sannad 2,000, suuq… Hadda waa COMESA (21 Dawladood-Lusaka) WWA

08.11.93

Shalay (Ax.) waxaa ka hadlay fagaaraha 1da Luuliyo (wakiil?) SSDF Goodxawle (Reer Khalaf): Khamiistii horena wakiilka SNDU Nuur Xuseen Ismaaciil. Caawa waxaa ka hadlay RM (K) Guddoomiye Me'd Nuur Hufane iyo Guddoomiye ku-xigeen USF. RM/K

10.11.93
Dastuurkii oo la soo gudbiyey oo loo dhiibay Isniintii 8.10.93 Admiral J. Howe. R.M
27ka Maarso 1993 Heshiiskii Addis-Ababa
Dhimasho iyo dhaawac badan iyo gaadiidkii oo la dhacay.Waa burcad ay UNOSOM ka danbayso. Waa jidgooyo Hiiraan. RM/K
14.11.93
Kulan Wasiirka Arrimaha Dibadda ee Masar Camru Muusa iyo Guddoomiyaha SSDF Max'ed Abshir Muuse (Qaahira) BBC

Waraysiyo BBC (Siciid Faarax M'uud 'Yare')
Meelo Woqooyi Bari ka mid ah:
Islaan Cabdille: Nabaddu waxay dhalan kolkii uu Eebbe ka dhigo.
Islaan Maxamed: D/weyne (Waq.Bari) aanba la socon kolka ay madaxi murmayso.
Danta guud qof ma uu weecin karo.
15.11.93
Barnaamijka 'Halgan' –Ra'yiga Dadweynaha Wada Muslin aanse ogeyn ...Dameer uu malab saaran yahay baynnu nahay. Xiriiriyaha Ugaaska RM/K
Golaha Ammaanka:
17.11.93
Suspended the warrant for his arrest (MFC).
Abuurid Guddi Baariseed.
21.11.93
Maalinta Macallinka Soomaaliyeed.

Guddiga Habargidir:
Galaal Guddoomiye (kan ugu sarreeya), Afhayeen ina Gacmadheere. Waa 15 xubnood. Dantu waa tolka oo laga badbaadiyo habowga iyo colaadda. Caaqil Axmed Raage? Toodu waxay ahayd nabaddoonnimo ee ma ahayn siyaasad. RM/W

22.11.93
Dhismaha iyo dabbaaldegga Golaha 8aad (Marka). Jonathan Howe goobjooge.
BBC
Suldaanka Marka: Guryo iyo beero xoog lagu haysto ayuu si kulul uga hadlay.

Galaal : MFC baa Habargidir u horseeday silic, saxariir iyo colaad.

BBC
24.11.93
Hiiraan Urur cusub.Guddoomiye C/llaahi Gacal Cabdi. Ururkan waxaa ku dhan qabaa'ilka Hiiraan ku wadanool, kuwa USC-SNA mooyee. C/qaadir Aadan C/lle miyaa ku jira? Haa, sida uu yiri Gacal. BBC

25.11.93
Boutros-Ghali oo magacaabay Guddi denbi baariseed (5tii Juun) oo ka kooban Zambia, Finland iyo Ghana. WWA
Hiiraan waa SNA. Beenin Ururka cusub.
RM/K

26.11.93
Golayaashii Degmo ee Gaalkacyo, Galdogob iyo Jirriiban oo la dhisay. RM
Hiiraan waa SNA.Waxaa yiri Xaaji Me'd Nuur Muxyaddiin. Kuwa Urur cusub ka hadlayaa waa denbiileyaal. RM/K
Zakariye Maxamuud Xaaji, Xoghayaha Guud ee Golaha Aqoonyahannada. Waa gole lagu aasaasay Addis Ababa loolana jeedey in nabad lagu dhaqmo xabbad danbena aan la ridin. BBC
29.11.93
Waxaa furmay shirkii benii-aadannimada deeqaha. Guddoomiye ku-xigeenka Xoghayaha Guud xagga Beniiaadannimada Jan Eliaston: Waxaa mahadnaqay Yuusuf Azhari iyo Me'd Cali Xaamud.

S.U.D.O.Urur Gugundhabe.Jidda ayaa waxaa ka soo hadlay Xareed Faarax Nuur (waxaan raacsanahay Ururrada Nabadda…USC-du way dagaallo badan tahay).

Meydad Askar Maraykan (Lafo) oo U.S.A. loo dhiibay, 30-40 tiro ah 40 sano ka hor (1953) Mahadnaq. Kumanyaal baa weli maqan.

MFC: "Dadkii qaxay waa in ay guryahooda ku soo noqdaan oo ayan waxba ka biqin" shir jaraa'id RM/K

30.11.93
Guryo ka bixiddu waxay ka mid ahayd Shuruudihii ay 12ka Urur ku xireen la hadliddiisa: Hub ka dhigid maleeshiyaa diisa iyo guryo ka bixid, joojin qulqulatooyinka uu ka wado Xamar, Sh. Hoose & Jub. Hoose, aqoonsiga Golayaasha Degmo.
01.12.93
Imaatin maanta (Go'aan trs. 885)
Zambia: NGULEBA (Guddoomiye) Chief Justice.
Ghana : Emanuel ERSKINE (Janan)
Finland : HUGGLUND (Janan)
Emanuel Erskine (Janan-Ghana), Gustave Hagglaund (Finland) iyo Mathew S.W. Nglube (Guddooomiye-Zambia). 2da Janan, waa nabad-ilaaliyeyaal hore. Qormo saxan oo magacyada ah weli lama hayo.

Baaris 4tii Maajo, aasaaskii UNOSOM -16kii Nof.'93 (magacaabidda Guddiga, go'aan trs. 885)

Waxaa yimid C/llaahi Yuusuf Axmed iyo ergo ka socota Zenawi oo "raadinaya" MFC in uu ka soo qayb galo shirka Addis Ababa.
02.12.93
Furmid Shirkii deeq bixiyeyaasha, oo ku saabsan dhismaha Booliska Soomaaliyeed.

MFC wuxuu ku dhoofay dayuurad ay ciidammada Maraykanku leeyihiin isaga oo

agfadhiya Danjire Oakley. Kongreska iyo dadweynuhuba waxay aad uga murmeen dayuurad Maraykan ku qaadidda MFC. Bill Clinton wuxuu ka yiri murankaas abuurmay: Waa go'aan R. Oakley waanse taageerayaa ...Waa fududayn shirka Addis Ababa. WWA
04.12.93
MeleS Zenawi oo ka carooday heshiis la'aanta Ururrada Soomaaliyeed, shirkana ka baxay.
06.12.93
Fooniyaha Faadumo Khaliif iyo Faarax (Jabbuuti). War Kanada ka yimid oo soo gaarey Faarax iyo xigtadii Yurub degganayd oo sheegaya geeridii Siciid Cismaan Keenadiid (oo la xaqiijiyey) iyo cidda inteeda kale oo aan laga warhayn meel ay jaan iyo cirib dhigeen. Waa markii 4aad ee uu imaanayo war la mid ahi...xilliyadan biimada ah.

ITAALIYA: P.D.S (Partito Democratico di Sinistra) oo cirka maraysa. Waxay ku adkaatay Rooma, Naapoli iyo meelo kale. D.C (Democrazia Cristiana) P.S.I (Paritito Socialista Italiano) & PLI (Partito Liberale Italiano) daad baa qaaday. PDS waxaa ku xiga midigta shishe.'

BOONDHEERE: Waxaa loo dabbaaldegayaa dhismaha Gole Degmo. Jonathan Howe waa goobjooge (6.12.93).

Geeri Madaxweyne Felix Houphouet Boigny Xeebta Foolka (Ivory Coast). Maanta oo ah 33 guuradii madaxbannaanida. Waa 33 guurada (33kii uu talada hayey). Laba sannadguuro oo isku maalin ah.

08.12.93 Waraysi:

C/llaahi Yuusuf Axmed: Yididdiilo aad u weyn. Ka fiican shirarkii hore. Waxaa dhow is-afgarasho lala yeesho SoomaaliLand. BBC

Cabdi Khayrre Cawaale Guddoomiyaha (SNA) Degmada Boondheere: "Waa beentii UNOSOM, Degmo la dhisay ma ay jirto". Beentaas waxaa qoray wargeysyada Xamar qaarkood iyo warfaafinta UNOSOM. RM/K

09.12.93

Sannad guuradii imaatinka ciidammada Maraykanka (9.12.92) New York Times : 5tii Jun-3dii Okt.: dhimasho 83 (Ciidammada) 300 dhaawac iyo, xagga Soomaalida 6,000-10,000. VOA-S

Waraysi Dr. C/llaahi Cabdi Caalin Gudd. ku-xigeenka Ururka Nabadaynta Hiiraan:

"..Urur ah dhinaca nabadda. Raadiyaha SNA oo ku hadlay hadallo aan habboonayn…waxaannu dooneynnaa nabad dhexmarta Gobollada Dhexe (Hiiraan, Galguduud & Mudug.)

Warayste Saalimiin Xog'ogaal 9 Dis 93

Addis Ababa: (Talooyin: Gobol walba meeshii 3 xubnood, 5 ha soo dirsado; Urur walba meeshii

uu hal 1 ka soo dirsan lahaa, labo 2 ha soo dirsado (TNC) 74kii xubnood oo noqday 120.
11.12.93
Meles Zenawi: "Markii aad noo baahataan diyaar baa la idiin yahay", shirkiina isaga baxay isaga oo caraysan. Waa astaan burbur. WWA
Istaadiyo Banaadir Kubbadda Cagta: Xulka Gobolka Banaadir oo 2-0 kaga badiyey kooxda Ciidammada Nayjeeriya ***
12.12.93
Shir guuldarraystay:
SSA : MFC oo doonaya in wax laga beddelo heshiiskii 27 Nof 93 (Addis Ababa)
SNA : UNOSOM oo doonaysa maamul ayan SNA ku jirin.
CMM iyo wakiilladii Ururrada (SSA) ayaa Xamar ku yimid dayuurad UNOSOM. Xamar ayaa lagu sii falanqaynayaa arrimhii Addis Ababa. RM/W
13.12.93
Waxaa Hotel Lafweyn ka furmay shir SSA oo uu guddoominayo CMM. RM/W
Bile Rafle Guuleed (afhayeen SSA): shirkii ma uusan burburin oo Xamar buu ka sii soconayaa.. is-afgarad iyo walaalnimo. -C/qaadir Xaaji Maxamed (afhayeen SNA): Niyadsami ayaannu ku soo dhoweynaynnaa… kuwii ballanka ka soo qaaday UNOSOM?.. Isku waraysi BBC Is-afgarad wacan. 4 xubnood (SSA) baa ka shaqaynaysey fashilinta shirka. RM/K

14.12.93
Meles Zenawi shir Jaraa'id (shalay):
- Heshiis la'aanta: kuwa ku riyoonaya sadbursi, kaddib ka bixidda Maraykanka (Soomaaliya)
- Dawladda iyo Ururka (EPRDF) ka ay qayb geli maayaan shirka dibuheshiisiinta ee uu Mucaaradka Itoobiya qabanqaabinayo.
- 4 sano (abaar): 4 malyuun oo god qarkiis saaran (1994ka). Baaq gargaar oo lagu codsanayo 500,000 t. VOA

Waraysi: Axmed Cawad Xasharo, afhayeen USP oo u hadlaya SSA: si aad u wanaagsan ayaa la isu afgartay, wada hadalladuna Xamar bay ka sii soconayaan. Shirkii hore wax ka beddeliddiisa (kordhin Gole Qaran) la iskuma diiddanayn ee arrin Qaanuun baa meesha soo gashay;shirkan koobani wax ma ka beddeli karaa shirkii hore ee baaxadda weynaa? Codka Nabadda (Itoobiya) 15.12.93

SSA (Shir Jaraa'id shalay):
Shirkii Addis-Ababa si wanaagsan ayuu ku socdaa. Xamar ayaa wadahalladu ka sii soconayaan.Waxaa hakasho
geliyey SNA oo weyddiisatey in wax laga beddelo heshiiskii 27kii Maarso, 1993kii. RM/W)
Qoraal ay saxiixeen Guddoomiyeyaasha 12ka Urur: Goobjoognimada Duuliye Sare Cabdi Cismaan Faarax ee shirarkooda. Qaran (15.12.93)

Weerar xoog leh oo lagu qaaday shalay Ciidammada Hindiga ee Beles-Qooqaani. Maanta (arbaca) Ciidammada Hindiga oo xilka Gobolka (Gobollada?) kala wareegaya kuwa Beljamka... VOA

17.12.93

CMM (Wakiilka Sare ee SSA): waxa uu dulmaray shir Soomaaliya lagu qabto. MFC (Guddoomiyaha USC) : Shir lagu qabto Addis-Ababa oo uu weli joogo. Hortii labaduba isweydaar bay ku hadlayeen: Haddii aan sidaas la isu dhabarjebin waxaa dhici karaysa halis ah in la ... heshiiyo. MFC: Tekniko xudduudka ka soo wadi lahayd ayaa la burburiyey. Sidaa awgeed ayuu ku soo noqon kari la'yahay.Addis ku xayirnaan. BBC, VOA, Wargeysyo shisheeye (isxigasho) Afhayeen SNA: Kulammo Siyaasadeed ayuu Addis Ababa u joogaa. Martiqaad booqasho oo uu ka kala helay Ugandha, Kenya, Jabbuuti. Kaddib imaatin.

18.12.93

Shir SSA (13-18). Go'aanno & Baaqyo.Waxaa cusub qorshe –hawlgal iyo iyada oo laga tashanayo SNA oo doonaysa in ay dhisto Gole Qaran (kmg.) Jannaayo 1994ka RM/W

Caleemosaarka Ugaas Caraaye Caddow Maalin Dagaare, Ugaaska Wadalaan Gorgaati. RM/W

22.12.93

Safar Salaama. Khadiija Xuseen Maxamed Islaan

iyo 3deedii gabdhood Faadumo (Farxiya), Caasha iyo Siciido. Waddada cirka ee Kismaayo.

Kaddib muddo 300 sano ka badan ayuu Barlamaanka Koofur Afrika, Dastuur midab takoor la'aaneed ku ansixiyey (237 oggol iyo 45 diiddan).
Waxaa la magacaabay Guddi u xilsaaran in uu si joogto ah ula kulmo wakiillada SNA. RM/W
Waraysi Cismaan Me'd Jeelle: wuxuu isku deyay in uu ka odayeeyo shirkii Addis Ababa: "Ururka dibuheshiisiinta ee Hiiraan madaxdiisa waa aan la kulmay waana is afgarannay." BBC 23.12.93
Urur laga unkay Ameerika (Washington?) 40 xubnood. Magac: Ururka Nabadda iyo Dimoqraddiyadda.Qabyaalad la'aan. Guddoomiye Me'd Jaamac Jibriil. Wuxuu Addis Ababa kula soo kulmay madaxda wufuudda bulshada, kuwa Ururradase maya. Wariye BBC
Madaxweyne Maxamed Ibraahim Cigaal oo booqasho (23.12.93) rasmi ah oo uu ku tegi lahaa Keenya uu daqiiqaddii u danbeysay baabbi'iyey Madaxweyne Arap Moi. Waxaa ku wacnaa khilaaf ku kala dhex jirey xagga Siyaasadda gudaha iyo tan dibadda. BBC
C/Kariim Axmed Cali Xoghayaha Guud SNA: Dhiig baa ku daadan kara, mana suuroobi karto dhismaha Gole Qaran oo aan loo dhammayn. RM/K

24.12.93
Addis-Ababa: 50 Urur oo soo gebagabeeyey shirkii Dibuheshiinta. Meles Zenawi ayaa xirxiray ergooyinkii mucaaradka ahaa oo shirka yimid. VOA
Waxaa walaac abuuray warar aan weli rasmi ahayn oo sheegaya in ay Soomaaliya ka baxayaan ciidammada Maraykanka, Jarmalka, Talyaaniga, Faransiiska iyo Beljemka. Turkiga? Baakistaan oo soo kordhisay kuweeda (1500).
Si ayan tayada ciidammada UNOSOM hoos ugu dhicin (qalab, saad, tiro) waxaa la-tashi Xamar beryo ku joogey sarkaalka ugu sarreeya Gen. John SHALIKASHVILI (The U.S. highest ranking militaray officer), isaga oo kula taliyey Talyaaniga iyo Jarmalka in ay ka fiirsadaan go'aankoodii ciidammo la noqoshada.
13-16.1.94 (Ax.): Shirkii Hiraab (Hotel Kaah): Imaam M'uud Imaam Cumar. 6.1.94 : Deeqow Macallin Sanbul, Ex. Hogg. N.F.D. (xorayn). Kenya xirid 24 saac: diidid goosasho…shirkii jaraa'ida ee M.I.Cigaal (Mw. Kmg S-L)
07.01.94 : Mr Enoch Dumbutshena, garyaqaan uu u soo magacaabay Boutros-Ghali, 8da xiran.
7.01.94 : (Raadiye Maanta): Me'd Khaliif Absuge wuxuu ku dhego beelay daawo uu ka gatay (Bakaaraha). Takhaatiirtii UNOSOM ayuu u sheegay in uu Farmasi Bakaaraha ku yaal weyddiistey daawada Jabtada. Daawadii laga

iibiyey ayuu ku dhego beelay. Intaas waxaa faafiyey Raadiye Maanta. Maxamed Khaliif wuxuu aad u dhibsaday faafinta jirradaas uu qabey oo ah mid ay Soomaalidu qarsato. Iyada oo la daaweeynayo, isaga oo caraysan ayaa cid ugu war danbaysey.

20.1.94 : (J) sii deyn Cismaan Xasan Cali 'Caato'.

24.1.94 : SSA taageerid Heshiiska Hiraab.

28.1.94 : RM (W). B-bax Kismaayo (Morgan) taageerid Heshiiskii Hiraab.

29.1.94 : Shirkii Harti (Sool, Sanaag, Waq-Bari iyo Garoowe).

31.1.94 (I) : La hadlid Faarax Y.C. oo Faadumo C.K. keenay Addis-Ababa. Kaddib Jidda.

05.02.94 : Go'aan Gol. Ammaanka: nabad ilaalin tiro 22 kun.

06.02.94 : (Duulal iyo yaab daawo): Seynab Khaliif & Shankarroon Faarax.

11.2.94 : Bilow Ramadaan

20.2.94: Baardheere, heshiis (15-18): Digil-Mirifle, Marreexaan, Absame…

25.02.94 : CMM u dhoofid Qaahira (Gudd. UMA martiqaadid 15 Urur…. SNA diidid

28.2.94 : (Nayroobi). Saxiixid Shir Kismaayo 8da Abriil..

02.03.94 : Isbitaal Marooko "Eebbe, Dal, Boqor": Ani, Mullaaxo iyo Warsan weyn.

17.03.94 : Jees: La kulmi maayo Morgan.. 2 garab ee SPM ………………BBC

17-18.3.94: Shir SPM Axmed Xaashi Maxamuud Guddoomiye ku-xigeenka SPM iyo UNOSOM (Xamar) : SNA ma aqoonsana.
24.03.94: (Goor: 13.00) Nayroobi Saxiix…2da Guddi si looga baxo arrinta SSNM.
25.03.94 : (BBC) : Qaybe (wafdi) kula kulmid Boutros-Ghali arrimaha Sool iyo Sanaag…Maamulmadaxbannaan.
13.04.94 (Fiid RM (W) : Heshiis Nayroobi kaddib, ku eedayn MFC (SNA) weerarro iyo xasuuq: Jilib, Galguduud, Hiiraan, qalalaase Xamar iyo qabsasho (xasuuq, bililiqo) Marka (CMM afhayeen SSA).
14.04.94 (RM (K)): SNA kuma lug leh Marka: Waa dagaal beelaha deggan u dhexeeya)
15.04.94(?)
- MFC codsi dib u dhigid
- Dib u dhigid iyada oo UNOSOM wargelisey dhinacyadii saxiixay heshiiskii Nayroobi (Maanta, 14.4.94)
- RM (W) : 12ka Urur waxba lama ogeysiin, mana oggola. Waxaa socda shir aan caadi ahayn ee USC-da Woqooyi oo ay ka qaybgelayaan madax ka socota 12ka Urur…Xaruntii hore ee Nabadsugidda… Waa furitaanka shirkan meesha uu CMM eedayntiisa ka jeediyey.
1504.94: Hotel Pan-Africa Nayroobi: Heshiis Soomaalin- nimo oo dhexmaray Mudullood iyo Absame.

16.4.94(S)
Furmid shirkii (SSA)… Isu diyaarin kan 15ka Maajo, sida heshiiskii Nayroobi…. Ugu baaqid (RM/W) SNA in ay ka baxdo meelihii ay qabsatay. C/raxmaan 'Tuur' Guddoomiyaha SNM wuxuu yiri; " SNM way ka qaybgaleysaa shirarka Jabhadaha Koofureed. SNM Cigaal iyo cid baabbi'in kartaa ma ay jirto." Waraysi BBC
WHO: Dagaalladii Habargidir iyo Xawaadle oo carqaladeeyey la dagaallanka daacuunka … Kaydkii Hey'adda oo meel loo maro la waayey.
BBC, Maanta
26.04.94
Wargeyska UNOSOM 'Maanta': Shirkii 2da jeer baaqday waxaa lagu qabanayaa Nayroobi, 10ka Maajo; kii ku xigi lahaana 25ka isku bishaas (Xamar).
26.04.94
Bilowga doorasho loo dhan yahay : Waa giddi dadka kala midabka ah: nolol cusub, dal iyo calan cusub: burtuqaal, caddaan iyo buluug.
Koofur Afrika
28.04.94
Shirarka Nayroobi : SNA lama wargelin. Waa go'aan u yaal Ururrada ee ma aha UNOSOM. Waa maxay kaqaybgalka la sheegayo ee odayaasha beeluhu?. Waxaa la isku ogaa 15kii Urur ee Addis-Ababa saxiixday. Afhayeen RM/K
29.4.94
C/raxmaan Tuur kaga dhawaaqid Addis-Ababa

SNM oo ka noqotay goosashadii Gobollada Woqooyi 19.5.91 iyo dhalashadii Soomaaliland'.
09.05.94
Nelson Mandela oo uu Barlamaanku dhammaan ugu magacaabay Madaxweyne, Capetown.

10.05.94
Dhaarin Nelson Mandela (Pretoria)

17.05.94
Waraysi " Focus" C/casiis Axmed Aadan, Mudane Barlamaanka kmg (Itoobiya): E.S.D.L. (Ethiopian Somali Democratic League) oo kulmiya 11 ama 12 Urur. Beelaha kala duwan baa ka wada tirsan. AL-Itixaad waxay isku dhinac yihiin ONLF. Sheikh Ibraahim waa nin ka tirsan madaxda ONLF & kuwo ALItixaad" (Xariggii Xasan Jire Qalinle oo diidey in uu Guddoomiyennimada ku wareejiyo C/raxmaan Ugaas Me'd (Godey).

19.05.94
Soo noqoshadii MFC: - Ka soo degid Km 50.
- Dhisid (la doonayo) Dawlad.
- Raagis shirkii Ururrada: SSDF iyo SPM oo (dhexdooda) shirweynayaal uga socdaan.
- Hiiraan: Gobol mujaahid ah. ***

Ciidammadii ay UNOSOM ka koobnayd waxaa ka mid ahaa:
1. **Ameerika:** Maraykanka iyo Kanada

2. Yurub : Faransa, Ayrland, Norway, Iswiidan, Giriig. Romania
3. Aasiya: Bakistaan, Sucuudiga, Imaaraadka Carabta, Kuweit, Malesiya,
Bangaladesh, Kuuriyada Koofure, Turkiga, Nepaal iyo Hindiya.
4. Afrika: Nayjeeriya, Botswana, Tuuniisiya iyo Masar.

5. Awstraaliya: Awstraaliya.
4tii Maajo UNOSOM II, waxay kala wareegtay UNITAF. CEVIC BIR, Ammaanduule Turki ah.
30kii Abriil ayaa la soo gabagabeeyey hawlgalladii Unitaf…
1dii Jan. 93kii George Bush ayaa yimid Soomaaliya.

6dii Maarso 93kii magacaabid J. Howe oo beddeley Cismad Kitaani (Ciraaq).

***

Lifaaq:

Gobannimaddoonka (guudmar)

Tusaale: Shabeellaha Dhexe

GOGOLDHIG II

Guudmarka halgankii Gobannimaddoonka ee Shabeellaha Dhexe waa tusaale looga dan leeyahay muujinta laba arrimood: arrinta kowaad waa sida shirkadaha shisheeye ay awooddooda dhaqaale ugu adeegsanayeen difaaca kumanyaalka hektaar ee ah dhulbeereed ay si eex ah ku hantiyeen waagii Taliska Gumaysiga. Cadawga ay iska daafacayeen wuxuu ahaa fikradaha Soomaalinnimo ee dhaqdhaqaaqii xorriyaddoonka ee uu hoggaaminayey Ururka Somali Youth Leage (S.Y.L). Arrinta labaad waa soo bandhigidda magacyada waddaniyiin, halyeeyo iyo naftood-hureyaal rag iyo haweenba leh oo waa – ayaandarree – ayan cidina xusin. Waa ayaandarro taariikheed (mise taariikh la'aaneed?) oo Soomaaliya oo dhan ka dhacday. Haddii aynnu isku koobno, ujeeddada qoraalkan ee ku saabsan Shabeellaha Dhexe oo keli ah, waxaa diiwaangashan magacyo aan yarayn oo tixgelin gaar ah ku lahaa halgameyaasha dhexdooda. Waxaa la xusuusan yahay halgameyaal goobta dagaalka ku dhintay ama kol danbe u dhintay dhaawac ka soo gaarey sida Muuse Macallin Cabdi, Aamina Maxamed Guure, Cabdullaahi Tooxow, Maxamed Xaaji Barrow, Iimaan Diinle Diidow, Xasan Guuleed Jaamac iyo Axmadey Xuseen Dheerey.

Waxaa jirey 68 xubnood oo ka mid ahaa hawlwadeennada iyo Horseedka Xisbiga. Waxay ahaayeen kuwo si gaar ah Gumeysiga ugu tilmaansan oo kolkii uu qalalaase dhaco, meel kasta ha ka dhecee iyaga ayaa, hor iyo horraan, xabsiga loo taxaabi jirey. Waxaa la oran jirey waa 'rukunkii' xabsiyada, waxaana ugu caansanaa Xasan Cismaan Muuse 'Xasan Dhegey'. Xagga hoggaanka siyaasadeed ee Xisbiga mas'uuliyiin culus ayaa gacanta ku haysey oo ay ka mid ahaayeen Xasan Dhegeygii aynnu ka soo hadalnay, Xaaji Maxamed Cilmi 'Xaaji Danan', Xaaji Axmed Cali 'Xaaji Isbendi', Cumar Axmed Jeelle 'Cumar Abgaalow' iyo Xaaji Xasan Caddow Jumcaale ' Xasan Farey'. ***

S.N.A.I. Societa Naziaonale Agricola Industriale (Shirkadda Ummadda ee Beeraha iyo Warshadaha) oo hortii la oran jirey S.A.I.S.Societa Agricola Italo-Somala (Shirkadda Beeraha Italiya-Soomaaliya) meel aad u weyn ayay kaga jirtaa taariikhda horumarka dhaqaale ee dalka, isla- markaasna, waxay ahayd xooggii ugu awoodda ballaarnaa ee dhaqdhaqaaqa Gobannimaddoonka ka soo horjeedey. Kumanyaalkii shaqaale ee Warshadda Sonkorta waxaa saameeyey ol'olihii S.Y.L. ee lagu baraarujinayey xuquuqdooda, sida gaarka ahna loogu muujinayey dhiigmiiradkii lagu hayey iyo, sida waxsoosaarkooda uu shisheeye ugu tanaadayo. Madaxda Warshadda Sonkorta oo u

baratay shaqaale hebed noqday oo taniyo 1920kii uun amar la siinayey ee ayan cidina cabasho iyo talo toona ka dhegaysanayn, waxaa aad u dhibayey gunuunuca aan daboollayn ee ay maanta isla dhex marayaan. Shaqaalahaas oo aan weligiis maqal wax xuquuq shaqaale la yiraahdo ayaa waxaa ka dhex abuurmay walaac iyo isweyddiin. Sidaas ayaa waxaa dhacay in halgankii Gobannimaddoonka ee Shabeellaha Dhexe uu aad uga duwanaa, qaab iyo baaxadba, halgammadii Gobollada kale.
Si uu u badbaadiyo Warshadda iyo beeraha, shaqaalahana cadaadis joogta ah ugu hayo ayuu A.F.I.S.(Amministrazione Fiduciaria Italiana della Somalia = Maamulka Wasaayadda Talyaaniga ee Soomaliya) ciidammo lixaad weyn Jowhar soo fariisiyey, taasina dhiillo ayay gelisey dhaqdhaqaaqa Gobannimaddoonka.

Taariikh kooban ee Amiirkii ka tirsanaa Boqortooyada Talyaaniga ee Aqalka Savoia, unkihii Shirkadda, Luigi Amadeo di Savoia. Wuxuu ku dhashay Madrid 29kii Jannaayo 1873. Isaga oo yar ayuu wuxuu muujiyey in uu aad u danaynayo dalalka fogfog iyo abuuristooda, dabeecadda dhulka, webiyada, nolosha dadyowga, iwm. Wuxuu ahaa nin hawlaha qallafsani ayan niyadjab ku ridin ee ay xiiso weyn geliyaan. Mintidnimadii uu dhismaha S.A.I.S. kaga jibakeenay waxaa la garan karaa

kolkii hoos loo fiiriyo ku dhiirranaantiisa dalalka shisheeye (L' Opera Della S.A.I.S. in Somalia, Ing. G.Rapetti 1935-XIII Firienze, bogag 4, 5, 8).
- 1897kii wuxuu fiinta uga baxay oo calanka Talyaaniga ka taagey buurta ku taal Alaaska (Ameerikada Woqooyi) oo la yiraahdo Monte Sant'Elia. Isaga hortiis 4 jeer ayaa buurta tafiddeeda la holliyey lagumase guulaysan.
- 1899kii, 12kii Luulyo wuxuu hoggaamiyey koox soo baarta cirifka woqooyi (North Pole). Qarnigii 19aad dawlado badan ayaa ku tartamayey cilmibaaris lagu sameeyo cirifka woqooyi. Luigi Amadeo natiijooyin waaweyn oo cilmi ah ayuu ka soo hooyey.
- 1906dii wuxuu ahaa ninkii ugu horreeyey oo fiinta uga baxa buur ka mid ah xiriirka buuraha ee ALPI. Buurtaas waxaa lagu magacaabaa Ruvenzori.
- 1909kii wuxuu u socdaalay in uu soo baaro baraf-fariisadka Baltoro, dusha buurta Monte Caracorum oo ka tirsan xiriirka Himalaya. Hawada ayaa xumaatay oo joojisey isaga oo buur uu dhererka fiinteedu yahay 7654 mitir ay uga dhimman yihiin 150 mitir oo keli ahi. Amiirku dalalka iyo badaha adduunka badankooda wuu maray, gundhiggaas waaya'aragnimada noloshiisuna waxay hodan sii noqotay kolkii uu Soomaaliya ku negaadey ee uu mashruuca weyn ee S.A.I.S. ka hirgeliyey. Si uu cilmi ahaan ugu ogaado webiga nafta u ah

jiritaanka S.A.I.S., wuxuu socdaal baaris ah ku maray Webi Shabeelle dhammaantiis, laga soo bilaabo meesha uu ka soo unkamo. Dhererkiisa (xagga cirka) wuxuu ku qiyaasay km. 1,670., dhererkiisa runta ah, kolkii lagu daro leexleexadkiisa waa km. 2,488., wuxuuna sheegay in uusan ahayn webi ilo ka dhasha ee uu yahay webi roob.
Xilliyada buuxa iyo isdhimidda webiga isaga oo xog'ogaal u ah ayuu ku jaangoynayey xilliyada roobka iyo baahida beeraha. Amiirku wuxuu ku dhintay Jowhar 18ka bishii Maarso 1933kii.
23ka Sebtembar 1922kii waxaa la isla oggolaaday biyo waraabis Webi Shabeelle laga soo leexiyo. Waa siin lacag la'aan ah, muddada ku dhaqan keeduna waa 90 (sagaashan) sano, shirkaddana gaarsiinaya 6mc. halkii labaad (ilbiriqsi), kuwaas oo hubaal ka dhigaya waraabinta lixkun ee Hektaar.

S.C.K

Heshiis Beereedkii Bertello

Beerlehe-Xoogsade

" Isku waqti sheeggan ayaad ii shaqaynaysaa, hawlkaaga (mushaharkaaga) waxaan kuu siinayaa caddaan iyo badeeco, rug aad degtidna goobta shaqada ayaan kaa siinayaa. Haddii aadan heshiiskaas fulin maxkamad ayaa lagu saarayaa" " oggolaanshaha heshiiskani waa gefka weyn ee uu ku kacay Taliyihii Soomaalia De Vechi (1923-1928). Aayar aayar ayuu heshiisku wuxuu noqday qalab xoogsadaha lagu sandulleeyo", bay qortay Antonia Bullotta 'La Somalia Sotto Due Bandiere'. Garzanti 1949. Habkaan Gumeysiga ah ayaa lagu dhaqmayey tan iyo Febraayo 1941, kolkaas oo uu Ingiriisku baabbi'iyey. Antonia Bullotta waxaa kale oo ay isku buuggeedaas, boggiisa XIX ku sheegtay in ay Soomaalidu habkaas shaqo-beereed u tiqiin 'Schiavismo Bianco' (Addoonsi Cad), uuna ahaa habka nebcaysiiyey maamulka iyo siyaasadda Talyaaniga, guud ahaanba.

Maragfurka Xoogsatada Soomaaliyeed

Jowhar iyo agaggaarkeeda waxaa ku nool odayaal ka mid ah shaqaalihii ugu horreeyey ee ay shirkadda S.A.I.S. qoratay. Aad bay u eedeeyaan aabigii iyo gardarrooyinkii madaxda S.A.I.S. iyo Hey'adaha kaleba. Waxay ka sheekeeyaan sida ay islaweynida caddaanku u sii kordhaysay iyo sida uu cadaadiska

shaqaalaha lagu hayo uu ciriiri u gelinayey nolosha.
Takoorka iyo liididda midabku si aan dahsoonayn ayay waayadii danbe u soo caadbaxeen. Odayaashaas xog'ogaalkla u ah waxqabadkii iyo waxyeelladii S.A.I.S. waxaa ka mid ah:
Xasan Siciid Saalax 'Balaleeti', Xaaji Aadan Tooxow Raage, Xasan Caddow Jumcaale 'Farey', Xuseen Faarax Tiireey, Cismaan Caanood Geeddi, Xasan Malaaq Duuni, Ciise Caddaan, Baashay Teste Deboc, Axmed Macallin Yuusuf iyo Muxummud Ibraahim Cumar 'Boorow'.
Afarta oday ee ay magacyadoodu soo socdaan, kana tirsan tobanka kor ku qoran, waa kuwa aannu u helnay kansho waraysi, mid walbana wararkii uu nagu kordhiyey oo kooban ayaa magaciisa ku hoos qoran.
Xaaji Aadan Tooxow Raage:
Amiirku wuxuu nooga yimid xagga Mahaddaay. Mahaddaay waxaa ka soo raacayCilmi Cali iyo Warsame Go'aaye oo Askar ahaa iyo Cali Gaafow oo dadka aad u kalayiqiin. Maqaawirtii qabaa'ilka iyo culimmadii ayaa loogu yeeray. Kulanka waxaa kudhammaa odayaasha Sagaale Waaqbiyo, Walamoy, Baarre, Reer Ciise iyo Garmaggale.Waxaa kolkaas talinaysay qolo laga baqo oo loo haysto in ay leeyihiin awood dheeri ah oo wax kasta ay sidii ay doonaan ka dhigi karaan, iyaga oo adeegsanaya asraar iyo aqoon

dahsoon. Waxaa la qabey in ay tuulada iyo dadka degganba foorarin karaan. Qoladaan aqoonta-faalka ku hoggaaminaysa nolosha bulshada waxaa lagu magacaabaa **'Reer Saabid Uunlow'**.

Cismaan Caanood Geeddi:

Amiirku, kolkii uu madaxda Lixda Shiidle goonni u kala waraystay wuxuu gartay in Walamoy ay tahay tan si gaar ah loo tixgeliyo. Shanta kale, qoladii lagu yiraahdaba 'qoladee baa idiinku dagaalyahansan?', waxay ku warcelin jireen, 'Annaga iyo Walamoy'. Waxaa bilantay culayska bulsho ee ay Walamoy leedahay. Amiirku wuxuu ku dayday oo tixraacay dhaqan Soomaaligii ahaa in qolada kaa badan oo martida loo yahay la sheegto. Sidaas awgeed, ayuu codsaday in uu magangale u noqdo Walamoy: sheegato, qabbaan…Walamoydu waxay ka tirsan tahay 12 tuulo oo giddigood ku yaal webiga gowgiisa, xagga bari.

Shaqada S.A.I.S. waxay sandulle noqotay waa danbe oo ku abbaaran waayadii uu Talyaanigu Itoobiya weeraray. Sandulleyntu ma ayan ahayn shaqo kasta iyo goor kasta ee waxay ahayd xilliyo la doonayey dhammaystiridda hawlaha qaarkood, hawlahaas iyo saacadahaas dheeriga ahna waxay lahaayeen tixgelintooda dhaqaale oo lacag iyo badarba leh. Shaqada sandullaha ah waxaa lagu bilaabay qolooyin ku tilmaannaa ad'adayg iyo shisheeye ka fiigsanaan oo ay ka mid ahaayeen Reer Ciise(Xawaadley), Sagaale iyo Geedo Berkaan (Walamoy)...waxay ahayd arrin u eg 'weysha gowrac dibigu ha ku quustee.'

Xaaji Xasan Caddow Jumcaale 'Farey':
Xoogsatada waxaa la siin jirey amaah laga gooyo waxsoosaarkooda. Waxaa badanaaba dhici jirtey in uu xoogsaduhu amaahda gudi waayo, kaddibna uu u ekaado, ama run ahaan noqdo qof aan xor ahayn. Wuxuu ahaa deyn aan sina loo cafiyin; haddii uu xoogsaduhu dhinto isaga oo aan deyn bixin, tolkiisa ayaa laga qaadi jirey. Muuskii xumaada waxaa loo qaybin jirey shaqaalaha caadiga ah, qiimihiisana waxaa laga qaadi jirey shaqaalaha 'kolonyada'saaran (waa kuwa ku sandullaysan dhammaystiridda hawlo gaar ah). Xoogsatada kolonyada saaran aad baa loogu fududeyn jirey in ay guursadaan, afooyinkooduna shaqada ayey dhinacooda ka geli jireen. Waxaa la gaarey in gabar ama naag kasta ee uu xoogsade weyddiisto loo keeno, lana siiyo lacag amaah ah. Haddii sarkaal Talyaani ahi uu denbi weyn ka galo Soomaalida, Soomaalida horteeda laguma ciqaabi jirin ee Dalkiisa ayaa loo celin jirey, sida mid lagu magacaabi jirey Finzi(Funzi?) oo naag uur leh haraati ku diley. Shilkaasi wuxuu dhacay 1937kii.

Xoogsato badan ayaa S.A.I.S. ka baxsan jirtey oo Maka aadi jirtey. Qofkii baxsada oo iskiis u soo noqda lama ciqaabi jirin oo waxaa laga dhigi jirey sidii qof gefey oo toobad keenay; qofkii la soo qabtase waa laga jeebi jirey. Kuwa baxsaday qaarkood waxay soo noqdeen kolkii ay Fashiistadu jabtay oo Soomaaliya uu Ingiriisku qabsaday, 1941kii. Qaar kale, in kasta oo ay maqleen jabkii Fashiistada way ku dhici waayeen in ay soo noqdaan oo way isku hubi waayeen maamulkii Ingiriiska iyo kii ka danbeeyey ee Wasaayadda Talyaaniga ee Soomaaliya oo waxay soo noqdeen kolkii ay Soomaalidu Gobannimada hanatay 1960kii. Soo noqdayaasha danbe waxaa ka mid ahaa Xaaji Cumar Shiikh Cali oo dalka ka maqnaa 25 sano. Muddadaas wuxuu ku noolaa Dalka Masar wuxuuna wax ku soo bartay Jaamacadda Al-Azhar. Wuxuu la soo noqday carruur iyo oori reer Masar ah. Sheekadii socotey ee Xaaji Xasan 'Farey' waxaa ku daray middan ku saabsan Xaaji Cumar Sh. Cali, halgame meesha fadhiyey oo la yiraahdo Yuusuf Cali Axmed 'Cagey'.
Madaxda S.A.I.S. waxaa dhib ku noqday helitaanka qof dadka karbaashka ku xukuman jeedla. Waxay kol danbe heleen nin aan naxariis iyo benii'aadannimo lagu arag oo uba jeelayey xanuujinta eedeysaneyaasha. Ninkan oo sheekadiisu inoo soo socoto waxaa lagu magacaabi jirey Faarax Siin.

<u>Muxumud Ibraahim Cumar "Boorow":</u>
Marmarsiinyo kasta karbaashku wuu ka soo horreeyey. 'maxaad ii salaami weyday?'
Haddii aad salaantidna eedeyntu waa 'si fiican iima aadan salaamin.'
Shaqadii beeraha ayaa bilaabatay. Qolo waliba, jilib waliba ciidankii lagu qaybiyey ayuu keenay. Askar baa xoogsatada ilaalinaysay.
Qofkii shaqadiisa qabsada cidina lama ayan hadlayn. Maalintii waxaa la qaadanayay 3liire(way ku fillayd). Bishiiba saygu wuxuu qaadanayey 12 daasadood (koonbo) oo galley ah, doobkuna 6. Qoyska carruurta badan 6dii biloodba mar ayaa waxaa la siinayey 1kiintaal. Haweenta ummulaysa waxaa la siin jirey fasax 5 maalmood ah, ummul baxuna wuxuu ahaa 7 maalmood oo keli ah. Qofkii shaqada ka maqnaada waxaa lagu xukumi jirey 50 karbaash 'Senza futa' (maro la'aan).
Inta alaabo la waayey ayaa la igu masabbiday. In la i jilciyo oo hebed la iga dhigo ayaa la doonayey. Waa la i daldaley. Waxaa ciqaabka fulinayey nin la oran jirey Cismaan Abiikar (Sabtiye). Cismaan Abiikar wuxuu ahaa nin naxariis iyo jimic daran. Qof uu badbaadiyo ama uu karbaash u fududeeyo daaye, dibindaabyo ayuu ku sii dari jirey. Waxaa dhacday in aniga oo xiran aan kortag (suuli) u baahday. Wuu i waday oo goortii aan gaaray meesha aan danahayga ku qunsan lahaa ayuu wuxuu diidey

in uu gacmaha ii furo. Ciqaab labaad bay igu noqotay.
Halgame S.Y.L. oo magaciisa la yiraahdo Maxamed Warfaa Caalin wuxuu ka mid ahaa xoogsatadii S.A.I.S. ka soo shaqaysay. Maalin ayaa dhawr gows laga ridey sidii daamanka looga garaacayey; waxaa ku wacnayd isaga oo jirro sheegtay, codsadayna in Isbitaal la geeyo. Xoogsatada jirran sharcigu wuxuu qorayey in Isbitaal la geeyo, waana la geyn jirey, kolkol ayaase ku aabi badani sidii uu doono yeelayey, waana tan ku dhacday Maxamed Warfaa Caalin. Bahalnimadaas waxay ugu kacayeen in ay xoogsatada kale cabsi ku abuuraan.
Anigu waxaan ka mid ahaa dadkii hortiiba ku biiray xubinnimada S.Y.L., 11kii Jannaayana 1948kii waxaan barbar taagnaa Xaawo Taako kolkii ay fallaartu ku dhacday.

Jab siyaasadeed (Giuseppe Brusasca)

Dhammaadka 1950kii waxaa Jowhar ku shiray 29 nabaddoon iyo ergo Talyaani ah ee uu hoggaaminayey Giuseppe Brusasca, ku-xigeenka Wasiirka Arrimaha Dibadda, qaabbilsanna dalalkii uu Talyaanigu horey u gummeysan jirey (Soomaaliya, Eretrea , Liibiya). Labada dhinac way isku burureen: erayo jidbo iyo daltabyo ka dhadhamayso. Wasiirku wuxuu ka ballanqaaday ciribtiridda duumada (kaneecada) iyo qodista ceelal si looga badbaado biyaha webiga iyo kaadidhiigga ay xanbaarsan yihiin. 29ka nabaddoon waxaa soo xulay Guddoomiyaha Gobolka oo Talyaani ah. Iyada oo dabbaaldeg is-afgarasho lagu jiro ayaa waxaa hadlay mid nabaddoonnada ka mid ahaa oo yiri: "Anigu waxaan ahay Muslin. Diinta Islaamku beenta way naga reebtay. Waagii hore ee uu Talyaanigu yimid annagu uma aannaan yeeran, Dagaalkii dhowaa dhammaadkiisana qoladii jabisey oo dalka ka saartay annaga ma ayan ahayn; soo noqod-kiisakan cusubna, kolba anigu dadkii ku wacnaa ka mid ma aanan ahayn. Sababahaas awgood, wax abaal ah oo aannu isku leennahay iyo wax aannu isu sheegnaa ama isu sheegannaa iima ay muuqdaan, Talyaani barashadiisana waxaa noogu filan qarni-barkiis ku dhawaadkii uu noo soo talinayey." In kastoo madaxda Dawladda Talyaanigu ay goortaas ka koobnayd siyaasiyiin weligood Fashiistada dagaal kula jirtey oo soo martay xarig, musaafuris iyo dil, Giuseppe Brusasca wuxuu ogaadey in sidii Fashiistada looga diiday ay Soomaalida u tahay, " Talyaaniyow Talyaani ma aad tahay." Shirkii waa lagu kala tagey. Isla toddobaadkii gudihiisa waxaa la soo saaray wareegto nabaddoonkii Talyaani diidka ahaa looga goynayo 60/=(lixdan) shilin oo mushahar ahayd lagana reebayo in uu magaalada Jowhar cag soo dhigo muddo 6 bilood ah. Duqaas waxaa magaciisa la oran jirey **Colow Barrow Aadan**.

Edeggii 78ka Xirane

Waa sannadkii soo noqoshada Talyaaniga (Maamulka Wasaayadda Talyaaniga ee Soomaaliya). Bannaanbaxyo aad u waaweyn oo lagu canbaareynayo gumeysiga ayaa Jowhar lagu qabtay.
Ciidammada shisheeye waxay ahaayeen xoogag weerar isaga jira oo, inta aanba la gaarin wax gobolka ka dhaca ayey kolkii ay qalalaase ama dagaal ku maqlaan gobollada kale weerar bareer ah Gobannimaddoonka ku soo qaadi jireen. Falalkoodaas ka hortagga ah ayaa dagaallo badan dhalin jirey. Kolkii ay qabanqaabo banbax dareemaan dhiillo ayaa geli jirtey.

Waxaa dhacday in qol aad u yar oo ku yaal meesha uu hadda ka dhisan yahay Saldhigga Boolisku lagu xiray 78 qof oo isugu jira madaxda horseedka, xubnaha iyo taageerayaasha S.Y.L.. Xarigga waxaa amray Taliyaha Gobolka iyo madaxda S.A.I.S. oo loogu warramay in Gobannimaddoonku uu weerar ku soo qaadayo.
Xiranayaasha oo edeggaas ku silicsan oo maalintii 3aad ku jira ayaa nin Booliska ka mid ahaa intuu dhibaatada ka muuqata u adkeysan waayey xabsigii ka furay isaga oo si bareer ah ku jabinaya amarkii Taliyaha Talyaaniga. Kee buu ahaa askarigan geesiga ah oo xarigga ka sii

daayey? 3dan magac ayaa hadba mid lagu sheegay:

1. Warsame Xirsi Faarax 'Afweyne'
2. Maxamed Yuusuf 'Bocood'
3. Caaggane Cali Xasan 'Dhegey'

Waa dhibaatada qoris la'aanta iyo xusuusta oo had iyo goor sii shiiqaysa. Sheekadan goortii ay dhacday iyo goortii la qorayey waxaa u dhexeeyey soddomeeyo sano.

Waxaa la yiri Warsame Afweyne oo ahaa 'Vice-Ispettore'(Kormeere ku-xigeen)oo ka mid ahaa askar Xamar ka timid, kolkii uu arkay dhibaatada maxaabbiista haysa ayuu Taliyihiisii Talyaaniga ahaa u sheegay. Taliyahaas ayaa qolbaaskii ka soo saaray oo geeyey xabsiga weyn. Dad kale waxay qabaan inuu toos Warsame isagu uga furay albaabka oo xabsiga ka sii daayey.

Bocood waxaa loo cuskadaa tixahaan qabyada ah ee uu tiriyey mid maxaabbiista ka mid ahaa:

" ANNAKOO BA'I HAYNNA
" OO BALOWGEENNU YEERAA
" BOCOODAA NA BADBAADSHAY

Caaggane Dhegey oo aan anigu la kulmay wuxuu igu yiri:

" waxaannu ahayn askar ka hartay Field Force(British Administration) oo Beledweyne joogta. Koox aan ka mid ahaa ayaa Jowhar la geeyey; halkaas, isla markiiba waxaan tagay xabsigii lagu ciqaabayey 78ka

waddani: Madaxii xabsiga 3/alifle Muuddey Masaajid ayaan Bastoolad dhafoorka ka saaray oo maxaabbiistii ka sii daayey."
Waxaan kansho u helay in aan Jowhar kula kulmo 3 ka mid ahayd 78kii xirane oo kala ahaa Yuusuf Cali Axmed 'Cagey', Cabdille Maxamed Axmed 'Bahgeri' iyo Cabdullaahi Xasan Jaamac 'Qaamandheri'; iyaga laftoodu arrinta qofkii maxaabbiista illinka ka furay iskuma ayan raacin.

Gurmadkii Webi-Jeexa

Tuulada Misra (Jameeco) oo Xawaadley ka tirsan ayey qaylo ka soo yeertay. Warar isdabajoog ah ayaa Xawaadley soo gaarayey: waxaa la maqlayey " Leegadii baa la laayey"; " hebel iyo hebel way dhinteen" ; "Naadigii waa la gubey…" Wărarka soo lalay waxaa ka mid ahaa in Shiikhii Misra oo ahaa Shiikh Xasan Cabdulwaaxid la diley. Jameeco iyo Xawaadley waxaa u dhexeeya Webi Shabeelle oo kolkaas afka hayey. Webiga yaxaas baa ku badan. Wax laballaabow ah kama dhalan halista yaxaaska oo Jiimbaar Uuni Daawoy, duqa Xawaadley oo hoggaaminayey Ciidanka S.Y.L. ayaa raggii gurmadka laga sugayey wuxuu ku qanciyey in uu yaxaasku xijaaban yahay. Baxaarka Xawaadley wuxuu ahaa nin awooddiisa aad loogu kalsoon yahay.

Qalalaasahaan waxaa ka horreeyey shirar ay qabteen Lixda Shiidle oo ay ku go'aamiyeen sidatan:
" Qofkii S.Y.L. sheegtaa qabiil ma uu laha,
" Qofkii aan qabiil lahaynina Shiidle ma aha;
" Qofkii aan Shiidle ahaynina, dhulkaan Shiidle Beero kama uu falan karo.
Lixda Shiidle xooggoodu, sida dhacdooyinkan koobani ay ka maragfurayaan wuxuu ka mid ahaa halgamayaasha naftooda u huray Gobannimaddoonka, waxaase jira qayb la baxday Ururka Lixda Shiidle oo Pro-Talyaani ah oo aan ka duwanayn Axsaabti badnayd ee barnaamijyo qabiil ku dhisnayd ee ay Wakiillada Talyaanigu u abaabuleen in ay ku carqala-deeyaan dhaqdhaqaaqa Gobannimaddoonka.

Kuwii Jameeco qalalaasaha ka dhigayey waxay isku halleynayeen askarta Talyaaniga. Waxaa isku mar Jameeco yimid Ciidankii duq Jiimbaar iyo askartii Talyaaniga. Askartii waxay xirxirtay hawlwadeennadii Gobannimaddoonka ee tuulada Jameeco oo ay u gudbiyeen Xabsiga magaalo madaxda ee Jowhar.
Dacwaddii lagu qaadayey maxkamadda Jowhar, Xoghayihii Xisbiga ee Xawaadley oo la oran jirey Baashaal Xaaji Biyoole kama uusan qaybgelin wuxuuse wakiishay odayaashii Xawaadley oo ay ka mid ahaayeen Jiimbaar Uuni Daawoy, Daa'uud Suuci, Maagey Obokor, Aadan Tiirey,

Xaaji Ibraahim Muxummud Khayrre, Xaaji Xasan Shariifow iyo Maxamed Hilowle. Dhowr maalmood kaddib xiranayaashii waa la sii daayey. Jowhar ayaa si u gilgilatay oo Wakiilladii Maamulka Wasaayadda Talyaaniga ee Soomaaliya ayaa waxay ka baqeen in Bannaanbaxyo dagaallo cusub dhaliya la abaabulo.

Habeenkii Argaggaxa

1950kii, ujoogayaashii Maamulka Wasaayadda Talyaaniga ee Soomaaliya iyo kuwi S.A.I.S. ayaa Jowhar waxay ku shiriyeen nabaddoonnadii taageerayey siyaasadda Talyaaniga. Nabaddoon kasta wuxuu duq u ahaa laf ama Jilib, ciidankooduna, kolkii wadajir loo fiiriyo, wuxuu ahaa mid firirsan oo aan lahayn meel dhexe oo laga maamulo. Talyaanigu wuxuu ku talaggalayey in haddii Xisbi xoog leh la abuuro uu soo jiidan karayo inta faraha badan ee dhalasho ahaan magaca Shiidle ku abtirsata, haddana xubno ka ah Xisbiga S.Y.L.. sidaas ayuuna ku unkay Urur ku magacaaban Gruppo Sei Shidle (Lixda Shiidle) wuxuuna astaan uga dhigay qaanso iyo fallaar.
Axad walba waxaa kulmi jirey S.Y.L., Lixda Shiidlena, kuwa Talyaaniga raacsan, waxay shirkooda ka dhigteen Isniinta iyaga oo ku dhaartay in ay Isniin walba tirtirayaan xusuustii Axadda. Shirarkaasi waxay Gobannimaddoonka ugu muuqdeen kuwo aan loo dulqaadan karin.

Jowhar go'aan bay gaartey. Habeen gudcur ah oo roobabbow ah oo uu cirku jiq yahay baa loo tashaday. Goobta ay Lixda Shiidle ku shireen maalin cad baa loo ekeysiiyey. Geed walba waxaa laga laallaadiyey hal 'Betromax'. Shirkaas fashilintiisa waxaa loo xilsaaray nin la oran jirey Abshir Faarax Waal.

Koox buu watey. Kuwo aan wejigooda la garanayn ayuu Abshir faray in ay kulanka si caadi ah uga soo qaybgalaan oo mid waliba istaago meel Betromaxka gacanqaad ama tuuryo la hubo loogu geysan karo. Inta ay isu baaqeen, ayay iskumar, iyaga oo ku abbaaraya kol cayaar xiiso leh la tumayey betromaxyadii jajabiyeen. Ilbiriqsi kaddib, waa gudcur qam ah. Carruurtii, haweenkii iyo raggii way iswaayeen. Abshir Faarax wuxuu ciidankiisa soo faray in meesha oo dhan ay ul dhinac kala maraan degdegna ay u baxsadaan inta ay askartii Talyaaniga ilaalinaysay bardadsan yihiin. Cidina ma ayan nafbixin waxaase loo 'dhintay' argaggax iyo cabsi. Sidii la filayey, isla habeen-kiiba madaxdii horseedka ayaa la xirxiray. Toddobaad markay xirnaayeen ayaa madaxda Wasaayadda ee Xarunta Dhexe waxay soo amartay in degdeg loo sii daayo, madaxdii Talyaaniga ee Jowharna canaan iyo eedayn tii ugu xumayd baa loo soo jeediyey, maalintaas laga bilaabana waxaa laga reebay in ay kulan danbe oo jaadkaas ah ka qaybgalaan. . Sigashada naftooda ka sokoow, waxaa facsharantay faraggelinta qayaxan ee siyaasadda gudaha oo isla markiiba soo gaartey Golaha La-tashiga (Advisory Council) ee Ummadaha Midoobey.

Burburka Shirkii Dabadhilifyada

Comitato Rappresentativo Italiano(Guddiga Wakiillada Talyaaniga) waxay meel walba dadka kula dhexjireen lacag iyo ballanqaadyo ay taageero ugu raadinayaan siyaasadda Talyaaniga. Ergo uu Guddigani soo diray ayaa habeen dhuumasho ku timid magaalada Jowhar. Guri baa waxaa ku sugayey oo si qarsoodi ah loogu shiriyey madax qabaa'il iyo madax Ururro Talyaaniga taageerayey. Dantu waxay ahayd in shir qarsoodi ah looga doodo habka iyo xirribta ugu habboon ee dacaayadda Xisbiga S.Y.L. lagula bedertami karo; madaxda Qabaa'ilka iyo tuulooyinkana waxaa loo wadey lacagtii wax lagu abaabuli lahaa.
Kaqaybgaleyaasha
Shirku waxay ahaayeen kuwo aad loogu kalsoon yahay oo lala soo dardaarmay, laguna soo dhaariyey in ay xogta kulanka si adag u xajiyaan. Dhuumashada iyo qarsoodiga waxaa keenayey kulanka oo ay joogaan kuwo labaggalleyaal ah oo S.Y.L. ka tirsan, jawaasiisna Gumeysiga u ah.

Qabanqaabiyeyaasha kulanku, dhinaca kale, kuma ayan talaggelin in ay ku dhexjiraan waddaniyiin tallaabo-tallaabo ula socodsiinaysa Xisbiga dhaqdhaqaaq kasta ee ay sameeyaan. Wardoonka Ingiriiska, kii S.Y.L. baa ka dheereeyey. Habeenbarkii ayay askarta Ingiriisku waxay timid gurigii Shirka oo horseedkii Xisbigu hareeraha ka taagan yahay, illin kasta, dariishad kasta iyo deyd kasta oo karingaabad lehna ay ilaalo Horseed ahi taagan tahay. Askartii Ingiriiskuna, markooda ayay Horseedkii hareereeyeen. Qoladii kulanka isugu timid jab siyaasadeed oo dhaqdhaqaaqooda si xun u naafeeyey ayaa ku dhacay. Shirarka qarsoodiga ahi way ka reebbanaayeen xeerarka nabadgelyada. Guriga lagu shiray waxaa lahayd Islaan la oran jirey Nuuriya Ibraahim.

Calansaar

Shabeellaha Dhexe oo dhan, tuulo kasta waxay u ahayd dabbaaldeg 12ka Oktoobar, 1954kii. Mahaddaay, Xawaadley, Geedobarkaan, Gaafaay, Baarroy, Bayaxow iyo tuulooyin kale oo badan waxaa laga abaabuley shirar iyo barnaamijyo loogu iidayo astaanta midnimada Ummadda Soomaaliyeed. Tan iyo waagii la unkay Xisbiga, tiigsigiisu wuxuu ahaa midaynta Soomaalida, calan kasta ee shisheeye ha ku hoos jireene. Tilmaantaas siyaasadeed ee Xisbiga u soo ahayd qalabka halganka

Gobannimaddoonka ayaa maanta, calanka u ekaysiisay guul uu hantay.
Ururradii 'Pro-Talyaaniga' ahayd ma ayan jeclaysan dhalashada Calanka oo astaan u ah midnimada Soomaaliyeed. Waxay ku doodi jireen in ayan Soomaalidu midoobi karin oo joogista Talyaaniga loo baahan yahay, ugu yaraan soddon sano, tobanka sano ee ay Ummadaha Midoobey go'aamiyeenna ayan ku fillayn.
Sidaas awgeedna, waxay doonayeen in maalinta Calansaarku ay noqoto maalin qalalaase iyo iska-horimaad si ay maragfur u siiyaan Axsaabtii Ummadaha Midoobey horgeysay in ayan Soomaalidu, muddo Soddon sano ka yar madaxbannaani ku hanan karayn. Axsaabtaas Talyaaniga taageersan waxaa ka mid ahaa Unione Patriottica di Beneficenza, Hidait-AL-Islam Shidle-Mobilen iyo Xisbiya Dighil Mirifle.
Wardoonka S.Y.L. ee Jowhar wuxuu ka war helay in guutooyin abaabulan oo ka mid ah taageerayaasha siyaasadda Talyaaniga lagu soo ururinayo magaalada Jowhar si ay Gobannimaddoonka u weeraraan maalinta fagaaraha calansaarka la isugu imanayo.
Horseedku wuxuu ku tashaday in haddii lagu biyokeeno oo ay arkaan in laga bura sito ay, hor iyo horraan, goobta dhigaan saddexda ugu firfircoon xoogagga ka soo horjeeda; saddexdaasi waxay kala ahaayeen:

1. Sharey Cumar: Wuxuu ahaa nin aad u guubaabo badan, aadna u badiya kicinta. Dareenka dadka isaga oo tolnimo ku beerlaxaw-sanaya, Soomaalida aan Gobolka u dhalanna ku tilmaamaya burcad horor ah oo doonaysa in ay Shiidle ka dhacdo dhulka beeraha Awooweyaasha. Shirarka ayuu ka dhex qaylin jirey isaga oo isu qalloocinaya sidii qof ay fallaari ku taal oo leh: "ha la iga siibo anay i suran tahay…" waddooyinka ayuu hadba dhinac ugu ordi jirey isaga oo barooranaya. Wuxuu lahaa dad badan oo aan ka harin oo dhalasho ahaan ku raacsan. Ninkaas waxaa lagu qaybiyey oo u darbaday in uu aammusiyo waddaniga la yiraaho **Warey Xooriye soommane.**
2. Saleebaan Macallin: Wuxuu Xoghaye u ahaa Gruppo Sei Shidle(Lixda Shiidle).

Wuxuu ahaa laashin aan daalin oo ay tixihiisu saamays daran leeyihiin. Wuxuu ahaa codka Ururkiisa. Isagana, waxaa isu diyaariyey in uusan cid danbe shiddeyn waddaniga lagu magacaabo Odawaa Jimcaale Afrax.
3. Ninka Saddexaad wuxuu ahaa Talyaani, Guddoomiyaha Degmada Jowhar. Magaciisa oo hagaagsan lamaxusuusna oo waxaa loo yiqiin oo keli ah **' Dhiisi Birraas'**. Dagaal xun iyo maag joogta ah ayuu dhaqdhaqaaqa Gobannimad-doonka ku hayey. Dhiisigaan waxaa, sida labadii hore, faataxada loogu maray in uu ifka ka qariyo **Biixi Faarax Maxamed (Biixi Dheere).**

Maalintaas Calansaarka xubnaha S.Y.L. iyo taageerayaashooda ayaa si xoog leh tuulooyinka uga yimid Jowharna ku hafiyey heeso iyo kumanyaal ah astaanta Xisbiga. Kuwii qalalaasaha abuurayey way kala firxadeen oo baaxadda Gobannimaddoonka ayaa qarisay, Calankiina cirka ayuu isku tolay iyada oo sacabka iyo codka dadweynuhu uu dhinac walba ka soo dhoweynayo.

Geedoberkaan

Kicinta iyo abaabulka hawlaha iyo xiriirinta tuulooyinka waxaa qayb gaar ah ka qaatay, xusuustiisuna ay maantadan sideedii u nooshahay - Eebbe ha u naxariistee – Xasan Cismaan Muuse 'Xasan Dhegey'. Xusuus ayuu tuulo kasta ku reebi jirey. Xasan Dhegey wuxuu uga duwanaa xubnihi kale ee sanooyinkii uu loollanku ugu kululaa kala tirsanaa halgameyaasha Degmada Jowhar, isaga oo, qof ahaan tuulo kasta lug ku tegi jirey, dadka iyo noloshiisana si dhab ah u baran jirey, danihiisa barnaamijka Xisbiga ka baxsanna wax kala qaban jirey. Tuulooyinkaas waxaa ka mid ahayd tilmaan gaar ahna lahayd Geedoberkaan. Tuuladu waxay hortii caan ku ahayd dagaalyahannimo ay ku diidi jireen hawlaha Warshadda Sonkorta kolkii ay Fashiistadu sandullaha ka dhigtay. Waa qolo, weligeed loo aqoonsanaa Gaalo-imaadba ka hor, in ay ka mid

yihiin qolooyinka Soomaalida ugu dagaalyahansan. Goobtii dagaal oo ay soo galaan waa loo bannayn jirey. Waxaa la yiraahdaa, "Ciddii hollisaa waa cid aan horey u aqoon." Waxaa dhici jirtey in hadba meeshii S.Y.L. lagu ciriiriyo ay u soo gurman jireen. Waxay ahaayeen nabar ku taagan Axsaabta iyo Ciidammada uu Maamulka Wasaayadda Talyaanigu abaabulayo. Reer Geedobarkaan geesinnimadii ay weligood ku tilmaannaayeen ayay hadda u yeesheen mabda' iyo himilooyin siyaasadeed. Waxaa la xusuusan yahay 1952kii bannaanbaxyadii lixaadka weynaa ee ka danbeeyey dhacdooyinkii Kismaayo in Wakiillada Talyaaniga ee Jowhar ay, hor iyo horraan, Geedoberkaan gebagebo ka dhigeen oo ay ciidammo dulfariisiyeen. Waa marka la xirayo: 1. Xasan Cismaan Muuse 'Xasan Dhegey'
2. Cabdi ALLE-kaal
3. Maxamed Axmed Cumarey " Faracadde"
4. Geeddi Raage
5. Maxamed Cali Canbuulo(?)
6. (Oday) Maxamed Axmed Xunbey.
Xasan Dhegey, marar badan oo hawlwa deennada Xisbiga Jowhar la xirxiray, isaga waa la faquuqi jirey oo waxaa lagu xiri jirey meesha la yiraahdo **Garaziani** oo u dhexeysa Beledweyne iyo Buuloberde. Cidla ciirsi la'daas ayuu bilo ku huursanaan jirey.

Webi ku Shalwintii Dhacdhacow

Waxaa Saldhigga Booliska ee Jowhar, Taliyaha Talyaaniga ku-xigeen u ahaa 1952kii xarigle Soomaali ah. Wuxuu ahaa Dabadhilif dhaarsan oo wuxuu ku hawllanaa oo keli ah u adeegidda Maamulka iyo fulinta farriin kasta ee la faro. Maag iyo aabi joogta ah ayuu ku hayey xubnaha S.Y.L. Gaar ahaan, wuxuu isaga bisanbisoon jirey eedaynta Horseedka: intuu ku aflaggaaddoodo ayuu misana masabbidi jirey si uu u abuuro sababo lagu xiro. Far dheeraatay buu noqday. Islaweynidiisii baa loo adkaysan waayey. Dhar wada cad buu xiran jirey: kabo, cagaggashiyo, surweel iyo gashi. Waxaa caan ahayd ushiisa afka foolka maroodi ah lahayd. Saraakiisha Talyaaniga ee uu ka hoos shaqaynayey ayaa qalalaase abuurista ku ogaa. Saraakiishaasi waxay ahaayeen kuwo sannadkii la soo gudbey la socday Maamulka Wasaayadda Talyaaniga ee Soomaaliya, sansaankooduna wuxuu u ekaa kuwo Gobannimaddoonka ka aargudanaya. Kolkii loo adkaysan waayey ayaa waxaa ka shiray madaxda Horseedka. Go'aan waxaa lagu gaaray in lagu rido webiga oo xilligaas afka hayey. Ninkaas waxaa lagu magacaabi jirey Xaaji Cismaan Maxamed Maxamuud wuxuuse ku magac dheeraa naanaysta ah Dhacdhacow. Waxaa la doonayey in ifka looga qariyo si aan sharqan iyo raad lahayn.

Dhacdhacow wuxuu fiid walba ka gudbi jirey raarka (buundo) ku hor yaal Warshadda Sonkorta irriddeeda Webiga xigta. Shan Horseed ah baa loo qaybiyey. Waxaa ka mid ahaa: Cabdille Maxamed Axmed 'Bahgeri' iyo Cali Abiikar Maxamed. Raarka gowyadiis bay si teelteel ah, sidii dad neecowsanaya isugu tiirtiiriyeen. Cabbaar bay sugeen. Dad baa raarka hadba dhinac u gudbayey. Shantoodi mooyase cid kale oo meesha taagani ma ayan jirin. Goortii la malaynayey ayuu soo muuqday.
Sidii lagu yiqiin, wuxuu qabey dhar hufan oo togan. Shantii aammus bay isugu baaqeen. Kolkii uu bartamaha raarka marayey isaga oo aan wax dhiillo ah dareemin oo tallaabsigii uu ka xalladeyn jirey ku saanqaadaya, ayay isku mar balow ku yiraahdeen. Cabdille Bahgeri oo xusuustiisa kaashanayey wuxuu yiri:
" ilbiriqsi igalama badnayn Dhacdhacow cududiddiisii, biliddiisii, webi ku shalwintiisii iyo kala firxadkayagii." Labo saac kaddib, waxaa xabsiga ku urursanaa Horseedkaan :
1. Cabdullaahi Xasan Jaamac 'Qaamandheri'.
2. Yuusuf Cali Axmed 'Cagey'.
3. Cabdille Maxamed Axmed 'Bahgeri'.
4. Axmed Xirsi Diini 'Dhoorre'.
5. Abshir Gooni Cabdi. 6. Maxamed Jaamac Bowdole'eg. 7. Cali Abiikar Maxamed.
Nimankaan waxaa soo xirxiray Taliyihii Saldhigga Booliska oo magaciisa hore oo keli ah

la xusuusan yahay: Maresciallo Domenico.
Waxaa xiraneyaasha la horkeenay Dhacdhacow oo si u baydadsan, lana moodo in islaweynidiisii ay shiiqday. Qof keli ah ee uu wejigiisa aqooday lama arag, maxaayeelay, kolkii la cududayeyba wuxuu la gaggabayey surgooyo uu Cali Abiikar Maxamed ku dhuftay.
Dhacdhocow wuxuu ku badbaaday Horseedkuna uusan ogeyn, in uu dabaasha aad u yiqiin. Wuxuu oran jirey Horseedka ha loo sheego maahmaahdan " Wiil Cabdalle* iyo weyl lo'aad midna webi kuma dhinto." Dhacdadan kaddib Dhacdhacow aad buu u baqay, Talyaanigiina wuu u garaabay oo Jowhar wuu ka beddelay.

Astaan Gumeysi (Faarax Siin)

Waxaa jirey nin Soomaali ah oo abuuris iyo baxaalli gaar ah leh. Waa Faarax Siin. Wuxuu jago ku yeeshay heesaha dadweynaha. Wuxuu astaan u noqday gardarrooyinka, eedaha iyo islaweynida Gumeysiga. Garsoor xumada S.A.I.S. iyo guud ahaan jimicdarrada madaxdii Fashiistada ayuu baadisooc u ahaa. Xoogsatadii hore ee S.A.I.S. waxay ku tilmaameen nin dareen beni-aadannimo ka maran.
Hawshiisu waxay ahayd in uu eedeysaneyaasha shaabuugga ku xukuman jeedlo. Sida ay ku warrameen odayaashii arki jirey ma uusan ahayn qof ay garashadiisu dareensiinayso

liidashada shaqadiisa ee wuxuu ahaa nin falkiisa dhadhansanaya oo u jeelaya. Xanuujinta xoogsatada wuu u soo bisanbisoon jirey. Lama sheegin isaga oo qof eedaysan oo tabar yar u dabcinaya, ama keligiis ha ahaado ama ha joogo madal ay madaxdiisu kor ka ilaalinayso.
Faarax Siin wuxuu ahaa reer Gololley. Waxay isxigeen nin isagana ay shaqadiisu ahayd karbaashe (jeedle) oo la oran jirey Cismaan Abiikar. Labadaas nin dadkii arkay sida Muxummud Ibraahim Cumar 'Boorow', kulama ay yaabaan oo keli ah, fulinta hawshaas dugaagnimada ah ee waxay la yaabaan sida ay u muujin jireen dadaal dheeri ah, xamaasad iyo jeel.

Astaan Gobannimo

(Makaay Garaarre Celi)

Boqollaal halgame ayaa midkood waliba mudan yahay in uu astaan u noqdo taxa halgammadii Shabeellaha Dhexe. Makaay waxaan kula kulmay Jowhar 1985kii iyada oo weli xusaska waaweyn ka muujisa astaamihii lagu yiqiin oo ahaa furfurnaanta, guubaabada, curinta iyo ka xalladaynta heesaha, cayaaraha iyo muusikada Daljacaylka. Waa fan ay ku soo dhexjirtey laga soo bilaabo 1947kii. Kolkii uu Guddiga halgameyaashu ka sheekeynayey taariikhda Gobannimaddoonka ee Gobolka Shabeellaha

Dhexe, labada magac ee ugu soo noqnoqoshada badnaa
** waxa uu ka tirsanaa Xawaadle Diileedka webiga saaran oo dabaasha aad u yaqaan ee, kama uusan tirsanayn Xawaadle Duleedka webiga ka fog.*
waxay ahaayeen, xagga ragga Xasan Cismaan Muuse 'Xasan Dhegey', xagga haweenkana Makaay Garaarre Celi.
Makaay oo muujinaysa sida uun ayan u ahayn xubin Xisbi oo keli ah ee ay nolosheeda iyo Gobannimaddoonku isu dheeheen, sheegaysana in ay tahay reer Moyko (Jowhar agteeda).
Heesihii ay tirisay waxaa ka mid ahaa:
Magacay Makaay waaye - Minankayga Moyko
Muusika S.Y.Leega - Meher u qaadatoy
Ciilaa Calooshayda Galay - Ku cagaaranaaya
Cunug Gaal anoon cunin* - Ma ka Caymanaayo

Galka Moyko hoostiisa - God ha la iiga faago
Gaaladaan Gudow diiddaa - Lagu gawracaa
**
Gurbaan S.Y.L. - Gow minaas yiraa
Waan soo gabdhoobaa - Geberaan noqdaa **

**cuniddu waa eray ay carada haysa ku muujinayso ee qalasho ma aha*
Beledweyne iyo Buuloberde - Burco iyo Hargeysa
Buluuggaan S.Y.Leega - Mid ba'aaya maaha
**
S.A.I.S maa samaan falay - Samankii horeeto

Sarbiduu i soo saaray - Sarartay ku taal

**

S.A.I.S maa samaan falay - Samankii horeeto
Saqiirkaygoo ooyayaan - laba sool dhexdood
Suuf soo guraayee **
Sabti waa la siibaa - Sartii meel ku taal
S.A.I.S.sow sarriig laawe - Sarahaaga siibo

**

Gaaloy Guhaad dhaaf - Garta aad u gooy
Soomaali waa soo gobeernowdoo
Gibilkii madoobaa **
Halgan minaan nahay - Oon hoggaaminaynno
Heegan yaan idiin nahay - Har iyo hiraab

**

Bandiirad saarkii - Berigii Talaadaad
Berberekh yaalley - Beled meel ku taal

**

Siimow dhuleed waaye - Soomaalideynna
Waa soo siyaaddaa - Sanadii timaaddaba

**

Ninka Juuni jaasuusay - Iyo Jananlow hilowle
Juudaan Allow ku rid - Jimcadaan dhexdeeda

**

Jiimbaar Xawaadley - Jowhar Juuni waaye
Jubadkoodu ninkuu gaaray
Jimce joogi maayo **
Nimaan juuni soo xadin - Oo Jiibka la iska saartay
Jalaalkayga weynaa - Ka jawaabi doona

**

Baaddey bariid waaye - Laba baaldi Caano
Badda leen ku tuuraa - Buleendada Gaalo

**

Makaay oo madal kasta ka heeseysa oo ka dhex cayaaraysa kooxaha muusikada waxay u dhaxdey nin wadaad ah oo la oran jirey Cali Cabdulle Mahad. Isagu, sideeda oo kale ma uusan geli jirin siyaasad toos ah, wuxuuse gumeysiga ku eedayn jirey gardarrooyinka. Cali wuxuu ahaa laashin afarreydiisa tuurta. Kol la xiray isaga oo Makaay la hadlaya, wuxuu yiri:

Maal dadow ma soo xadin - Muusikana ma dheelin
Wax la ii maxbuusay - Madaxaaga waaye

Heeso ay xarigga saygeeda ka tirisay waxaa ka mid ahaa tixdan:

Weligayga oo wajacan - Iyo labadayda wiil
Kuwii waab ku ooday - Ma walaashanaayo.

Dhibaatadii dheerayd ee Gumeysiga waxaa ka danbeeyey isu-talintii gudaha iyo, Soomaalidii oo shisheeyihii maamulka kala wareegtay. Tixdaan oo waagaas ku siman ayaynnu ku gunaanadaynnaa heesihii Makaay Garaarre Celi.

Waa layska laallaabaa - Laba liiradaan
Lacagaa la keenaa - Leegadu ku taal

**

Gunaanad

(Tusaalooyin dibuheshiisiineed)

Kamboodiya waxay ahayd halkii uu ka dhacay gumaadkii ugu xumaa, uguna baaxadda weynaa. Ummadaha Midoobay ayaa 1993kii nabad ka dhaliyey.

Dhexdhexaadiyeyaashu waxay la kulmeen 3 ka mid ah 4tii Xisbi ee waaweynayd. Waxaa fallaagoobay Xisbigii Khmer Rouge. 3du waa Xisbigii u loollamayay soo celinta Boqortooyadii la ridey 1971kii, Xisbiga Shuuciyadda cusub iyo Xisbiga Dimuqraadiyadda iyo Buudiismada. Xisbi waliba waxa uu wakiil ka ahaa kumanyaal isugu jira xubno iyo taageerayaal ku midaysan barnaamij siyaasadeed. Waxay mudnaanta kowaad siiyeen Badbaadinta Dalka.

Doorashooyin ayaa la qabtay. Gole Shacbi ayaa la dhisay, Dalkiina wuu badbaadey.

Wakiillada Soomaaliya waxay madasha dibuheshiisiinta la yimaadeen hal heshiis oo ah in ay awoodda siyaasadeed ku qaybsadaan hab qabiil: Daarood, Digil-Mirifle, Hawiye, Isaaq iyo Barka. Waxay doonayaan-sida ay yiraahdeen-in ay dhisaan Dawlad casri ah oo ka dhalata doorasho Dimuqraaddi ah iyaga oo u maraya hannaan qabiil.

Habkani waa jacbur aan waxba kordhinayn. Qabiilku, dhaqan ahaan, wax buu ku heshiiyaa ee wax ma doorto. Shirka Geedka, waxaa ka soo baxa Guddoommo sida 'Hebel wuu gar helay'

ama 'Hebel waa laga gar helay' meelise uma bannaana Guddoon leh ' Hebel waa laga codad batay, iwm.'
Qabiilna lama uusan imaan, lagamana sugeyn barnaamij siyaasadeed, maxaayeelay, qabiilku waxa uu ka midaysan yahay oo keli ah xagga abtiriska. Afarta qabiil, midkood walba waxaa isku xiraya abtiris ayan 3da kale iyo barku la wadaagin. Barka xubnihiisu waa kala abtiris, afarta qabiil ee waaweynna waxba lama ay wadaagaan.
La is-abuuryey oo waxaynnu maqlaynney Qaran iyo Qabiil meel ma ay wada galaan, runnimada oraahdanna Soomaalidu way soo taabatay, soo eedday.
Dad ayaa Barka waxay u arkaan sidii 'farsamo' lagu ilaalinayo xuquuqda dadka laga badan yahay. Dalalka dunida intooda badan waxaa ku nool dad laga tiro badan yahay, wax dhibaato ahina kama dhalato dhawrista xuquuqdooda kolkii ay caddaaladi jirto.
Qabyaaladdu waa sida carsaanyada oo horay iyo gadaalba way u socotaa, sidaas awgeedna, cadowgu ma aha kan kula dagaallamaya oo keli ah ee waa cid kasta oo ay haybwadaag yihiin, kulay ku tahay ilmaha weli uurka ku jira.
Gadaal u socoshadu waxay isu rogtay dhimir-dheelli si xun u saameeyey qoreyaasha xilligan dagaallada sokeeye qaarkood, kuwaas oo taariikho hore (qarniyo) si jaban uga been sheega

kolka ay la kulmaan magacyo ay u arkaan in ay cadawgooda maanta hayb wadaagaan.

*Waa la garan karaa, colaadinta kuwa maanta lala dagaallamayo, waxaanse fududayn garashada colaadda '**qallaha**' ah.*

Dhaqan ahaan, shilalka ugu xunxun ee qabaa'ilka kala gaara, si fudud ayaa looga heshiin jirey: waa waagii ay Isimmadu(duubab) madaxbannaanaayeen. Waxaa waayadan danbe meesha ka baxday dhinacyada oo markii la heshiisiiyo isu celiya wixii hanti ah ee ay kala dheceen, maxaayeelay, labada dhinac waxay isku laayaan xoolo uusan midkoodna lahayn ee dad kale ama Dawladi leedahay. Waa arrin ka baxsan dhexdhexaadinta Isimmada: 'Waa arrin ciidan'

***

Dagaal'ooge: " Waa yaab! Madaxweyne dadyow ku gumaadaya qaarado kala duwan, haddana annaga nagu eedeynaya 'ku xadgudub xuquuqda benii'aadanka'".

Deris: "Dadka uu laynayaa ma aha dadkiisii ee waa shisheeye uu cadow u yaqaan. Haddii uu muwaaddin dadkiisa ka mid ah dhibaato yar gaarsiiyo, waxay u badan tahay in jagada laga eryo. Waxaa la yiraahdaa gumeysteyaashu inta ay gudahooda isxaqdhowraan, in le'eg, ayay dadyowga kale ku gardarroodaan.

Idinku, laynta dadkiinna ayaad madaxnimo ku gaartaan."

***